LA DIABOLIQUE

Du même auteur :

Le Masque de l'araignée, Lattès, 1993.
Et tombent les filles, Lattès, 1996.
Jack & Jill, Lattès, 1997.

James Patterson

LA DIABOLIQUE

Traduit de l'américain par
Philippe R. Hupp

Roman

JC Lattès

Collection « Suspense & Cie »
dirigée par Sibylle ZAVRIEW

Titre de l'édition originale
HIDE AND SEEK
publiée par Little, Brown and Company

Pour Carole Anne, Isabelle Anne et Mary Ellen,
mères de l'invention.

Prologue
CACHE-CACHE

1

Pas question de bouger. Coincée sous la véranda, le visage plaqué contre le sol glacial, congelé, jonché de feuilles mortes et de brindilles qui m'écorchaient la peau, je savais que j'allais bientôt mourir, et ma petite fille aussi. Les paroles d'une chanson de Crosby, Stills et Nash me venaient à l'esprit : « Notre maison est très, très, très sympa... »

Je chuchotai dans l'oreille de ma petite puce :

— Ne pleure pas... je t'en prie, surtout ne pleure pas.

J'étais prise au piège. Impossible de fuir, du moins avec la petite dans les bras. Je n'étais pas idiote ; j'avais envisagé toutes les possibilités de repli. Dans chaque cas, c'était l'échec assuré.

Dès qu'il découvrirait notre cachette, Phillip nous tuerait. Il fallait que je l'arrête, mais comment ? Je gardais une main sur la bouche de Jennie :

— Surtout, pas un bruit, ma chérie. Je t'aime. Il ne faut pas que tu fasses le moindre bruit.

Au-dessus de nous, j'entendais Phillip dévaster la maison. *Notre* maison, près de West Point. En proie à une fureur sans nom, il allait de pièce en pièce, d'un étage à l'autre, saccageant tout, renversant les meubles. Il était devenu complètement fou. Je ne l'avais encore jamais vu dans un tel état. Trop de cocaïne, cette fois. Mais le gros problème de Phillip, c'était la vie en général.

— Allons, montre-toi, Maggie, sors de ta cachette ! s'époumonait-il. Allez, Maggie, Jennie, montrez-vous ! N'ayez pas peur, c'est juste papa ! Et papa, de toute façon, il va vous trouver ! Allons, Maggie, on sort ! Fini de jouer, maintenant !

Maggie, je t'ordonne de sortir de ta cachette ! Je vais t'apprendre à me désobéir, petite garce !

Sous le plancher branlant de la véranda, je frissonnais, je claquais des dents. « Je dois rêver, ce n'est pas possible... » La petite, pelotonnée contre moi, était trempée.

— Ne pleure pas, Jennie. Je t'en prie, ne pleure pas. Tu es vraiment une bonne petite fille, tu sais. Je t'aime, ma puce.

Jennie a hoché la tête et m'a regardée dans les yeux. J'aurais tant voulu pouvoir me dire que ce n'était qu'un mauvais rêve, un cauchemar qui allait bientôt se dissiper, mais tout cela était bien réel, aussi réel que l'infarctus qui avait terrassé ma mère sous mes yeux quand j'avais treize ans, alors que j'étais seule à la maison. Et bien pire.

J'entendais l'homme qui était mon mari monter et descendre l'escalier à pas de plomb, hurlant sans discontinuer comme il le faisait depuis plus d'une heure, martelant les murs de ses poings. Le capitaine Phillip Bradford, instructeur de mathématiques à l'Académie militaire. Officier et gentleman. Ce que chacun croyait ou voulait croire, ce que moi-même j'avais cru.

Une heure s'écoula, puis deux, et bientôt trois.

Nous étions toujours là, recroquevillées contre le sol glacé, dans le noir le plus total. L'enfer.

Jennie avait heureusement fini par s'endormir. Je la serrais contre moi pour lui tenir chaud. J'aurais aimé sombrer comme elle dans le sommeil et renoncer à me battre, mais je savais qu'il fallait que je tienne coûte que coûte. La nuit tirait à sa fin. Quelle heure pouvait-il être ? Trois heures ? Quatre heures ?

Puis j'ai entendu la porte d'entrée claquer comme un coup de tonnerre dans la nuit. Et, juste au-dessus de ma tête, le craquement assourdissant des pas sur les planches.

Jennie s'est réveillée.

— Chut..., lui soufflai-je. Chut...

— Maggie ! Je sais que vous êtes là. Je le sais ! Je ne suis pas un idiot. Vous ne pourrez aller nulle part.

Et là, comme elle l'avait fait si souvent dans son petit lit, Jennie s'est écriée :

— Papa... papa !

Brusquement, le faisceau terrifiant d'une torche électri-

que est venu m'aveugler, comme si mille échardes me criblaient les yeux. Et Phillip de beugler triomphalement :

— Coucou, c'est moi ! Je vous ai enfin trouvées, Jennie et Maggie. Mes petites chéries sont là...

Sa voix rauque, éraillée, était devenue méconnaissable. J'en serais presque arrivée à me persuader qu'en fait, ce fou n'était pas vraiment mon mari. Comment imaginer pareille chose ?

Deux détonations m'ont fracassé les tympans. Il nous avait tiré dessus ; il cherchait à me tuer, à tuer Jennie ou à nous tuer toutes les deux.

Mais, cette fois-ci, j'avais une petite surprise pour Phillip.

Coucou !

Moi aussi, j'avais une arme. Et j'ai riposté.

2

Parfois, j'ai l'impression d'être marquée, comme l'héroïne du roman de Nathaniel Hawthorne, d'une horrible lettre écarlate. Un grand C comme « criminelle ». Je sais que ce sentiment ne disparaîtra jamais complètement et cela me semble tellement injuste. Injuste, inhumain, ignoble.

Mes souvenirs sont désordonnés, parfois incomplets, mais tellement vifs, tellement horribles qu'ils resteront gravés à tout jamais dans mon esprit.

Je vais tout vous raconter sans épargner quiconque, moi y compris. Je sais ce que vous avez envie d'entendre, je sais que je fais les gros titres, comme on dit. Avez-vous la moindre idée de ce que cela signifie ? Pouvez-vous vous mettre à ma place, vous imaginer vous aussi réduits à une manchette de journal, offerts au jugement de tous les passants ?

Pour la presse locale de Newburgh, Cornwall ou Middletown, West Point venait de connaître le pire « drame familial » de son histoire. Moi, sur le moment, j'ai eu l'impression que c'était arrivé à quelqu'un d'autre. Pas à Jennie ni à moi, ni même à Phillip, et pourtant Dieu sait s'il avait mérité son sort.

Et douze ans plus tard, alors que le temps a accompli son œuvre, alors que je me suis exténuée à tenter d'effacer de ma mémoire cet atroce souvenir, une nouvelle tragédie vient de raviver le cauchemar de West Point.

Une question me taraude désormais : suis-je une criminelle ?

Ai-je tué non pas un, mais deux de mes maris ?

Je ne sais plus que penser. Je n'en sais rien. Cela peut paraître insensé mais, très franchement, je n'en sais rien.

Ma cellule est glaciale. J'ai parfois l'impression qu'il y fait aussi froid que le fameux soir de Noël où Phillip est mort. Et je ne peux agir. Je me ronge les sangs et j'attends le procès.

J'ai décidé de tout coucher sur le papier, pour moi autant que pour vous. Je vais tout vous raconter.

Quand vous aurez fini de lire, à vous de décider. C'est bien ainsi que fonctionnent nos institutions, n'est-ce pas ? Mes pairs me jugeront bientôt.

Dernier détail, mais qui a son importance : je vous fais confiance. Je fais facilement confiance aux gens. C'est d'ailleurs probablement la raison pour laquelle je suis ici, en aussi mauvaise posture.

Livre premier

LA MAUDITE

1

Début de l'hiver 1984

De la neige, encore et toujours. Noël approchait. Il y avait presque un an que Phillip était mort — mort assassiné, prétendaient certains.

Mon taxi new-yorkais cahotait et tanguait sur la chaussée détrempée et moi, j'essayais sans succès de ne plus penser à rien. Je m'étais promis de ne pas avoir peur, et j'étais terrorisée.

Derrière les vitres de la voiture, veinées de filets d'eau, même les pères Noël de l'Armée du Salut avaient l'air pitoyables. Il fallait être fou pour se risquer dehors par un temps pareil, et les rares inconscients qui bravaient la tempête n'avaient nullement envie de sortir la main de leur poche pour donner une pièce. Les agents de la circulation ressemblaient à des bonshommes de neige abandonnés et les pigeons eux-mêmes avaient déserté toitures et rebords de fenêtre.

Je regardais mon reflet sur la vitre. Une très longue chevelure blonde, assez capricieuse, mais que je considérais comme mon meilleur atout physique. Des taches de rousseur que le plus épais des fonds de teint n'aurait pu dissimuler. Un nez un peu grand à mon goût. Des yeux noisette qui, je le savais, avaient retrouvé un peu de leur éclat de jadis. Une petite bouche et des lèvres plutôt épaisses, des lèvres à rendre un homme heureux, comme s'amusait à le répéter Phillip à l'époque où nous filions le parfait amour.

Une année s'était écoulée depuis le drame de West Point.

Je me rétablissais avec une lenteur désespérante, aussi bien physiquement que psychologiquement. Ma jambe me faisait encore souffrir et mon esprit n'avait toujours pas recouvré sa vivacité d'antan. Je sursautais au moindre bruit ; à la nuit tombée, dans la rue, je flairais des menaces imaginaires. Moi qui jadis maîtrisais assez facilement mes émotions, je pleurais désormais sans raison, m'irritais de la gentillesse d'un voisin, doutais de mes amis et évitais tout contact avec des inconnus. J'en arrivais parfois à me haïr !

Il y avait eu enquête, bien sûr, mais pas de procès. Sans les marques qui couvraient le corps de Jennie, s'il n'y avait eu que le sang dans mes cheveux et ma jambe esquintée, je serais peut-être déjà allée en prison cette fois-là. Mais ma fille de trois ans avait été blessée, elle aussi, ce qui confortait la thèse de la légitime défense.

Aucun procureur n'osa s'emparer du dossier, et l'Académie militaire ne tenait guère à ce que l'on fît trop de publicité autour de cette lamentable affaire.

Car qui pouvait imaginer un officier agressant sa femme et sa fille ? À West Point, les femmes et les filles n'existaient pour ainsi dire pas. Nous n'avions qu'une fonction décorative.

Je m'enfuis donc et partis m'installer à New York. Je n'eus pas trop de peine à louer un trois pièces au premier étage d'un vieil immeuble sans ascenseur, un peu sinistre, sur la Soixante-quinzième Rue Ouest, et à trouver une école pour Jennie. La vie allait reprendre un cours plus serein.

Mais je n'avais toujours pas découvert ce que je recherchais le plus : mettre un terme à la douleur qui me tenaillait, commencer une nouvelle vie.

J'avais vingt-cinq ans et j'étais étiquetée « criminelle ». J'avais tué quelqu'un, même si c'était en état de légitime défense.

« Qui ne risque rien n'a rien », me répétais-je pour me motiver. Oui, ce jour-là, j'y allais vraiment au culot. Je m'attaquais à un rêve que je caressais depuis plus d'une douzaine d'années déjà.

Peut-être allais-je enfin pouvoir tourner la page. Mais est-ce que j'agissais correctement ? Étais-je prête pour une pareille aventure ? Ou bien est-ce qu'au contraire je m'apprêtais à me couvrir de honte en commettant une gaffe monumentale ?

La mallette que je serrais précieusement sur mes genoux renfermait des chansons que j'avais écrites au cours de l'année. Des chansons — paroles et musique — qui étaient ma façon à moi de dire ma douleur et mes espoirs.

Des chansons, j'en écrivais en fait depuis l'âge de dix ou onze ans. Le plus souvent dans ma tête, mais parfois sur papier. Les chansons, c'était la seule chose que tout le monde semblait apprécier chez moi, la seule chose que je savais vraiment bien faire.

Valaient-elles quoi que ce soit ? Je me disais que ce n'était pas impossible, mais les seules oreilles auxquelles je les avais infligées jusqu'à présent étaient celles de Jennie et d'un écureuil nommé Bisou, et, quelle que pût être ma fringale de compliments, j'avais suffisamment de bon sens pour ne pas me fier à l'avis d'une fillette de quatre ans et d'un amateur de noisettes.

Bientôt, cependant, j'allais compter un auditeur de plus. J'avais en effet rendez-vous avec Barry Kahn, le célèbre Barry Kahn, compositeur-interprète qui avait enflammé l'Amérique dix ans plus tôt et qui était devenu, depuis, l'un des producteurs de disques les plus importants de la planète.

Barry Kahn voulait m'auditionner.

Du moins était-ce ce qu'il m'avait laissé croire.

2

J'étais pétrifiée.

Et le pire restait à venir.

— Vous êtes en retard, me dit-il en guise de préambule. J'ai un emploi du temps surchargé.

— C'est la neige, bredouillai-je. Il m'a fallu une heure pour trouver un taxi et les rues étaient glissantes. Comme j'angoissais un peu, je lui ai demandé d'aller plus vite, et lui, évidemment, il s'est mis à ralentir et...

« Mon Dieu, me disais-je, tu parles comme un perroquet débile. Ressaisis-toi, Maggie, et tout de suite ! »

Lui demeurait de marbre. Il me faisait l'effet d'un vrai salaud.

— Vous n'aviez qu'à partir plus tôt. Mes journées sont bien remplies et je m'entoure de précautions. Vous devriez en faire autant. Voulez-vous un café ?

La question, et cet accès de politesse, me prirent au dépourvu.

— Merci, je veux bien.

Il appela sa secrétaire par l'interphone.

— Avec du lait, du sucre ?

Je hochai la tête. La secrétaire arriva.

— Lynn, un café pour Mme Bradford. Complet. Une brioche ?

Je fis signe que non.

— Rien pour moi, décréta-t-il d'une voix rauque, cette même voix qui procurait à ses interprétations une couleur si particulière.

D'un geste, il congédia son assistante, puis il se figea un

instant dans son fauteuil, les yeux clos, comme s'il avait l'éternité devant lui. Et moi de me demander : « C'est quoi, ce type ? »

Je lui donnais une petite quarantaine. Des cheveux châtains qui commençaient à perdre du terrain, le nez long, la bouche fine et une barbe de trois jours savamment entretenue. Un visage pas franchement beau (les admiratrices qui le jugent sexy craquent pour son tempérament plus que pour son physique), aux traits combatifs mais au port serein. Lors de notre première rencontre, j'avais trouvé sa tenue très décontractée. Pantalon de flanelle gris, chemise bleue, col ouvert. Des vêtements visiblement griffés, mais portés n'importe comment. À première vue, Barry Kahn était un homme plutôt sympathique et pas méchant.

Mon verdict : célibataire et vivant seul. Ce n'était pas ce qui m'intéressait chez lui, mais je l'avais remarqué. Les petits détails, c'est ma spécialité, surtout chez les gens.

Lynn revint avec une tasse en porcelaine et, bien sûr, en la saisissant, je ne pus m'empêcher de renverser du café sur mon poignet. Crispée, la fille, pour ne pas dire gourde. En tout cas, c'était l'effet que je me faisais.

J'étais littéralement pétrifiée ! Une vraie statue...

Barry se leva pour venir à mon secours, mais je l'arrêtai d'un geste de la main :

— Ce n'est pas grave.

« Je contrôle la situation, j'assure. Ne prêtez pas attention à la lettre C sur mon front. »

Barry se rassit.

— Vous, on peut dire que vous aimez écrire.

J'imagine que, dans sa bouche, c'était un compliment. À l'hôpital, pendant ma convalescence, je composais chanson sur chanson ; j'avais décidé d'écrire à Barry Kahn pour lui dire que je l'admirais et que j'espérais pouvoir un jour faire un essai devant lui. Je lui avais donc envoyé une lettre, puis une autre, et une autre encore, et ainsi de suite. Vers avril, je lui écrivais quasiment chaque semaine en lui racontant tout ce que j'avais sur le cœur, alors que je ne l'avais jamais rencontré...

Je sais que ça peut paraître bizarre, mais je l'avais bel et bien fait. Et, maintenant, plus question de ma correspondance.

Il ne me répondait jamais et rien ne me disait qu'il lisait mes missives. Tout ce que je constatais, c'était qu'on ne me retournait pas mon courrier. Alors je persistai. Pour tout dire, ces lettres me permettaient de tenir le coup. Au moins, je parlais à quelqu'un, même si l'on ne me répondait pas.

Je crois que, d'une certaine façon, écrire m'a aidée à guérir. Petit à petit, je reprenais des forces et je commençais à me dire qu'un jour, j'allais retomber sur mes pieds. Je savais que Jennie s'en sortirait, du moins aussi bien que possible pour une gamine de trois ans ayant assisté à de véritables scènes de cauchemar dans sa propre maison.

Mes sœurs, qui habitent dans le nord de l'État de New York, s'occupaient d'elle à tour de rôle et venaient régulièrement me voir. Jennie était fascinée par mon fauteuil roulant et mon lit électrique, et je craquais chaque fois qu'elle se frottait contre moi en me demandant, de sa petite voix :

— Chante-moi une chanson, maman. Euh, non. T'en fais une nouvelle et tu la chantes, d'accord ?

Je chantais souvent pour elle. Je chantais pour nous deux. J'écrivais une chanson par jour.

Puis il se passa une chose extraordinaire. Un miracle. Une lettre me parvint à l'hôpital de West Point.

Ma chère Maggie,

C'est bon, vous avez gagné. J'ignore pourquoi je vous réponds. Je dois être une cible facile, ce qui ne me plaît pas trop ; mais je vous préviens, si vous répétez cela à quiconque, tout sera fini entre nous.

Je vais être franc : vos lettres m'ont touché. La majeure partie du courrier que je reçois (et j'en reçois énormément) part directement à la corbeille. Quant aux rares lettres que ma secrétaire consent à me communiquer, je les jette également.

Mais vous, vous êtes à part. Vous me rappelez qu'il existe encore des gens authentiques, pas uniquement des lèche-bottes qui ne cherchent qu'à entrer dans mon studio. J'ai le sentiment de déjà vous connaître un petit peu, ce qui en dit long sur ce que vous m'avez écrit jusqu'à présent.

Certains de vos textes m'ont beaucoup impressionné. On sent que ce n'est pas une pro qui les a signés (il faudrait que vous preniez quelques cours) mais cela n'altère en rien leur force, car ils ont un sens. Ce qui ne signifie nullement, d'une part, que les leçons vous permettront de progresser et, d'autre part, que vous pourriez en faire un métier, mais d'accord, d'accord, je vais vous accorder la demi-heure que vous sollicitez pour savoir une fois pour toutes, comme vous dites, si vous avez un talent d'auteur.

Dès que vous quitterez l'hôpital, appelez Lynn Needham, ma secrétaire, qui vous fixera un rendez-vous. Mais d'ici là, soyez gentille, ne m'écrivez plus de lettres. Vous avez déjà suffisamment accaparé mon temps. Plus de lettres, mais des chansons !

3

Il avait signé « Barry », et maintenant j'étais plantée devant lui, il me regardait et je ne savais plus où me mettre, j'avais l'impression d'être l'une de ces « lèche-bottes » dont il se plaignait. Je ne m'étais pas particulièrement habillée pour l'occasion ; ce n'est pas mon genre. Un chemisier blanc tout simple, une grande chemise rose par-dessus, une jupe longue noire, des chaussures à talons plats.

Enfin, j'étais là, prête à me jeter à l'eau.

J'essayais désespérément de repousser les idées noires qui s'insinuaient dans ma tête... mais les choses de ce genre, les choses vraiment bien, n'arrivent jamais à des gens comme moi. Jamais.

— Vous interprétez vous-même vos chansons ou vous vous contentez de les écrire ? me demanda-t-il.

— Non, je les chante moi-même. Enfin, j'espère qu'on peut appeler ça chanter.

« Cesse de te confondre en excuses, Maggie. Tu n'as rien à te faire pardonner. »

— Vous avez déjà fait de la scène ?

— Des chœurs, dans des boîtes autour de West Point et de Newburgh, mais ça ne plaisait pas à mon mari.

— Pas trop, hein ?

— Il trouvait que je m'exhibais. Il ne supportait pas de voir d'autres hommes me regarder.

« Alors je lui ai tiré dessus, trois fois. »

— Mais, aujourd'hui, vous seriez disposée à retenter l'expérience ? À chanter en public ? Vous vous en sentez capable ?

Je sentis un frisson me zébrer la poitrine.

— Oui, bien sûr, fis-je tout naturellement.

— Bonne réponse. (Il désigna un magnifique Steinway d'un noir étincelant, au fond de la pièce.) Mais votre premier essai se fera en privé. Avez-vous apporté quelque chose ?

Je brandis ma mallette.

— Tout ce qu'il faut. Qu'aimeriez-vous entendre ? Des ballades ? Du blues ?

Grimace.

— Non, Maggie. Rien qu'une chanson, une seule. C'est une audition, pas un concert.

Une seule chanson ? Mon cœur se serra. Une seule ? Mais laquelle choisir ? J'en avais apporté vingt-cinq au moins... Je ne savais plus que faire. J'avais l'impression de me trouver nue devant ce type.

« Lance-toi. Il est comme tout le monde, malgré les apparences. Et tes chansons, tu les as déjà chantées trente-six fois. »

— Allons, insista-t-il en consultant sa montre. S'il vous plaît, Maggie...

Je pris une grande inspiration, et m'installai au piano. Étant plutôt grande, ce qui m'a toujours gênée, je préfère être assise. De mon tabouret, j'apercevais à travers la baie vitrée le silencieux capharnaüm de Broadway.

J'étais vraiment pétrifiée.

« Bon, me dis-je, tu es là. Tu es train de passer une audition pour Barry Kahn. Vas-y, secoue-le, mets-lui-en plein les oreilles. Tu... es... capable... de... le... faire. »

— C'est une chanson intitulée *Woman in the Moon*. Elle parle d'une... d'une femme de ménage qui travaille de nuit dans les immeubles d'une petite ville. De la façon dont elle regarde la lune, tous les soirs, de la même fenêtre. Des choses auxquelles elle rêve pendant qu'elle nettoie les bureaux.

En observant Barry Kahn, je pensais : « Mon Dieu, je suis dans son bureau. La femme dans la lune, c'est moi. »

Il s'était calé dans son fauteuil, les pieds sur le dernier tiroir, les doigts croisés, les yeux fermés. Il ne disait pas un mot.

Sur le plan musical, *Woman in the Moon* ressemblait un peu à l'une de ses compositions, *Light of Our Times*. Je commençai à jouer et me mis à chanter d'une petite voix mal assurée qui me paraissait soudain aussi sinistre que banale. Et, à l'instant même où je chantais, je sentis qu'il décrochait.

J'allai jusqu'au bout. Silence. Quand enfin j'osai lever les yeux, il était exactement dans la même position qu'avant. Il n'avait pas bougé d'un centimètre. Et puis il murmura simplement :

— Merci.

J'attendis. Rien. Barry Kahn avait parlé.

Alors je rangeai ma partition dans la mallette.

— Avez-vous des critiques à formuler ?

Je redoutais sa réponse, mais je ne pouvais pas décemment me contenter d'un laconique « merci ».

Il haussa les épaules.

— Comment voulez-vous que je critique ce qui est de moi ? C'est ma musique, pas la vôtre. Ma voix, que vous imitez. Ça ne m'intéresse pas.

Je sentis mon visage s'empourprer. Vexée autant que furieuse, je n'avais qu'une envie : sortir de cette pièce. Mais je me forçai à rester.

— Je pensais que cela vous ferait plaisir. C'est une chanson que j'ai écrite en votre honneur.

— Très bien. Vous me voyez extrêmement flatté. Mais je croyais que vous étiez ici pour interpréter *vos* morceaux. Si j'ai envie d'entendre de l'écho, il me suffit de chanter dans un tunnel. Est-ce que toutes vos chansons ressemblent aux miennes ?

« Non, imbécile, mes chansons ne ressemblent aux chansons de personne ! »

— Vous voulez savoir si j'ai quelque chose de plus original ?

— Oui, c'est l'originalité que je recherche. Commençons donc par l'originalité.

Je feuilletai mes partitions, les doigts gourds et maladroits. Une fanfare au grand complet défilait sous mon crâne.

— Vous voulez bien que je vous en chante une autre ?

Il se leva en secouant la tête ; il ne tenait pas à ce que je continue.

— Maggie, je vous assure, je ne crois pas que...

— J'en ai une. J'en ai plein. Qui sont de moi, pas de vous.

Je m'étais juré de ne pas me dégonfler.

Il soupirait. Il avait déjà abandonné.

— Bon, puisque vous êtes là... encore une chanson. Une seule, Maggie.

Je sortis *Cornflower Blue*, qui avait un côté Carole King première manière. Peut-être pas assez original. Trop précieux, trop léché. Bref, j'allais encore une fois me planter. Dans ma tête, ce n'était plus un défilé, mais une rame de métro entrant en station. Et j'avais l'impression d'être debout sur les rails, sur le point de me faire broyer.

Je replaçai *Cornflower Blue* dans ma mallette et choisis un autre morceau, *Loss of Grace*. Oui, c'était bien mieux. Un titre que j'avais écrit récemment, depuis mon arrivée à New York.

Une chanson, une seule.

Je sentais le regard de Barry Kahn rivé sur moi, il s'impatientait. La pièce s'était transformée en fournaise. Et moi, incapable de l'observer, je ne quittais pas mes feuilles des yeux.

C'était une chanson très personnelle sur mon mariage avec Phillip. L'exubérance des premiers jours, l'amour que j'éprouvais ou avais cru éprouver. Puis la peur qui avait fini par me gagner. L'horreur de ce rêve qui s'était transformé en cauchemar, en cauchemar sans fin.

Une chanson, une seule.

Je me tournai vers le piano, aspirai une grande goulée d'air, et commençai à jouer.

Au début toute douce, ma voix gagnait en passion à mesure que j'entrais dans le texte en me remémorant avec précision ma source d'inspiration. Phillip, Jennie, moi, notre maison de West Point.

Et là, je sus qu'il se passait quelque chose, que l'esprit de communion et de compréhension que j'avais si souvent réclamé dans mon courrier avait pris possession des lieux, qu'un lien s'était enfin établi entre moi et cet homme qui, au fond de la pièce, ne disait rien.

La chanson finie, j'attendis qu'il réagisse. Une éternité s'écoula. Quand je me retournai, il avait les yeux fermés. On aurait dit qu'il avait la migraine. Puis Barry Kahn daigna lever les paupières.

— Évitez les rimes pauvres comme « élan » et « temps ».

Dans une chanson country, ça pourrait passer, mais c'est gênant si vous voulez que vos paroles soient prises au sérieux.

Alors, je fondis en larmes. Dieu sait que je m'efforçais de retenir mes sanglots, ce fut plus fort que moi. Je m'en voulais, je m'en voulais...

— Hé ! me lança-t-il, alors que j'avais déjà remis ma partition dans ma mallette et m'apprêtais à prendre la porte.

Je faillis partir en courant, mais pas question de fuir aussi lamentablement.

— Hé ! répéta-t-il. Arrêtez de pleurer. Attendez une minute.

Je me retournai.

— Je suis navrée d'avoir accaparé votre temps ô combien précieux, mais vous n'êtes pas capable de me parler d'autre chose que de cette malheureuse rime alors que j'ai donné tout ce que j'avais ; je vois mal comment nous pourrions travailler ensemble. Et surtout ne vous inquiétez pas, je ne vous dérangerai plus.

Sur ce, je m'esquivai en laissant Lynn Needham comme deux ronds de flan, et me glissai dans le superbe ascenseur Art déco. « Va te faire voir, Barry Kahn. »

Je finirais bien par m'en remettre. Il le fallait. Après tout, j'avais une petite fille à élever et je devais m'occuper un peu de moi. C'était pour cela que, pendant mon séjour à l'hôpital de West Point, j'avais écrit à une demi-douzaine d'autres maisons de disques. Le lendemain, j'irais voir un autre directeur artistique, puis un autre, et un autre encore si nécessaire.

Quelqu'un allait forcément apprécier ma musique et mes paroles. Mes chansons étaient trop bonnes, trop sincères, pour qu'il ne se trouve pas quelqu'un qui les écoute et ressente quelque chose.

« Tant pis pour toi, Barry Kahn, le grand Barry Kahn, dont le temps vaut si cher ! Tu as laissé filer Maggie Bradford ! »

4

Vous est-il déjà arrivé d'avoir envie de dire ou même de crier : « Eh, je suis quelqu'un de bien, je ne suis pas débile, j'ai un certain talent » ?

Ce sont très précisément les mots que j'ai hurlés à Times Square. Pas de problème. Personne n'a fait attention à moi. Normal, puisque j'étais entourée de cinglés.

Sans me soucier de la neige qui tombait dru, je me suis baladée quelques heures avant d'aller chercher Jennie à la sortie de l'école sur la Soixante-treizième Est. J'avais l'impression d'être en loques ; j'espérais simplement que ça ne se voyait pas. Nom de Dieu, quelle journée !

— Allez, lançai-je à Jennie, on va se faire plaisir. Les fêtes de Noël commencent demain. Un gros bisou à ta maman préférée et on s'offre un grand restaurant. Rien que nous deux. Tu veux manger où ? Au *Lutèce* ? À *Windows On The World* ? Chez *Rumpelmayer* ?

Jennie étudia longuement ma proposition, le front plissé, en tirant sur son menton comme elle le fait toujours lorsqu'elle doit prendre une décision importante.

— Et pourquoi pas au MacDo ? Et puis après, on pourrait peut-être aller au ciné ?

Je saisis sa petite main en riant.

— Vendu ! Et un Big Mac, un ! C'est toi qui comptes, ma puce d'amour. Et toi, au moins, tu aimes mes chansons.

— Tes chansons, maman, je les *adore*.

Et on se remit à jacasser, comme d'habitude. On était « les meilleures amies du monde », « les grandes copines », « les moulins à paroles », « les âmes sœurs », « le couple d'enfer ». On se répétait qu'on ne serait « jamais seules, parce qu'on pouvait compter l'une sur l'autre ».

— Alors, comment s'est passée ta journée, lapinou ? Tu dois être drôlement forte, toi, pour tenir le coup à New York. Mais c'est vrai qu'on est fortes, toutes les deux.

— Oh, c'était bien, l'école. Tu sais, j'ai une nouvelle copine qui s'appelle Julie Goodyear. Elle est très rigolote. Et Mme Crolius, elle dit que je suis intelligente comme fille.

— Bien sûr. Tu es intelligente, mais tu es aussi jolie et très gentille. Mais tu es encore toute petite, tu sais.

— Oui, mais un jour, je serai plus grande que toi, hein ?

— Oh, oui, sûrement. Je crois que tu feras au moins deux mètres.

Et on continuait, et on continuait...

Les moulins à paroles.

Les meilleures copines.

Et la vérité était qu'effectivement, nous ne nous débrouillions pas trop mal. Nous nous étions habituées à New York. Enfin, presque... Et nous avions peu à peu appris à vivre avec le souvenir de Phillip.

« Tant pis pour Barry Kahn. Tu as loupé ta chance, big boss ! »

Quand on arriva à la maison, il faisait aussi noir que dans le cœur de Phillip. Mon sentiment de révolte s'était totalement dissipé mais en apercevant la façade de notre immeuble pourri, j'eus un soudain coup de déprime.

« Misère ! Quand je pense que nous sommes condamnées à habiter ici. Et jusqu'à la fin de nos jours, si ça se trouve ! »

La porte d'entrée s'ouvrit en grinçant méchamment. Réaction typiquement new-yorkaise.

Et merde ! Plus de lumière dans le couloir et sur le premier palier. On n'y voyait rien.

Seul le réverbère d'en face nous octroyait, via les fenêtres du premier, quelques dessins aussi blafards qu'énigmatiques.

— Dis donc, me chuchota Jennie, il y a de quoi avoir peur. C'est drôlement lugubre.

— Mais non, ce n'est pas lugubre. À New York, on dit que c'est d'enfer.

Je lui pris la main et on se mit à monter l'escalier d'enfer.

Brusquement, je me figeai et j'eus le réflexe de tirer Jennie derrière moi pour la protéger.

Il y avait quelqu'un assis sur le palier, dans la pénombre. Immobile et silencieux. Quelqu'un de grand, solidement bâti.

Problème, problème. Là, il y avait vraiment de quoi avoir peur.

Je m'approchai de la silhouette en faisant très attention et, tout en songeant aux histoires horribles que j'avais entendues sur New York et aux horreurs que j'avais moi-même récemment vécues à West Point, je lançai :

— Bonsoir ! Qui est-ce ? Ohé ?

L'inconnu paraissait porter quelque chose sur la tête. Comme un haut-de-forme bizarre. C'était à n'y rien comprendre.

L'impensable me traversa alors l'esprit. Phillip ! Je savais bien que ça ne tenait pas debout, mais l'espace d'un instant, c'est ce que je me dis.

C'était l'une des grandes spécialités de Phillip. Surgir de derrière un buisson ou une porte de placard pour m'effrayer et s'offrir une bonne tranche de rire à mes dépens. Une fois, à Halloween, il m'était tombé dessus déguisé en Indien, en brandissant un tomahawk. J'avais eu la frousse de ma vie. Mais la dernière fois, évidemment, c'est moi qui l'ai surpris quand il m'a vue l'arme au poing et que j'ai tiré et tiré...

« Mais Phillip est bien mort, me dis-je, et les fantômes n'existent pas, même à New York. »

Tout doucement, je me rapprochai. La silhouette ne bougeait toujours pas.

— Ohé ! criai-je une nouvelle fois. Ce n'est pas drôle. S'il vous plaît, dites-moi quelque chose. Ne serait-ce que bonsoir.

Le bruit de nos pas sur les marches me rappelait Phillip quand il nous traquait dans la maison.

Assaillie par mes vieilles terreurs, j'étais au bord de la crise de nerfs. Je dus me forcer à monter jusqu'au palier.

Derrière, Jennie, que ma peur commençait à gagner, murmura :

— C'est qui, maman, dis ?

« Pas deux fois, me disais-je. Tu nous as fait du mal une fois, mais il n'y aura pas de deuxième fois, et tu peux me croire. »

Je plongeai sur la silhouette menaçante et la frappai de toutes mes forces avec ma mallette bien lestée.

Quand l'inconnu s'effondra sans opposer la moindre résistance, je compris et j'éclatai de rire, soulagée, mais le cœur encore battant.

— Ouille !

Jennie me rejoignit en riant. « Phillip » n'était qu'un panier géant garni de roses aux longues tiges. Il devait y en avoir pour plusieurs centaines de dollars.

J'ouvris le message qui les accompagnait.

À l'attention de Maggie Bradford.
Quelques fleurs pour célébrer votre réhabilitation. Si vous tenez absolument à travailler avec moi, vous êtes folle mais je vous engage. Mon temps « ô combien précieux » a passé bien vite, aujourd'hui, grâce à vous. Et je suis sincère.

Barry

Un vrai gag, quand on y repense. En tout cas, cela s'était bien terminé. Mais au moment où j'écris ces mots, une question me travaille et cet épisode me fait nettement moins rire.

Quand je suis en difficulté, ma première réaction est-elle toujours de tuer ?

Me suis-je rendue coupable de meurtre, et ce à deux reprises ?

De nombreuses personnes sont de cet avis, et parmi elles un procureur new-yorkais.

Il y a d'abord eu Phillip Bradford.

Puis... Will.

5

San Diego, Californie, juillet 1967

Will Sheperd, six ans, rêvait d'Indiens. Frénétiques et impitoyables, montés sur des chevaux qui ruaient et renâclaient bruyamment, ils déferlaient sur lui par vagues entières en pointant sur son cœur des flèches longues comme des lances. Will se régalait. Tout ce tumulte, ce sentiment de danger... C'était comme un véritable film qui se déroulait dans sa tête.

Il entendit un *splash !*

Ridicule. Will ouvrit les yeux, les referma aussitôt et ne tarda pas à se rendormir.

Très vite, cow-boys et Indiens reprirent le combat.

Pas de *splash !* Pas dans son film, en tout cas.

À 7 h 45, Will se réveilla de nouveau. Cette fois-ci, il s'habilla sans bruit pour ne pas déranger son frère Palmer qui dormait encore, et descendit. Le silence régnait dans la maison.

Dans la cuisine, Will prit un bocal de gelée de raisin, un pot de beurre de cacahuète, du lait et la moitié d'un pain de mie. De quoi se préparer un bon petit déjeuner. Pas besoin de maman. Besoin de personne.

Mais, tout en contemplant son visage et sa tignasse blonde sur le flanc du grille-pain étincelant comme un miroir, Will s'avoua que sa mère lui manquait énormément. Il aurait tant aimé qu'elle lui fasse ses tartines de confiture et de beurre de cacahuète.

Will savait qu'elle était partie vivre à Los Angeles. Bien

sûr, les violentes altercations entre ses parents n'étaient maintenant plus qu'un lointain souvenir, mais en cet instant précis, Will aurait préféré les voir se battre plutôt qu'affronter ce silence. Parfois, leur mère leur manquait tellement que Palmer et lui fondaient en larmes aux moments les plus idiots. Le plus souvent, pourtant, il la détestait. Mais pas aujourd'hui.

Soudain, quelque chose lui revint à l'esprit. *Le splash ! dans la piscine*. Il ramassa son assiette et son verre pour les poser dans l'évier et courut ouvrir la porte-moustiquaire. Dehors, les moineaux profitaient déjà du soleil.

Will fit le tour de la maison de bois blanc et bleu. Une fois au bord de la piscine, il s'arrêta si brutalement qu'il faillit perdre l'équilibre.

Et il se mit à pousser des hurlements si stridents qu'ils réveillèrent son petit frère, dont le visage apparut à la fenêtre.

Will hurla si fort que les voisins se précipitèrent à son secours. Ils le prirent dans leurs bras en s'efforçant de le tenir à l'écart de ce qu'il avait déjà vu et ne pourrait jamais oublier.

L'enfant de six ans venait de découvrir son père flottant dans la piscine, avec son peignoir rouge écossais et son pantalon beige, une pantoufle jaune encore au pied. L'autre se trouvait un peu plus loin sur les eaux irisées comme un nénuphar à l'abandon.

Son père le regardait. *C'est ta faute,* semblaient dire ses yeux figés. *Méchant garçon. C'est ta faute, Will.*

Tu vois ce que tu as fait !

Tu vois ce que tu as fait !

À 5 h 52, Anthony Sheperd était sorti de la maison familiale pour aller se noyer dans la piscine, entraînant dans sa disparition tout ce qui pouvait encore être sauvé chez Will Sheperd.

Quelques jours après le suicide de leur père, Will et Palmer passèrent leur dernier après-midi en Californie à trier leurs vêtements et leurs jouets. Ils avaient droit à deux valises chacun. Deux, et pas une de plus.

Leur mère avait refusé de les héberger et personne ne leur avait dit pourquoi. Pauvre conne, se dit Will. C'était un des gros mots que son père criait quand ça bardait à la maison. Les deux enfants avaient été confiés provisoirement à leur nourrice, mais elle ne voulait pas s'occuper d'eux non plus. Alors on leur avait annoncé qu'ils allaient partir pour l'Angleterre où là, on voulait bien d'eux. Ils allaient commencer une nouvelle vie chez leurs tantes Eleanor et Vannie ; ils ne les avaient jamais vues, mais c'étaient elles qui avaient instauré la règle des deux valises.

À l'aéroport international de Los Angeles, au milieu d'un brouhaha indescriptible, le visage grave, l'air désemparé, les deux gamins blonds qui se ressemblaient tellement attendaient leur vol. Le Dr Engles, l'un des rares amis de leur père, les accompagnait. Le Dr Engles leur parlait de Londres, de la reine, du changement de la garde à Buckingham Palace et toutes ces histoires à la noix comme dans les poèmes que la mère de Will lui lisait dans le temps, avant qu'elle parte. Mais Will n'écoutait guère ce crétin d'Engles. Il revoyait son père flottant dans la piscine et le fixant des yeux depuis le royaume des morts.

« Les passagers du vol Pan American 411 à destination de New York et Londres sont invités à embarquer », annonça une voix que Will entendit parfaitement, cette fois.

— On y va ?

À ces mots, Will mordit sauvagement, jusqu'au sang, la main que lui tendait le Dr Engles.

— Mais il est fou ! glapit l'autre en lui expédiant une claque de l'autre main. Sale petit con, va !

Will ouvrit la bouche. Ses dents étaient rouges.

— Je veux pas aller en Angleterre ! Pourquoi on peut pas rester ici ?

« Papa, s'il te plaît. Maman, s'il te plaît. Quelqu'un peut m'aider ? Je voulais pas tuer mon papa, je voulais pas. Papa, s'il te plaît, arrête de me regarder comme ça. S'il te plaît, papa. »

6

Will n'oublierait jamais les premières heures qu'il passa en Angleterre. C'était comme si son frère et lui venaient de débarquer sur la Lune.

Tante Eleanor les attendait aux arrivées. C'était une grosse dame maniérée, au visage tout pâle, et qui avait sûrement plus peur de Will que lui n'avait peur d'elle. Will la détesta dès le premier coup d'œil. « Elle peut pas me faire du mal, décréta-t-il. Plus personne me fera du mal, et surtout pas elle. »

Elle leur expliqua que tante Vannie était restée à la maison pour leur préparer un dîner dont ils se souviendraient. « Ça va être dégueu, décréta Will. Pour la bouffe, y'a pas pire que l'Angleterre. »

Pendant le trajet, tante Eleanor ne cessa de parler. Les deux enfants n'eurent guère le loisir d'admirer le paysage. Chaque fois qu'ils tournaient la tête, elle les piquait du doigt pour les rappeler à l'ordre et Will se retenait de lui arracher l'index d'un coup de dents.

— La plupart des gens qui travaillent à Londres n'habitent pas dans le centre, mais pas loin d'une station de métro. Nous, par exemple, nous vivons à Fulham depuis que votre mère est partie faire fortune en Amérique. Et on peut dire qu'elle a réussi, non, en épousant votre père ? Elle va hériter de tout son argent, vous savez, et il ne vous restera que ce qu'elle voudra bien vous laisser. Nous, c'est sûr, nous n'aurons rien mais de toute façon, s'il y a bien quelqu'un dont on n'attendait rien, c'est elle.

« Ouais, c'est sûr, faut rien attendre de ma mère. » Will

savait que tante Eleanor enseignait l'histoire à l'école primaire, ce qui expliquait pourquoi elle radotait tout le temps, mais elle sentait la transpiration, et de quel droit parlait-elle de sa mère ? D'ailleurs, il voyait bien que Palmer ne l'aimait pas non plus. Il feignait de dormir, ce petit faux cul.

Le taxi s'arrêta enfin devant une maison de deux étages en brique rouge avec de toutes petites fenêtres et six marches pour arriver à l'entrée.

— Nous y voilà, annonça joyeusement tante Eleanor, mais Will, lui, songea à San Diego, aux arbres, à tout l'espace qu'il y avait là-bas, au soleil, et il eut un pincement au cœur.

Des deux côtés de la rue, toutes les maisons se ressemblaient, et elles étaient collées les unes contre les autres. Il n'apercevait qu'un seul et malheureux arbre courbé, fouetté par la pluie, dépouillé de ses feuilles. Palmer prit une des valises, tante Eleanor une autre ; Will, lui, parvint difficilement à hisser les siennes en haut des marches.

Avant qu'ils aient eu le temps de frapper, la porte d'entrée s'ouvrit brutalement et apparut une femme tout de noir vêtue, en caleçon et pull à col roulé.

Will émit un gémissement. Une main invisible lui broya la poitrine et il sentit son visage s'enflammer.

C'était une femme jeune. Elle avait de longs cheveux châtain cendré, des yeux bleus, la peau très pâle. « C'est ma mère », se dit Will.

Mais, bien entendu, ce n'était pas sa mère.

C'était sa tante Vannie, la sœur cadette de sa mère, mais elle lui rappelait cruellement cette femme qui, apparemment, dans un passé très lointain, l'avait serré contre elle, l'avait dorloté et lui avait dit qu'elle l'aimait, avant de s'en aller, comme ça. Partagé entre l'appréhension et la joie, Will ne savait s'il devait se jeter dans ses bras ou s'enfuir en hurlant.

— On enlève ses chaussures avant d'entrer, prévint Vannie. Il ne s'agit pas de nous mettre de la boue dans toute la maison.

La maison. *L'Angleterre*. Sa nouvelle famille, sa nouvelle vie. Et une histoire d'horreur bien à lui qui ne faisait que commencer.

7

La légende prit naissance très tôt et jamais, en vérité, elle ne connut de variations notables.

Voici ce qu'écrivait, au printemps 1970, le directeur de l'école primaire de Fulham Road :

Will est un garçon d'une grande intelligence qui, visiblement, ne manque pas de ressources. On regrettera toutefois son amour immodéré pour le mensonge, un art qu'il pratique avec talent et audace.

S'il travaillait davantage, ses notes seraient bien meilleures mais son intérêt semble se limiter au sport, discipline dans laquelle il excelle, et à la bagarre, dont il est, au dire de tous ses camarades et néanmoins victimes, le champion incontesté. Je me demande, quant à moi, s'il a la moindre notion des exigences élémentaires de la vie en société et j'irai même plus loin : est-il seulement capable de différencier réalité et fiction ?

À vrai dire, Will distinguait très bien les deux. Mais il avait fait son choix.

Le week-end, il lui arrivait souvent de se promener de longues heures dans son quartier. Un jour, alors qu'il avait sept ans, il entendit des clameurs provenant d'un stade à quinze cents mètres de la maison de ses tantes. Intrigué, il voulut en savoir plus et n'hésita pas à dépenser son argent de poche de la semaine pour pénétrer dans l'enceinte.

Et ce qu'il découvrit alors le plongea dans un ravissement extrême : vingt-deux hommes, portant des tenues différentes mais tous unis dans un même combat, jouaient à ce que les Anglais appelaient « football » mais que lui, Will, connaissait sous le nom de « soccer ». Des matches comme ça, il n'en avait vu qu'à la télé.

Oh, bien sûr, à l'école, il y avait souvent joué et ne se débrouillait pas mal, mais c'était un peu n'importe quoi. Des gosses qui tapaient dans une balle au petit bonheur la chance, et rien de plus...

Ici, en revanche, merveilles de symétrie, de géométrie et de coordination, les offensives déferlaient inexorablement comme les vagues de l'océan. Un homme se détachait en contrôlant le ballon du pied, un autre courait le rejoindre puis, sur le côté, un troisième se lançait dans une course éperdue, réceptionnait le ballon sans ralentir et obliquait vers le milieu du terrain, poursuivi par un adversaire qui se jetait dans ses pieds et parvenait à donner la balle à l'un de ses coéquipiers.

Et, soudain, tout basculait comme si la marée se retirait. Les défenseurs devenaient attaquants, les attaquants défenseurs, et un véritable tourbillon humain se formait sur la pelouse.

Sans parler du bruit ! Chaque fois que le ballon changeait de camp, chaque fois qu'une équipe menaçait le gardien adverse, la foule rugissait comme pour se joindre au souffle des athlètes. Et quand le premier but fut inscrit, il s'éleva des rangs des spectateurs une clameur si puissante que Will crut que ses tympans allaient exploser, que son cœur allait lâcher.

Cette nuit-là, dans ses rêves, il vit avec horreur sa mère embrasser les yeux de son père, grands ouverts et sans vie. Puis elle se retourna vers Will et, dans un grand sourire, dévoila ses dents écarlates, dégoulinantes de sang.

Tu vois ce que tu as fait, Will.

Tout est ta faute.

Quelques jours plus tard, un matin, il trouva un chien perdu dans les rues de Fulham, un bâtard brun, un mâle. Will avait enfin un copain dans cette vieille Angleterre de cauchemar.

— Allez, mon chien, lui fit-il en tapotant sa cuisse. Viens avec moi. Allez, Lassie.

Au hasard de sa promenade, il pénétra dans un parc. Le

malheureux chien le suivait toujours comme une ombre. Will était en colère mais ne savait pas pourquoi ; depuis qu'il avait quitté la Californie, depuis que son père s'était tué, ça lui arrivait souvent. Le suicide de son père était vraiment un sale coup. Non seulement Will avait toujours le sentiment d'en être le responsable, mais il avait réussi à se persuader que c'était ainsi que lui-même finirait.

Il s'assit dans l'herbe au bord d'un petit bassin. Le chien était toujours là. Son nouveau copain. Will le regarda en secouant la tête :

— Tu sais que tu fais une grosse bêtise en restant avec moi. J'ai la poisse. Je suis sérieux, tu sais.

Le chien gémit et tendit la patte.

Mais Will était de plus en plus en colère contre des tas de gens. Son père, ses tantes, son frère Palmer. Il avait l'impression qu'une sangle lui compressait la poitrine. Des picotements lui rongeaient le crâne et une brume rougeâtre flottait devant ses yeux.

Il plongea le bras dans l'eau froide et peu profonde, ramassa une pierre grosse comme le poing et, brusquement, assena un violent coup sur la tempe du chien. Il frappa de nouveau. L'animal s'effondra en couinant, regardant son bourreau d'un seul œil, plein de tristesse. Et Will continua de le bourrer de coups jusqu'à le tuer.

Il ignorait la raison de son geste. Il l'aimait bien, ce chien, après tout. Mais Will se rendit compte qu'en tout cas, sa colère avait disparu. Il se sentait bien. En fait, il ne ressentait quasiment plus rien.

Il venait même de découvrir ceci : il y avait indéniablement du bon en lui, mais aussi du mauvais.

En réalité, il y avait deux Will.

8

Will s'était très tôt rendu compte qu'il avait quelque chose d'exceptionnel. Cela ne le bouleversait guère, mais il produisait sa petite impression sur son entourage.

Will Shepherd fut le plus jeune joueur à jamais entrer dans l'équipe de football de Fulham School. À tout juste onze ans, il parvint à obtenir l'autorisation de suivre les entraînements. Il ne tarda pas à être sélectionné et, sans prêter attention aux quolibets de ses camarades qui avaient cinq ou six ans de plus que lui, devint rapidement le meilleur buteur de l'équipe.

Il n'avait que douze ans lorsque Fulham remporta la coupe inter-écoles de Londres, trophée que l'établissement conserva jusqu'au départ de Will. L'année de ses quatorze ans, au cours d'un match particulièrement mémorable, Will inscrivit à lui seul neuf des douze buts accordés à son équipe.

C'était un garçon mince, doté de longues jambes, étonnamment bien équilibré. Sa rapidité surprenait : « C'est une vraie flèche », disait son entraîneur. Il courait comme un joueur de football américain, comme les demis offensifs ou les receveurs de passe des grandes équipes de Californie du Sud.

Will s'entraînait chaque jour, dès qu'il disposait d'un peu de temps, jusqu'à faire du ballon un prolongement de son pied ou tout au moins une sorte de satellite relié à lui par un fil invisible. Le week-end, il lui arrivait de passer jusqu'à seize heures par jour sur le terrain. Il s'y sentait chez lui, bien plus que dans la maison sinistre où vivaient ses tantes et Palmer.

La presse locale s'intéressa très vite à lui, et pour les

lycéens londoniens il devint rapidement une légende. Les journalistes évoquaient son style téméraire, si personnel, si particulier, et l'attribuaient à ses origines américaines.

Mais l'explication ne se trouvait pas là. Ils n'avaient pas compris que ce que Will cherchait avant tout à perfectionner, c'était son individualisme. Will avait décidé qu'il lui fallait absolument être différent des autres, se faire remarquer, sortir du lot, et non pas passer pour un solitaire endurci. Il avait bien saisi tout ce que pouvait lui apporter le football version européenne : grâce à ce sport, il ne serait plus seul, n'aurait plus peur, ne serait plus obligé de penser à ses imbéciles de parents.

Le foot était son unique arme, sa porte de salut. Will n'avait pas le choix.

9

Printemps 1985

Barry Kahn consacra un an et demi à martyriser mes doigts de pianiste. On commença par les textes et les différentes méthodes d'écriture. Celle de Bob Dylan, celle de Joni Mitchell, celle de Rodgers et Harts, celle de Johnny Mercer. Barry, lui, avait sa théorie : pour ne pas être médiocre, il faut travailler sans relâche.

Il me faisait écrire et réécrire sans cesse en m'obligeant à plonger de plus en plus profond dans mon passé au point que, certains jours, j'avais envie de l'implorer d'être moins dur, de m'accorder un peu de répit. Mais jamais je ne lui ai demandé grâce car, au fond de moi-même, je voulais qu'il me force à aller encore plus loin.

Il se montrait impitoyable et je le lui rendais bien.

— Vous refusez de vous livrer, me disait-il. Vous vous dissimulez derrière des rimes faciles et des textes à l'eau de rose.

Ou bien :

— Vous n'éprouvez rien. Je le sais, parce que moi, je ne perçois aucune émotion. Et si ça me laisse froid, imaginez comment va réagir le public. Il va vous mettre en pièces.

— Quel public ?

— Vous ne voyez pas le public ? Vous ne devinez pas un public, là, auquel vous devez absolument offrir vos chansons ? Si vraiment c'est le cas, sortez d'ici. Ne me faites pas perdre mon temps.

Et je persévérai donc jusqu'à ce que nous soyons enfin

tous deux satisfaits. Puis je passai à l'art de la composition. Barry était toujours aussi strict et inflexible, mais la musique me posait moins de problèmes que les paroles et je me sentais à l'aise. Un jour, il me déclara que j'étais capable de fournir à la demande, comme un robinet. Je crois qu'il était un peu jaloux, mais l'idée de rivaliser avec lui et d'être à sa hauteur ne me déplaisait pas du tout.

Et pour finir, le chant, domaine que Barry maîtrisait à la perfection. Il m'enseigna tout ce qui était phrasé, accentuation, diction. Comment chanter devant un public, comment se servir du micro en studio. Il m'assurait que j'avais une voix très naturelle qui ne ressemblait à aucune autre, mais qu'en la matière tout jugement se révélait extrêmement difficile.

— C'est le public et lui seul qui tranche. Qui aurait imaginé que la voix de Bob Dylan pouvait avoir une telle emprise ? Votre voix, elle, est à la fois nerveuse et pleine de sincérité. Vous êtes capable de changer d'intonation au gré du texte, de paraître émue, distante, blasée, maternelle ou enflammée. J'adore votre voix !

Ah bon ? Enfin un compliment. Je le gravai aussitôt dans ma mémoire, mot pour mot.

Les séances avaient lieu dans un studio tout proche, le Power Station, où, d'ailleurs, je ne répétais pas seulement : j'avais également hérité du poste de larbin et je passais mon temps à aller chercher du café et des sandwiches. Je portais un grand imperméable noir qui traînait presque par terre et que je n'enlevais pas. À longueur de journée, c'était : « Hé, la grande blonde à l'imper, on peut avoir des casse-dalle ? » Et moi : « Oui, pas de problème. Vous voulez quoi ? »

J'avais horreur d'être traitée de cette manière, je me disais que jamais Barry n'aurait osé agir ainsi avec un homme mais selon lui, c'était important ; ça faisait partie du boulot et si ça ne me plaisait pas, je pouvais toujours aller ailleurs.

Il n'y avait pas d'*ailleurs*, je le savais bien.

Mais il y avait Jennie. Attention, les moulins à paroles n'avaient pas dit leur dernier mot...

Il y avait Lynn Needham, qui était devenue une vraie copine, jouait parfois les baby-sitters et m'invitait à découvrir New York mieux qu'une guide professionnelle. En cas de coup dur, je pouvais toujours compter sur elle.

Il y avait notre vieil appart du West Side, ce lieu de perdition dont l'unique attrait était une baignoire début de siècle installée au beau milieu de la cuisine. Prendre un bain moussant dans la cuisine, ça, c'était royal !

Il y avait des hommes de temps à autre, mais rien de bien sérieux. Je commençais à revivre ce que je ressentais à l'époque de Phillip : j'étais trop grande, trop godiche, un peu coincée. Je ne faisais pas l'affaire pour des raisons stupides. Trop de soucis et pas assez de poitrine. Mais le problème, en fin de compte, était que j'avais peur de m'impliquer dans une relation durable. Je ne voulais pas avoir à raconter à qui que ce soit ce qui était arrivé avec Phillip, ou plutôt à Phillip. J'avais ce gigantesque C sur la poitrine, une lettre qui, j'en étais persuadée, ne partirait jamais.

Non, pour moi, il n'y avait pas d'*ailleurs*.

10

J'étais donc toujours de corvée de café et de sandwiches, mais je vais vous dire une chose : compte tenu de ce que j'avais vécu jusque-là, je n'avais pas à me plaindre. Évidemment, parfois, je ne supportais plus d'aller trente-six fois par jour au *Famous delicatessen*, d'être constamment appelée « la blonde à l'imper », mais cela ne m'a pas empêchée de trouver l'expérience passionnante. Après tout, j'écrivais, je composais, j'apprenais et, de temps à autre, je vivais des instants de beauté et d'émotion.

Un matin, à l'usine à musique comme nous disions, ma copine Lynn Needham pointa son nez dans mon aquarium — en fait, plutôt un placard qu'autre chose.

— Laisse tout tomber. Non, pas ton café. Sa Seigneurie veut te voir.

Cette requête me surprit, car Barry me réservait généralement une petite place sur son agenda, en fin de journée. Je filai à son bureau. Son temps était toujours aussi précieux.

En entrant dans la pièce où j'avais passé mon audition de secrétaire à tout faire, je l'entendis m'annoncer :

— J'ai une bonne nouvelle, et une mauvaise.

Mon cœur s'emballa. « Dites-moi ce qui se passe ! Ne me laissez pas languir ! »

— J'ai envoyé une de vos chansons en Californie, *Loss of Grace*. La version retravaillée que vous m'avez montrée la semaine dernière. Et il y a quelqu'un, là-bas, à qui ça a plu et qui veut l'enregistrer.

Sans réfléchir, je me jetai sur lui pour le serrer dans mes bras. Je n'avais encore jamais agi ainsi.

Il me repoussa gentiment en souriant, me regarda droit dans les yeux.

— Et, maintenant, la mauvaise nouvelle. Cette personne veut interpréter la chanson elle-même.

C'était *ma* chanson. Brusquement, tout s'écroulait.

— Dites-lui non. Barry, je vous en prie. Non.

— Vous ne voulez pas connaître son nom ? J'ai été obligé d'accepter qu'elle chante. C'était ça ou rien.

Le cauchemar. J'imaginais déjà une artiste de troisième zone, une débutante, en train de massacrer mon morceau.

— Bien sûr que je veux savoir qui c'est. Mais si jamais elle se plante, je la tue !

Le genre de choses qu'il ne faut jamais dire, je sais.

— Je suis sûr qu'elle s'en tirera très bien, me rassura-t-il avec un petit sourire malicieux. C'est Barbra Streisand. Elle veut enregistrer *Loss of Grace*. Et elle veut que vous veniez.

Là, je me jetai de nouveau sur lui, le serrai de toutes mes forces, et l'embrassai sur les deux joues. Adieu corvées de café et de sandwiches au pastrami ! Hollywood, me voilà !

11

Je réservai deux places pour Jennie et moi. Après tout ce que nous avions vécu, ce petit voyage n'était pas volé. Arrivée à Los Angeles, je me retrouvai au volant d'une Saab Turbo de location, direction le *Beverly Hills Hotel*. J'avais l'impression d'être à des millions de kilomètres de West Point.

— Il est rose ! s'exclama Jennie quand on s'engagea dans l'allée circulaire pour s'arrêter devant l'entrée. C'est ma couleur préférée. Tout est en rose !

— Je l'ai fait repeindre rien que pour toi. J'ai téléphoné il y a quelques jours et je leur ai demandé de voir la vie en rose.

— Et revoilà les moulins à paroles !

L'auvent à voitures était impressionnant. Un bagagiste blond et bronzé comme un surfeur prit nos vieux sacs comme si c'étaient des Vuitton et nous conduisit au bungalow 6, un charmant petit pavillon situé derrière le bâtiment principal. Nous disposions de notre pied-à-terre privé. Barry s'était chargé de tout, « afin que Jennie et vous soyez dans le ton », avait-il précisé. Dans ce domaine, lui seul était compétent...

— Vous voici chez vous, madame. Ainsi que vous, petite demoiselle.

Tout sourire, le bagagiste nous ouvrit la porte, très cérémonieux. Et là, instinctivement, je reculai d'un pas. Des douzaines de roses American Beauty nous attendaient. Il y en avait littéralement partout.

— Wow ! sifflai-je. Il y a toujours autant de fleurs, chez vous ?

Je plaisantais, mais mon humour n'effleura même pas le brushing du surfeur. J'ai pensé aux paroles d'*Hotel California* : « *Il y a de la lumière, mais il n'y a personne.* »

— Oh, non, madame, c'est un cadeau. Tenez, il y a une carte.

Bienvenue au pays de la frime.
Je crois que vous allez faire un malheur.
Mais ne vous laissez pas abuser par tout ce qui brille...
Ni par quelques brassées de roses.

Grosses bises à vous et à Jennie

B.

« Moi aussi, je vous embrasse, Barry. Mais vous ne m'enverrez plus chercher du café aussi longtemps que je vivrai. »

12

Je ne sais pas si vous pouvez vous mettre à ma place.

J'étais en train de vivre tout ce dont j'avais rêvé. Au terme d'un labeur acharné, sous la constante pression de Barry, après avoir passé des semaines à travailler ma voix, à parfaire mes textes, je me retrouvais dans la pénombre d'un couloir, l'estomac affreusement noué, devant la porte du studio A des célèbres studios d'enregistrement Devan Sound.

« On enregistre ici des chansons célèbres et la mienne pourrait également le devenir », me disais-je, un peu émue.

Tout allait se jouer maintenant. C'était le gros coup, celui que tout le monde espère et qui, généralement, ne se produit jamais. Moi, je ne m'y attendais pas.

Je savais que, dans le petit monde du show-biz, musiciens, interprètes et managers avaient tous leur studio fétiche et que ce choix relevait parfois de la superstition. Pendant des années, Elton John avait enregistré tous ses disques dans un château isolé du Sud de la France. Les Rolling Stones s'étaient installés dans une maison flottante délabrée, à la Jamaïque, pour obtenir un certain son. Nombreux étaient les chanteurs de country qui restaient fidèles à un studio bien particulier et exigeaient que leurs disques soient produits par Chet Atkins et nul autre.

Et Devan Sound, à Los Angeles, faisait partie de ces studios mythiques.

Je tenais Jennie par la main. Nous assistions à une séance d'enregistrement de Barry Kahn et Barbra Streisand, et j'avais un peu l'impression de vivre un rêve.

Mais ça ne me plaisait pas ! Je dirais même que je jugeais

ça nul, et j'avais envie de le leur hurler. La voix de Barbra ne correspondait pas à celle que j'avais en tête lorsque j'avais composé *Loss of Grace*. Elle avait un style trop marqué, trop puissant.

— Qu'en penses-tu ? demandai-je à Jennie.

Cette chanson, elle m'avait entendue la chanter des centaines de fois à la maison. Elle connaissait mon phrasé, mes grandes pointes d'émotion.

— C'est pas aussi bien que toi, me répondit-elle au bout d'un moment d'intense réflexion, mais j'aime cette version-là aussi. C'est tellement joli « Espèce de traîtresse ».

Mais, au fil des répétitions, les choses s'améliorèrent. Ils progressaient à chaque prise. Je découvrais dans ma propre chanson des détails insoupçonnés. Mon œuvre devenait celle de Barbra Streisand, et je compris alors que notre collaboration était presque parfaite.

Je me détendais peu à peu en me faisant à l'idée que j'avais sans doute eu tort. Barry venait toujours nous voir entre deux prises, et jamais je ne l'avais vu aussi prévenant, aussi encourageant.

Au bout d'un moment, je finis par imaginer que Barbra Streisand chantait pour moi et pour moi seule, comme lorsque je chantais pour Jennie. Et, peu à peu, je me sentis dériver vers un lieu où la musique et tout ce que je ressentais se rejoignaient. J'étais à West Point, mais le West Point des temps heureux, à l'époque où je me produisais pour le seul plaisir de Bisou l'écureuil. À l'époque où il m'arrivait parfois de rêver à ce que je vivais aujourd'hui même.

Je commençais à être dans le coton, et cette sensation était loin de me déplaire.

Quand, une bonne centaine de prises plus tard, Barbra et Barry se déclarèrent enfin satisfaits du résultat, la tension qui régnait aux consoles retomba, laissant place aux mauvais jeux de mots et aux crises de rires. Je me sentais subitement soulagée, comme si c'était moi la chanteuse.

J'étais affalée sur ma chaise, épuisée, la tête basse, quand une main vint m'effleurer l'épaule. Je me retournai, pour me trouver face à face avec Barbra Streisand. Elle était venue me voir en catimini.

Si je ne rêvais pas, c'était la première fois que je la voyais de près, en chair et en os. Sans être vraiment belle au sens classique, elle avait beaucoup de charme. J'aimais son regard bienveillant et son sourire franc. J'avais déjà eu l'occasion de constater qu'elle n'était parfois pas à prendre avec des pincettes, mais il y avait malgré tout chez elle une certaine douceur. Il ne faut pas croire tout ce que raconte la presse ; je suis bien placée pour le savoir.

— Je sais ce que vous ressentez en ce moment, m'a-t-elle dit. Enfin, en partie. Je me souviens de mes débuts à Broadway, de ma première séance d'enregistrement. Ça fait tout drôle, hein ?

— Oh, j'ai juste eu l'impression de me dédoubler. Classique, quoi.

Elle prit place à côté de nous.

— Surtout n'oubliez pas que c'est vous qui avez réussi cela. Toute la peine que vous vous êtes donnée jusqu'à ce jour, toutes les larmes que vous avez versées, tous les problèmes que vous avez dû affronter vous donnent le droit de savourer ce que vous vivez maintenant. Quelle qu'en soit l'interprète, votre chanson aurait du succès et, comme c'est moi qui la chante, elle aura au moins la publicité qu'elle mérite. J'adore votre musique, Maggie, et tout le monde va réagir comme moi. Il faut que vous continuiez à écrire pour moi. Promis ?

Puis elle m'embrassa en me chuchotant à l'oreille :

— Merci. Votre chanson respire la sincérité et vous aussi. Vous êtes étonnante.

Je demeurai muette quelques secondes, le temps de retrouver mes moyens.

— Excusez-moi, mais j'essaie de ne pas dire trop de bêtises. Vous ne pouvez pas imaginer ce que ça représente pour Jennie et moi.

— Oh, si, j'imagine parfaitement. La première chanson est toujours la meilleure de toutes. (Puis elle se tourna vers Jennie.) Tu sais que tu as une maman formidable ?

Jennie hocha la tête en souriant.

— Oui, je sais, mais quelquefois, c'est elle qui sait pas.

13

Comme tout le monde, j'avais toujours espéré que ce genre de chose pourrait m'arriver.

Je vendis énormément de chansons en très peu de temps. On me réclamait à droite et à gauche. Chaque matin, quand je me réveillais dans mon trou à rat du West Side (que, par prudence, j'hésitais encore à abandonner), la même réflexion me venait à l'esprit. « Tout ça est impossible, c'est trop beau. »

Un soir, Barry m'emmena dans un des restaurants les plus huppés de New York pour fêter, selon ses mots, les « succès de Maggie ». Toujours aussi demandée, j'avais eu droit à des articles dans *Rolling Stone*, *Spin* et *People*. C'était bizarre, totalement irréel, ça ne me ressemblait pas du tout, mais je n'avais pas envie que cela s'arrête. Pour la première fois de ma vie, vraisemblablement, j'avais l'impression d'être quelqu'un.

Quand nous parvînmes au *Lutèce*, sur la Cinquantième Rue, la nuit tombait. On nous installa avec beaucoup de cérémonie à l'une des meilleures tables, dans le jardin. Chef, patron, serveurs, Barry connaissait tout le monde.

— C'est un dîner galant ? questionnai-je en plaisantant — du moins, je le pense.

— Disons plutôt que je voudrais vous faire oublier notre tout premier entretien.

Il était assez euphorique, mais je n'avais rien à lui envier. Après les cocktails au champagne, je pris du foie gras, du saumon à l'oseille et un soufflé aux reines-claudes. « Je dois rêver », me disais-je.

À la fin du dîner, lorsqu'il commanda le café et les digestifs, je lui glissai :

— Tout ça, j'aurais pu le cuisiner.

— Oh, je n'en doute pas, mais vous savez, j'ai réellement éprouvé beaucoup de plaisir à vous regarder...

—... revenir à la vie ?

—... vous épanouir. Il n'est pas facile pour moi de vous parler comme ça, mais c'est vrai. Je suis sincère.

Je me sentis soudain vaguement inquiète, mal à l'aise. Peut-être était-il effectivement en train de me draguer, et je ne m'estimais pas vraiment prête. Je craignais en outre de mettre en péril l'amitié qui s'était nouée entre nous.

Il m'adressa un clin d'œil. Sans doute avait-il deviné que je n'étais pas très à l'aise.

— Plus cela ira, et plus on va vouloir vous entendre, Maggie. Vous et vos paroles, votre musique, votre voix si particulière, votre contralto un peu rocailleux. Plus rien ne peut vous arrêter, Maggie. Votre potentiel est illimité.

Quand il m'a dit cela, je me mis à pleurer au beau milieu du restaurant. Tout le monde me voyait, mais tant pis. J'étais surexcitée, je fondais de bonheur.

Barry me tamponna les joues avec sa serviette. Rires.

— Maintenant, parlez-moi un peu de vous. Qui êtes-vous au juste, Maggie ? Ce qui est sûr, c'est que vous n'êtes plus « la blonde à l'imper ».

Ce soir-là, je déballai tout ce que j'avais sur le cœur. Barry était mon ami et j'avais confiance en lui, ce qui représentait déjà un progrès considérable.

— À une trentaine de kilomètres au nord de West Point, commençai-je, il y a une petite ville qui s'appelle Newburgh.

Je le vis grimacer.

— J'y suis passé, fit-il. Je n'ai aucune envie d'y retourner. Le centre ressemble à Beyrouth. On parle bien du même Newburgh ?

— Avant, c'était une jolie ville, Barry. Au bord de l'Hudson. La province dans toute sa splendeur, et j'en suis un pur produit.

— Je trouve que ça se sent dans vos textes, Maggie. Ce côté franc, sincère, candide. Presque plouc, mais bon...

Et il m'adressa un sourire retors. Moi, je me tortillais de gêne.

— Êtes-vous sûr de vouloir écouter la suite ?

— Faites-moi plaisir, Maggie, ne vous dénigrez pas sans arrêt. Vous allez devenir une grande star et tout ce que vous direz sera considéré comme digne d'intérêt. D'ailleurs, dès que je vous ai vue débarquer dans mon bureau, je vous ai trouvée intéressante.

En guise de représailles, je lui pinçai méchamment le bras. Je fermai les yeux, puis les rouvris. Dieu que c'était difficile ! Je détestais parler de ça, même à Barry.

J'avalai une grande goulée d'air et me lançai.

— Mes parents forçaient sur la bouteille. Ils étaient tous deux alcooliques. Mon père déconnait complètement, il ne cessait de découcher. J'avais quatre ans quand il a mis les voiles. Mon papa... J'ai commencé à bégayer à tel point que j'en pleurais, mais avec le temps, j'ai ré-ré-réussi à surmonter le problème. J'étais en quatrième quand maman est morte. Mes deux sœurs et moi, on a été recueillies par ma tante Irene. Je suis partie à la fin de mes études secondaires ; mes deux sœurs, elles, se sont mariées, et elles sont allées habiter ailleurs.

Tous mes profs voulaient que j'entre en fac mais moi, je ne m'y voyais pas. J'ai déniché une place dans un grand restaurant, pas loin de West Point, et c'est là que j'ai rencontré Phillip. Il était amoureux de moi. Du moins, il le disait, il faisait comme si. Et moi, j'avais vraiment, vraiment besoin qu'on m'aime.

— Phillip était votre nouveau père, me dit-il. Eh oui, Maggie. On a tendance à répéter nos pires erreurs.

— Sûrement. Il était mathématicien dans l'armée de terre. Fragile et refoulé, encore plus à plaindre que moi. Et il se trouva qu'il buvait, lui aussi. Comme papa. Bien entendu, je voulais l'aider. Je croyais que je le pouvais.

— Il vous frappait ?

Barry m'effleura très légèrement la joue, en ami. Le geste parfait.

— Je ne savais pas comment m'en sortir, à cette époque. J'ignorais où aller, comment m'occuper de Jennie. Je me réfugiais dans le grenier de la maison et je passais mes journées à écrire des chansons, que je chantais pour Jennie. Oui, on allait toutes les deux se cacher dans le grenier.

— Vous ne chantiez jamais dans les boîtes du coin ?

Grand mouvement de tête.

— Hors de question ! J'avais bien trop peur.

— Ah, vous avez donc menti à l'entretien d'embauche. Vous êtes virée.

Cette fois-ci, c'est moi qui lui caressai la joue.

— Pas de problème. Maintenant, je peux assurer pour Jennie et moi. Merci de votre aide.

— Mais je n'ai rien fait. Je ne suis que spectateur. Vous êtes une personne extraordinaire, Maggie. J'espère qu'un jour, vous finirez par vous en rendre compte.

Je me penchai par-dessus la table et l'embrassai tendrement, chastement. Nous nous entendions tellement bien. Je l'adorais, mais j'étais bien incapable de le lui dire.

— Vous êtes génial, lui chuchotai-je.

— Pas autant que vous, Maggie. Si, si, je le pense. Et n'oubliez pas que je suis le premier à vous l'avoir dit.

14

C'était le 2 juillet de ma grande année. Jamais la vie n'avait été aussi belle. Le lieu : le stade de Meadowlands, à côté de New York. Jennie et Barry m'accompagnaient.

Jamais je n'oublierai ce jour. C'est un fragment de ma vie que l'on ne pourra jamais m'arracher.

Peu après 20 h 30, Bret Wolfe, l'un des animateurs de radio les plus fêlés de New York, déboula sur scène, habillé comme un adolescent teigneux qui aurait échappé à la vigilance de ses parents.

La première partie n'allait pas tarder à commencer. Le public savait que le groupe R.S.V.P., tête d'affiche de la soirée, ne monterait pas sur les planches avant 22 heures, voire bien plus tard.

On lui réservait une surprise de taille.

La voix de Bret Wolfe avait du mal à couvrir la rumeur de la foule :

— J'ai l'honneur et le plaisir de vous présenter...

L'orchestre joua un air connu. Une myriade d'objets volants fluorescents s'envola vers le quart de lune blême suspendu au-dessus du stade.

—... l'honneur et le plaisir de vous présenter, mesdames et messieurs... R.S.V.P. !

Suivit un silence de mort, puis un brouhaha général parmi les spectateurs déjà présents et les nouveaux arrivants qui pénétraient dans le stade sans se presser :

— Je le crois pas. Normalement, ils devraient chanter dans plusieurs heures !

— Merde ! Mais c'est quoi, ce bordel ?

Depuis les coulisses, je vis des serpentins et des fusées bleues filer vers le ciel, à des dizaines de mètres au-dessus de la scène. De toutes parts jaillissaient des flots de fumée et des geysers d'étincelles pailletées que la brise d'ouest emportait vers New York. Surgit alors Andrew Tone, le chanteur de R.S.V.P. Félin, séduisant, il s'empara du micro, le brandit comme s'il s'agissait d'un serpent, passa une main dans sa crinière châtain clair.

— *Alive and Kicking !*

Il tendit le poing. Roulement de basse caractéristique, et R.S.V.P. attaqua le morceau qui était en tête des meilleures ventes de toute la planète ou presque.

Puis ce fut le tour de *Champion of Myself.*

Et *Loving a Woman of Character*, une ballade.

Dans le public, c'était la confusion la plus totale. Personne ne comprenait. On attendait encore des dizaines de milliers de fans puisque, normalement, les chanteurs et groupes locaux assurant la première partie ne quittaient la scène que vers 21 h 30.

Et la musique s'arrêta. Devant le micro, Andrew Tone leva les bras pour réclamer le silence et lança :

— Ne vous inquiétez pas. On reprendra ces chansons quand tout le monde sera là. C'était un petit cadeau pour vous qui êtes venus tôt. Vous, vous êtes de vrais amateurs de musique, hein ?

Applaudissements. Rires ici et là. Mais le mystère restait entier : pourquoi le groupe était-il déjà sur scène ?

— Si nous venons de vous jouer *Alive*, *Champion* et *Woman*, c'est pour une raison très particulière. Ce sont trois de nos meilleurs titres. Je le sais, et vous aussi.

À en juger par les applaudissements, Andrew Tone n'avait pas sous-estimé son public.

— Ce que vous ignorez peut-être, en revanche, c'est que ces trois morceaux ont été écrits par la même personne. Une personne qui va assurer seule la première partie de cette soirée, et je peux vous dire que c'est la meilleure première partie que nous ayons jamais eue !

Dans l'assistance, une poignée de gens connaissaient sans doute mon nom, mais bien rares devaient être ceux qui savaient que je chantais. Derrière Andrew Tone, quelques gros bras poussaient déjà un piano. Puis tout s'éteignit et un projecteur vint se braquer sur le clavier.

Murmures dans la foule, à la fois impatiente et vaguement inquiète. La curiosité était à son comble.

— Vous allez découvrir une femme de caractère, une vraie, poursuivit Tone à voix basse, dans la pénombre. Elle va se produire en public pour la première fois, et c'est pour cela que nous sommes déjà là. Nous tenions à vous la présenter personnellement pour la remercier, à notre manière, d'avoir écrit pour nous. Et je vous promets une chose : c'est la dernière fois que vous la verrez en première partie d'un spectacle. Alors ouvrez bien vos oreilles, attention la tête et attention les cœurs ! VOICI LA GRANDE, L'ÉTONNANTE MAGGIE BRADFORD !

15

J'écoutais Andrew qui n'en finissait plus et je me disais : « Il en fait trop. » Il plaçait la barre beaucoup trop haut. À l'entendre, on aurait cru qu'une star mondiale allait monter sur scène dans un tourbillon de strass et de paillettes.

Non, c'était impossible, il ne pouvait pas parler de moi. Un cercle d'acier me compressait déjà la poitrine. Et, d'ailleurs, j'avais une voix de contralto. Les notes les plus aiguës me posaient des problèmes.

Je ne m'imaginais pas jouer, et encore moins chanter. Une femme de caractère, moi ? Je n'étais plus qu'un mollusque.

J'avais du mal à respirer.

Quand je me forçai à faire quelques pas sur l'immense scène, des applaudissements sincères mais épars saluèrent mon entrée.

Je songeai à ce que venait de dire Andrew Tone : « Elle va se produire en public pour la première fois. »

Puis enfin je vis, je vis vraiment cette muraille de visages qui s'élevait doucement, ce gigantesque patchwork de couleurs et ce piano qui, dans le cône du projecteur, me semblait devenu immense, intimidant et prétentieux.

« Non, je ne peux pas. Toute une ville me regarde. »

Submergée par une soudaine vague de panique, j'avais l'impression de revivre ces moments, à l'école, où je balbutiais, où je bégayais.

Les musiciens s'étaient levés pour applaudir à leur tour. J'en connaissais beaucoup pour les avoir côtoyés lors des séances en studio.

— Hé, on se calme ! leur ai-je hurlé. Ce n'est que moi. Arrêtez, arrêtez !

— Allez, Maggie ! m'encouragea un percussionniste, Frankie Constantini. Montre-leur que tu es la meilleure !

J'ignore comment, mais je parvins à atteindre le piano et, comble de l'exploit, je m'assis sans m'évanouir, ni faire d'infarctus.

Avec mon mètre soixante-douze, je suis plutôt grande et Barry disait m'avoir trouvée, ce soir-là, « séduisante », mais moi, je me sentais aussi godiche qu'aux jours les plus gris de mon adolescence. Mes cheveux, eux, me plaisaient. Je les avais laissés pousser, ils étaient souples et soyeux, ils ruisselaient presque jusqu'à ma taille. C'était toujours ça.

Je m'approchai du micro argenté qui brillait dans la lumière du projecteur et à mi-voix, je ne sais trop comment, je commençai :

— À l'époque, je vivais à West Point. J'habitais à deux pas de l'Académie militaire. J'étais une mère au foyer, je m'appelais Mme Bradford. Je me rappelle que j'aimais bien m'installer dans le grenier. Il y avait un écureuil nommé Bisou et avant la naissance de Jennie, ma fille, c'était mon seul ami. J'aimais bien aller dans le grenier parce que là, je ne risquais rien. Là, je n'avais pas peur que mon mari vienne me battre. Et c'est là que je me suis mise à écrire des chansons.

J'avais l'impression que ma tête avait explosé. Phillip était là, toujours aussi présent. J'entendais ses pas dans l'escalier de la maison, sa voix menaçante : « Inutile de te cacher ! » Ma main tremblait.

Je contraignis mes doigts à frapper les touches du clavier et, de tout mon cœur, en donnant tout ce que j'avais, je chantai :

J'étais femme au foyer
Jeune et belle mariée
Et maman d'un bébé
Une vie bien douillette, une vie bien réglée
Dans les monts new-yorkais
J'étais l'épouse parfaite
Qui lui massait la tête
Préparait ses assiettes

Et triait ses chaussettes
J'étais Mme Bradford
Je me voyais déjà morte
Tous ces coups qui pleuvaient
Il me frappait, frappait
Et moi, je n'étais pas sûre
De ne pas délirer
Tous ces coups qui pleuvaient
J'étais femme au foyer
Jeune et belle mariée
Maman d'un petit bébé
Tous ces coups qui pleuvaient
Et lui prétend m'aimer
Quand il va me tuer ?

Le ruissellement des applaudissements se transforma rapidement en un tonnerre assourdissant. La foule frappait maintenant du pied, en rythme, et une clameur presque palpable s'élevait du stade. Jamais je n'avais connu une sensation aussi grisante.

À cet instant, je compris que tous ces gens croyaient en moi, qu'ils croyaient à mon histoire.

Je n'avais jamais vécu pareille expérience, même en rêve, et, il faut bien l'avouer, je ne voulais pas que ça s'arrête.

Quelle ivresse !

16

Mais ça, c'était hier.

Jamais je n'aurais imaginé me retrouver ici, en détention dans une prison de l'État de New York.

Cela paraît impensable, impossible. Comment aurais-je pu un seul instant concevoir qu'un jour un enchaînement de circonstances me conduirait dans cette cellule ?

Cette semaine, j'ai été invitée à rencontrer une sommité de la psychiatrie, une femme nommée Deborah Green.

Qu'on puisse s'interroger sur l'état de ma santé mentale ne me surprend pas.

Pour la presse, je suis la « tueuse de maris ». La « veuve noire de Bedford ».

Je m'entretins avec le Dr Green dans une petite salle de réunion jouxtant la chapelle, ce qui eut au moins le mérite de me faire sourire. La « diabolique ».

Signe encourageant : j'ai appris que le Dr Green était spécialiste des affaires de mauvais traitements, et non de meurtres.

Elle me mit tout de suite à l'aise. Elle me parla d'elle, m'expliqua pourquoi on l'avait choisie, et m'assura que, si elle n'était pas l'interlocutrice dont j'avais réellement besoin, elle plierait bagage. C'était une femme de mon âge, à la voix posée, sans prétention.

Je crois que je l'aimais bien. Quant à lui faire confiance, peut-être était-il encore un peu tôt...

— Bon, écoutez, lui dis-je, je vais vous faciliter le travail. Je vais vous dire tout ce que je pense. Je ne vois pas l'intérêt de laisser des secrets entre nous.

J'étais assise face à elle, et non allongée sur la couchette qu'on avait prévue à mon intention. Elle commença par hocher la tête, puis je la vis sourire. Manifestement, elle était douée et savait très bien inciter les gens à se confier à elle.

Il va de soi que je n'étais pas totalement sincère. J'avais décidé de conserver un secret, un secret d'importance que je ne comptais dévoiler à personne.

Et, paradoxalement, c'est peut-être justement ça qui aurait pu me sauver.

Elle me répondit :

— Faites à votre manière, Maggie. Si vous avez envie d'évacuer tout ce qui vous encombre l'esprit, allez-y franchement.

Je ris.

Oui, j'avais envie d'évacuer, comme on dit.

Alors, au cours de ces quelques premières séances, je déballai au Dr Green tout ce que les journaux et les télévisions n'avaient pu m'extorquer, même en payant très cher.

Je lui révélai mes angoisses, mes hontes, mes fureurs.

Mon père, qui avait quitté ma mère en 1965. Qui était parti, nous avait abandonnées comme ça, un beau matin, comme s'il avait simplement fait halte dans un motel.

L'horrible bégaiement dont j'avais été affectée de quatre ans à treize ans. Les rires des autres enfants, qui me serraient le cœur. Ce sentiment d'inutilité et de faiblesse. Et ma victoire sur ce handicap, sans l'aide de personne.

Les chansons que j'écrivais dans ma tête pour fuir les voix sinistres de mon univers d'enfant.

Phillip, qui passait aux yeux de chacun pour un universitaire sympathique et discret, ce qu'il n'était pas du tout. Il sortait sa Corvette noire de l'allée à plus de soixante à l'heure, en marche arrière. Collectionnait les armes. Avait instauré *ses* règles, qu'il fallait respecter à tout moment de la journée et de la nuit.

Je parlai sans souffler pendant près de deux heures. Le Dr Green intervenait peu.

À la troisième ou quatrième séance, je ne sais plus exactement, le flot se tarit.

— J'ai la nette impression que vous oubliez quelque chose, me dit le Dr Green.

— Ah, bon ?

— Oui, et Will Shepherd ? Vous vous souvenez de lui ?

Ah oui, bien sûr, Will.

L'homme qui m'avait valu d'échouer ici. L'homme que j'avais tué.

— J'allais y venir. Il faut dire que Will, c'est un chapitre à part.

17

Will avait peaufiné son personnage de lycéen et cela fonctionnait assez bien. On voyait déjà en lui le meilleur joueur espoir du foot londonien et il jouissait d'une indiscutable popularité auprès des jeunes filles. Mais il n'avait toujours pas de véritable ami.

Au tout début de l'été de ses quatorze ans, il contracta la grippe asiatique. Cloué au lit par la fièvre, secoué de frissons, il se demanda, épouvanté, s'il n'allait pas mourir et rejoindre son père.

C'est sa tante Vannie qui s'occupa de lui au plus fort de la maladie. Elle resta à son chevet, ce qui était surprenant, car d'ordinaire, si Will tombait malade, c'était tante Eleanor qui lui apportait ses repas et le réconfortait. Bien portant ou pas, il ne faisait qu'entrevoir Vannie. Elle partait presque tous les soirs, le plus souvent escortée d'un chevalier servant qui disparaissait au bout de quelques jours et laissait la place au suivant.

Will et Vannie passèrent de longues heures à jouer aux échecs et à bavarder. Vannie était une joueuse acharnée, mais Will assimila très rapidement les règles du jeu et, en moins d'une semaine, il devint un adversaire plus qu'honorable. Il abordait chaque nouvelle partie avec un enthousiasme grandissant.

Les échecs lui offraient en effet l'occasion d'étudier sa tante de près. Lui et son frère Palmer s'étaient livrés, la nuit, en jurant de ne rien dire, à d'innombrables supputations à son sujet. Les hommes avec lesquels elle sortait, ses séjours occasionnels à Bournemouth ou dans le Sud de la France, tout cela les intriguait au plus haut point. Maintenant qu'elle se trouvait face à lui, de l'autre côté de l'échiquier, il avait tout le loisir de la contempler et d'observer le moindre de ses gestes.

Chaque fois qu'elle se concentrait sur les pièces de bois, il en profitait pour scruter sa poitrine. Il se voyait la couvrant de baisers, suçant tendrement ces petits bouts de sein qui le provoquaient sous tous ses chemisiers, toutes ses robes. Il se voyait les arrachant d'un coup de dents.

— Tu sais, je ne marche pas dans ton jeu comme tous les autres, lui déclara-t-elle au cours d'une partie particulièrement serrée. Tu es très intelligent, Will, et tu ne tiens pas à ce que ça se sache. Mais moi, je le sais. Je sais même à quoi tu penses, mon chéri.

Six jours plus tard, Will se réveilla en bien meilleure forme. Et un peu triste car il allait devoir se lever. La perspective de rejouer au football le réjouissait, bien sûr, mais Vannie ne serait plus là pour le dorloter.

Vers 9 h 30, ce matin-là, on frappa à la porte. Palmer était déjà parti (Eleanor devait l'emmener au zoo de Regent's Park) et Will avait décidé de feindre d'être plus malade qu'il ne l'était. Il adorait faire semblant, jouer la comédie, voir jusqu'où il pouvait aller.

— Je suis réveillé, geignit-il. Entre.

Vannie ouvrit la porte. Elle portait une robe vichy largement décolletée et les yeux de Will, comme d'habitude, vinrent aussitôt se river sur sa poitrine.

— Je vais cuire des œufs, chantonna-t-elle. Des œufs brouillés. Condescendriez-vous à les déguster en ma compagnie, maître Will ?

— Un petit peu, lui répondit-il d'une voix faible comme s'il était à l'article de la mort. Peut-être une demi-part.

— Oh, je ne sais pas si je suis disposée à préparer tout ça, dit-elle en lui lançant un clin d'œil qui le dérida.

Vannie disait toujours qu'il avait le sourire coquin et, comme il savait que ça lui plaisait, il lui en redonnait. La comédie, encore et toujours.

— Restez là, maître Will je vais vous apporter le petit déjeuner.

Il la regarda partir en tremblant. Une demi-heure plus tard, elle revint avec des œufs brouillés et de la purée pour deux et s'assit près de lui, sur le lit. Voilà qui était extrêmement agréable.

Will avait l'impression de ne pas avoir mangé correctement depuis un mois, mais cette soudaine promiscuité modifia l'objet de son appétit.

— Tu n'as toujours pas faim ? lui demanda-t-elle tandis qu'elle finissait sa part. Bon, si on entamait une dernière partie ? Pour le championnat de Fulham ? Tu m'as l'air suffisamment rétabli pour jouer.

— D'accord. Pour le championnat.

« Et quel en sera l'enjeu, Vannie ? »

« Je devine à quoi tu penses. J'ai ma petite idée. »

18

Vannie eut vite fait de débarrasser le plateau pour installer l'échiquier sur le lit.

— Les petites pièces de devant s'appellent des pions, ironisa-t-elle. Avance celui que tu veux, que le carnage puisse commencer.

Il se concentra alors sur la partie. Le défi qu'elle venait de lui lancer avait piqué au vif son formidable esprit de compétition et il avait la ferme intention de gagner. Il en oubliait même les seins, le corps de Vannie.

Jamais ils n'avaient aussi bien joué. La partie fut extrêmement serrée. Vannie, il le savait, n'avait pas prévu pareille résistance mais, à la dernière minute, elle prit son fou avec un cavalier. Un coup qu'il aurait dû prévoir. Elle se détendit, l'air crâne.

— Désolée, mais te voilà échec et mat, mon chéri. Monsieur l'acharné...

— Et merde !

Hors de lui, Will balaya le jeu d'un revers de main. Les pièces volèrent en tous sens.

— Mauvais perdant, gloussa Vannie. Pas étonnant. Astu la moindre idée de ce que tes adversaires doivent penser de toi, sur un terrain de football ?

Eh chacun d'éclater de rire. Puis ils se mirent à quatre pattes pour tenter de récupérer les pièces éparpillées dans toute la pièce : une reine sous la table de chevet, un cavalier qui avait atterri sur le bureau, un roi sur le tapis imitation Orient.

Tous deux voulurent s'emparer du roi en même temps.

Will frôla du coude l'étoffe souple de la robe de Vannie, sentit sous le tissu la chaleur de sa peau. Vannie ne recula pas. Will non plus.

Soudain, dans la pièce, chaque son, chaque mouvement s'amplifia. Will, comme électrisé, avait du mal à respirer. « Elle me veut, se dit-il. J'avais raison, je le savais. »

Vannie le regarda droit dans les yeux une longue seconde. Dans le silence de la pièce, obsédé par le terrible staccato de son cœur, Will craignit qu'elle ne l'entende. Ce qu'il voulait, lui, c'était entendre son cœur à elle.

Du bout des doigts, sans prononcer un mot, Vannie caressa les joues de Will. Ensuite elle descendit vers sa gorge, passa sur sa pomme d'Adam. Il émit un infime gémissement.

Elle se pencha sur lui et l'embrassa doucement, puis elle mordilla les lèvres qu'il n'osait lui tendre, l'enveloppa de ses bras et le serra contre sa poitrine.

La langue de Vannie s'insinua dans la bouche de Will. La langue de Vannie était *à l'intérieur de lui, toute dure*.

— Mon brave petit, chuchota-t-elle. Toi, vraiment, tu sors de l'ordinaire.

Au début, les mains de Will l'explorèrent à tâtons, timidement, comme si elles-mêmes avaient du mal à croire au miracle se produisait. Puis elles se firent plus agressives, sillonnèrent le dos étonnamment musclé de Vannie, glissèrent sur son visage si doux et sur sa nuque avant de s'attarder, bonheur des bonheurs, sur ses seins, ses prodigieux seins. « Elle me veut. Pour la première fois, quelqu'un me veut. »

— Pas si vite, murmura-t-elle. Nous avons le temps, maître Will.

— Oui. J'ai beaucoup pensé à ça, tu sais.

Elle sourit, amusée, avec de gros yeux ronds.

— Je parie que c'est vrai.

Les mains de Will descendirent sur la jupe, le long des jambes. On entendit un grésillement d'électricité statique.

Vannie défit sa ceinture, puis tira Will à elle. Qu'allait-il... que pouvait-il se passer maintenant ?

Il la dépassait déjà d'une demi-tête et était bien plus fort qu'elle, mais elle n'avait rien d'une femme frêle. Elle le palpait partout, glissa une main dans son pantalon de pyjama. Sa robe tomba à terre. Combien de mains avait-elle ? Où avait-elle appris tout ça ?

Will avait le visage et le cou brûlants, ses tympans résonnaient. Son sexe lui semblait devenu énorme. Il se frotta contre la peau nue de Vannie avec un gloussement de plaisir. Il ne savait pas trop ce qu'il devait faire à présent, qu'elle était la marche à suivre, mais il trouverait bien. Après tout, comme elle l'avait elle-même deviné, il était assez futé.

Vannie était sur son lit. Couchée sur le dos, elle s'ouvrait à Will des deux mains. Elle le fixait des yeux en rougissant, pour son plus grand bonheur. Jamais il n'oublierait ce regard. Elle l'attira vers lui.

— Viens. Maintenant, ce serait très bien, Will.

Elle voulait que ça se fasse. Elle avait autant envie de lui qu'il avait envie d'elle.

Will contempla son visage, étudia ses beaux yeux marron, puis s'attarda sur ses seins dressés, le sublime V de ses jambes et, à la pointe, la petite toison noire. Il bandait tellement qu'il avait peine à croire que c'était lui. Jamais il ne s'était senti aussi fort, aussi puissant. Et surtout, il savait désormais ce qu'il allait faire avec Vannie. Il lui suffisait de laisser parler son instinct.

— Ne te presse pas, Will, lui susurra-t-elle. Prenez votre temps, jeune maître.

— Ne t'inquiète pas. Moi non plus, je ne veux pas que ça s'arrête.

Quand ils eurent fini, ils s'allongèrent côte à côte et elle lui dit en caressant ses longs cheveux blonds :

— Tu es tellement beau. Tu vas pouvoir avoir qui tu veux. (Large sourire.) Tu es vraiment irrésistible, Will.

Cela, Will le savait déjà. Ce qu'il ignorait, c'était ce qui se cachait derrière ce qualificatif. *Irrésistible*... Était-ce bien ou était-ce très, très dangereux ?

19

Allan « Skipper » Thomas était à première vue un homme comme les autres, chez qui l'on devinait peut-être une certaine pratique du commerce, mais Will comprit très vite qu'il allait jouer dans sa vie un rôle déterminant.

Manager des Hammersmith Rangers, Thomas avait passé le cap de la quarantaine, mais on racontait qu'il s'entraînait aussi durement que ses joueurs et qu'il offrait une prime si on réussissait à le dépasser ballon au pied. On prétendait également qu'il n'avait jamais eu à verser la fameuse prime.

Ils étaient assis très dignement dans le salon. Eleanor et Vannie avaient eu la délicatesse de les laisser seuls pour qu'ils puissent tranquillement parler football, entre hommes.

— Je t'ai regardé jouer, Will, commença Thomas.

Approche directe, tout comme Will l'avait prévu.

— Ah bon ? Vous me faites plaisir en disant ça, monsieur.

Quelle blague ! Tous les clubs de Londres avaient envoyé quelqu'un voir ce qu'il valait.

— Tu es doué, ça saute aux yeux. Et tu deviendrais un bon joueur, si l'on me donnait un peu de temps.

Will regarda Skipper Thomas très calmement. Il aimait bien faire les choses calmement.

— Je suis déjà un bon joueur, monsieur. Vous le savez, sinon vous ne seriez pas là.

— Tu n'as que quinze ans. À cet âge, on n'est pas encore un joueur, on est un joueur potentiel.

— Si.

— Et modeste, avec ça ! s'esclaffa Thomas.

— Non, je ne suis pas modeste, monsieur. Ce serait être hypocrite. Mais je suis un buteur. Je ne suis pas un adepte du jeu collectif ; sur le terrain, je ne fais pas attention aux autres. Je suis un individualiste, un frappeur pur et simple. Je suis de la même trempe que Johan Cruyff, Pelé et Gerd Müller. Je suis le plus jeune joueur de ma catégorie qu'on ait jamais vu en Angleterre. Aussi rapide que n'importe quel pro, et plus puissant. Toute la presse le dit.

Un grand sourire illumina le visage de Thomas. Quel culot ! Mais il y avait sans doute beaucoup de vrai dans ce que disait cette jeune tête brûlée.

— La presse *locale*, Will.

— Mais aussi le *Telegraph*, et le *Sun*. Dites, monsieur Skipper Thomas, si vous en arriviez au fait ? Vous voulez que je vienne jouer chez vous et moi, j'ai envie de jouer chez vous. Alors inutile de tourner autour du pot. Combien me proposez-vous, monsieur ?

— Allez, Will, décroche-moi si tu penses en être capable. Tu es le nouveau Cruyff, non ?

Skipper Thomas et Will étaient encore sur la pelouse, bien après l'entraînement. Comme tous les jours... Jamais Thomas n'avait vu un joueur, fût-il jeune, faire preuve d'une telle détermination. Et Will était bel et bien un buteur hors pair, capable de marquer quand il le voulait avec une incroyable aisance.

— Si j'y arrive, tu me donnes quoi ? Qu'y a-t-il à gagner ?

— Vingt livres, répondit Skipper, et il cracha au sol.

Will éclata de rire et s'éloigna, secouant sa tignasse blonde sur son torse nu.

— Arrête. Pour vingt livres, je ne voudrais même pas baiser ta femme.

— Bon, d'accord, cinquante. Mais tu m'effaces.

Will fit volte-face, releva le défi. Thomas lui lança le ballon, et il le bloqua du pied droit, le plus naturellement du monde. Il jouait à la perfection son rôle de petit prétentieux.

Skipper Thomas s'accroupit.

— Quand tu veux, fiston.

Will était prêt, mais il n'était le fiston de personne.

Une feinte à gauche, une feinte rapide à droite. Il fila droit sur l'entraîneur et là, poing tendu vers le ciel, médium dressé en signe universel de mépris, il s'échappa et laissa Skipper Thomas sur place comme si celui-ci avait les chaussures collées à la pelouse.

— Garde ton fric, lança-t-il à Thomas, hilare. J'ai des tas de projets et, à mon avis, je ne vais pas en avoir besoin.

Will passa deux ans chez les Rangers avant d'être acheté un million et demi de livres par Liverpool qui, comme à son habitude, caracolait en tête de la première division. Il était déjà le footballeur le plus célèbre d'Angleterre. Dès la première année, il devint le meilleur buteur de la Ligue et faillit être sacré joueur de l'année. Et il n'avait que dix-neuf ans.

La presse s'enflammait, évoquant la « rage de vaincre » de Will Shepherd, son jeu « magique et aérien ». Selon le *Guardian*, il était « capable de fondre sur le ballon, tel un aigle d'or, puis de s'envoler vers son aire, en l'occurrence les filets de l'adversaire ».

« Une véritable flèche d'or qui file droit au but. »

« Sur le terrain, Will Shepherd est l'égoïsme même. Il n'a qu'une obsession : marquer. Et il joue comme s'il était seul. »

À dix-neuf ans, la Flèche d'or commença également à alimenter les rubriques mondaines. On le voyait « chassant le renard en compagnie d'amis dans le Gloucestershire », « tirant la *grouse* sur les landes de Lord Dunne, dans les environs de Balmoral » ou bien encore « jouant au polo à Swinley Forest en présence de la famille royale ». En toutes circonstances, soulignaient les échotiers, Will Shepherd était toujours « très remarqué ».

À l'âge de vingt ans, il offrait à Liverpool la coupe de la Ligue. Il était peut-être le joueur le plus célèbre d'Europe et manqua de peu le titre de meilleur joueur du monde décerné par la FIFA. À l'annonce du palmarès, pastichant la célèbre réplique d'*Autant en emporte le vent*, il déclara : « Franchement, Scarlet, je me fous pas mal de savoir ce qu'on pense de mon jeu. Il n'y a que moi qui peux vous dire si je suis le meilleur ou pas. »

Durant la même période, voulant obstinément conserver des liens avec les États-Unis, il joua aussi pour l'équipe américaine. Mais, lassé de gâcher son talent au milieu d'une équipe de culs-de-jatte, il rendit définitivement son maillot d'international.

On vit alors les journaux faire état de rumeurs alarmantes, et donc bien plus intéressantes pour leurs lecteurs. Il était question de boisson, de drogue et pis encore. Pour justifier ses nombreuses absences aux entraînements, Will invoquait des « raisons personnelles ». Liverpool le céda à un club rival qui avait des ambitions, moyennant deux millions de livres. Pendant l'intersaison, Will se mit à piloter des voitures de formule Grand Prix, ce que son contrat lui interdisait formellement. Commentaire, au départ d'une course : « Si je survis, ça n'aura aucune importance. Si je me tue, non plus. »

Will Shepherd, dit la Flèche d'or, était devenu une idole. Un personnage totalement irrésistible.

20

Irrésistible.

C'était Will qui pilotait la surpuissante Ferrari rouge de Melanie Wellsfleet. Les routes étroites et sinueuses menant au domaine des Wellsfleet, dans le Somerset, ne l'empêchaient pas de dépasser allégrement le 140. Il poussa même une pointe à près de 200.

— Doucement, ce n'est pas une voiture de course ! cria Melanie dans un grand éclat de rire alors qu'ils filaient sur une portion de route particulièrement dangereuse.

— Maintenant, si, puisque je suis au volant. Accroche-toi, Mel, tu vas avoir l'émotion de ta vie !

La propriété du Somerset était somptueuse, bien au-delà de ce que Will avait imaginé. Trônant au milieu d'un parc qu'on eût dit entretenu à la pince à épiler, Ryertton Hall et ses vingt-six pièces constituaient un véritable musée Tudor.

— Je constate que, grâce à moi, mon patron vit très confortablement, commenta Will tandis que Melanie lui faisait visiter une à une les neuf chambres.

Melanie, trente et un an, ancien top model, était l'épouse de Sir Charles Wellsfleet, propriétaire de l'équipe de football de Will ainsi que d'une écurie de chevaux de course et d'une respectable maison d'édition. Et bientôt septuagénaire.

— Charles a acheté tout ça bien avant qu'on ne commence à parler de toi, lui rétorqua-t-elle d'un ton espiègle avant de l'embrasser.

Leur petite liaison remontait à un peu plus d'un mois. Melanie était folle de Will et elle ne doutait pas qu'il nourrît les mêmes sentiments à son égard. « Au lit, il ne peut pas faire semblant », se rassurait-elle lorsqu'il lui arrivait d'avoir du vague à l'âme.

Quand ils parvinrent enfin à la suite principale où l'on jouissait d'une vue extraordinaire sur une terrasse-jardin où chantait une fontaine, Melanie annonça :

— Tu m'as manqué, tu sais. Je te veux, j'ai besoin de toi. Et toi, de quoi as-tu besoin ? Que veux-tu ?

Cette question parut amuser Will. Il explora l'appartement, fouilla dans les commodes et le gigantesque placard, fit son choix de robes et tenues de soirée, de dessous, de bas et de chaussures, puis étala le tout sur le lit et par terre.

— Puis-je savoir ce que tu mijotes, Will ? pouffa Melanie. J'ignorais que tu fantasmais sur mes vêtements.

— Et, pourtant, c'est la triste vérité. Tu m'offres un petit défilé privé ? Je ne t'ai jamais vue dans ces somptueuses toilettes et ça me ferait vraiment plaisir.

Melanie sourit. Elle adorait l'imagination de Will, ses jeux, ce perpétuel besoin de jouer. Ce n'était pas un sportif au crâne vide comme tant d'autres qu'elle avait eu l'occasion de tester. Et, par surcroît, Will ne manquait pas à sa réputation d'amant exceptionnel. Melanie comprenait à présent le pourquoi des rumeurs qui circulaient autour de la Flèche d'or. Pour elle, Will était devenu une véritable obsession, et elle imaginait mal qu'une femme normale pût réagir différemment. Will était vraiment exceptionnel.

Elle essaya quelques tenues de soirée de Karl Lagerfeld, une robe noire griffée Jil Sander, des escarpins Chloé. Pendant ce temps, assis au bord du lit, entièrement nu, Will se caressait sans perdre une miette du spectacle.

Elle savait déjà qu'il était capable de rester en érection des heures entières. Son seul problème, si problème il y avait, était qu'il ne finissait pas. Elle n'avait pas encore réussi à le faire jouir. Mais elle avait bon espoir d'arriver à ses fins...

Le cou orné d'un somptueux collier de perles, elle enfila une robe de soirée couleur bordeaux. Puis, n'y tenant plus, elle trottina vers Will et sa sublime flèche. Virevoltant comme une ballerine, elle l'implora en riant :

— Je t'en prie, je t'en supplie, cher ami, sur ton glaive laisse-moi m'empaler !

Will ne l'autorisa pas à se défaire de sa robe Carolina Herrera, qui valait plusieurs milliers de dollars, pas plus qu'il ne lui permit d'enlever ses Ernesto Esposito à talons hauts. Il se servit toutefois des carrés Hermès et des bas pour l'attacher aux montants du lit, puis lui fit l'amour plusieurs heures durant et l'aida à atteindre l'orgasme si souvent qu'il cessa de compter. Lui, en revanche, s'abstint de jouir.

Lorsque, vers 11 heures du soir, Sir Charles Wellsfleet rentra de Londres au terme d'une longue et harassante journée qui n'avait été qu'une succession de réunions et de rendez-vous, il s'attendait à trouver sa femme en plein sommeil.

Quelle ne fut pas sa surprise de la voir parfaitement réveillée. Les yeux exorbités, comme d'énormes billes bleues, elle donnait l'impression d'avoir pleuré des jours entiers. Toujours ligotée aux montants du lit, elle ne portait que son collier, et son visage, bien que bouffi, était aussi blanc que les perles. Autour d'elle, éparpillés sur le lit, les luxueux dessous italiens, les escarpins, la robe Herrera déchirée.

Cet été-là, le club de Sir Charles céda Will à une autre équipe. La presse évoqua les raisons les plus diverses, sans soupçonner la vérité : Will s'était tout bonnement lassé de Melanie. La Flèche d'or avait besoin de passer à la vitesse supérieure.

21

La saison sportive n'avait pas encore commencé. À l'invitation de son frère, Palmer était venu voir Will chez lui, à Chelsea. Un appartement luxueusement décoré, mais si glacial qu'il en paraissait inoccupé. Maggie Bradford chantait ses ballades en sourdine.

Will leur avait servi deux cognacs de grande marque, mais il en était déjà à son quatrième ou cinquième verre.

— Palmer, il faut que tu m'aides.

Son frère le dévisagea, interloqué. Il lui était difficile d'imaginer que Will pût avoir besoin de quelqu'un, pour quelque motif que ce fût.

— T'aider, moi, mais comment ?

— J'ai besoin d'un manager. Je suis sûr que tu ferais parfaitement l'affaire, et il y a déjà un moment que j'y pense.

— Un manager ! Mais je croyais que c'était le rôle de Jacob Golding.

— Non, lui, il ne s'occupe que des aspects financiers. Je te parle d'un manager perso, quelqu'un qui veille au grain, qui m'empêche de faire des conneries. Je commence à m'effrayer, frangin. Si tu ne m'aides pas, qui le fera ?

— Tu veux dire une nounou, Will ? traduisit Palmer, et il partit d'un grand éclat de rire.

Will haussa les épaules.

— Si ça te fait plaisir... Tu es d'accord ? Ce sera extrêmement bien payé.

Palmer vida son verre et se leva.

— Pas question, grand frère.

— Pourquoi ? Tes obligations sont si importantes ?

— À vrai dire, j'ai un bon poste au service marketing chez Cadbury. Mais même si j'étais au chômage, je refuserais.

— Parce que tu me détestes ? avança Will, narquois.

Palmer réfuta cette supposition d'un signe de tête. Il avait les cheveux blonds, lui aussi, mais très courts.

— Non, parce que je déteste vivre dans ton ombre. Ce n'est pas toi que je déteste, Will. Personne ne peut te détester.

— Alors tu refuses de m'aider ? Même si je te dis que je suis malheureux à en crever ? Que je tourne à vide ? Que, chaque soir, je me demande si je ne ferais pas mieux de me tirer une balle dans la tête ?

Incapable de détacher son regard de ce frère si flamboyant, auquel tout réussissait, Palmer se rassit.

— Es-tu sérieux, Will, ou est-ce encore du cinéma, un de ces petits jeux que tu aimes tant ?

— Je suis tout ce qu'il y a de plus sérieux. J'ai envie de me tuer, là, tout de suite. Tu trouves que j'ai l'air de plaisanter ?

— Mon Dieu, soupira Palmer, j'ai bien l'impression que tu es sérieux, ou alors complètement fou. Les deux, peut-être...

— Je suis une vraie merde, depuis toujours. Tu es le seul qui puisse vraiment m'aider, Palmer. Il faut qu'on se tienne les coudes.

Palmer se releva, la bouche déformée par un étrange rictus.

— Je suis désolé, Will, je ne peux rien faire pour toi. Il faudra que tu trouves quelqu'un d'autre.

Will regarda son frère partir, se versa un nouveau verre de cognac qu'il descendit d'un trait, chuchota : « Mais qui vais-je trouver ? Qui pourrait bien m'aimer, moi ? »

22

Allons, Maggie, un peu de courage. Il est temps de parler de Will, de tout dire une fois pour toutes. C'est ce que tout le monde attend.

Les gens, et notamment les journalistes, se demandent comment j'ai pu tomber amoureuse de Will. Et je suis toujours tentée de leur répondre : « Ne vous leurrez pas, vous auriez également succombé, et en une fraction de seconde. » Alors que, dans mon cas, cela n'a pas été aussi rapide.

On imagine mal le charme que Will était capable d'exercer sur une femme. Et moi, j'étais terriblement en manque d'affection. Je n'avais qu'une envie : être aimée. Depuis toujours, d'ailleurs, et j'imagine que nous sommes tous dans le même cas. Non ?

Voici, en gros, comment les choses se sont passées. Ceci est la vérité, rien que la vérité, je le jure.

Le point de départ de ma première tournée européenne était Londres. Ce fut un moment intense et délirant, mais tout à fait délicieux. Un vrai bonheur. Jennie et moi étions logées au Claridge. Nous avons assisté à la relève de la garde à Buckingham Palace, visité l'abbaye de Westminster et Big Ben, vu *La Souricière*. Nous étions tout heureuses de jouer les touristes, extraordinairement complices, incapables de rester deux minutes sans bavarder.

Je devais donner deux concerts à Londres, et j'avais eu l'honneur d'être invitée à une soirée costumée à Mayfair.

Mille livres l'entrée, au profit de la lutte contre le cancer chez les enfants.

Le soir de ce bal de charité, quand j'ai fait ma grande entrée dans le salon de la suite, Jennie m'a accueillie en grimaçant comme si elle venait d'avaler une gorgée de bière chaude.

— Oh, non, maman, tu vas pas sortir habillée comme ça, devant tout le monde !

Je m'étais collé un masque doré de magicien devant les yeux. Je jetai un coup d'œil dans le miroir et, là, éclatai de rire. Jennie avait raison. Les coutures de ma vieille robe de bal, raide comme une serpillière, étaient en train de céder et, sans m'en rendre compte, j'exhibais ma poitrine bien plus qu'il n'était souhaitable. Pas terrible...

— Bien sûr que je vais sortir comme ça. Je trouve ma tenue parfaite et je suis certaine que Barbara Cartland l'approuverait.

— Qui c'est, cette Barbara Cartland ? Ta couturière givrée ? La fille qui a imaginé les costumes de *Dracula* ?

— Tu ne sais pas qui est Barbara Cartland ? Eh bien, ça prouve que tu ne connais rien en matière de bals masqués et je me passerai donc de ton avis.

Jennie roulait des yeux, enfouissait ses mains dans sa crinière.

— Mais t'es censée être qui, alors ? Ne me fais pas mariner comme ça, c'est l'angoisse !

— Une reine à la cour de Louis XIV. C'est pourtant évident, non ?

Et Jennie, hilare, de se rouler sur la moquette épaisse de dix centimètres.

— On dirait plutôt une stripteaseuse. Euh, pardon, m'man, c'était juste pour rire.

— J'espère.

Et puis, quelle importance pouvait avoir ma tenue, puisque tout cela n'était qu'un rêve ? Forcément, car c'était trop beau et j'étais bien trop heureuse.

23

Tout cela ne me ressemblait pas, et c'est sans doute ce qui faisait tout le charme de l'histoire.

Le grand bal avait lieu chez Lord Trevelyan. D'énormes projecteurs installés sur les toits voisins noyaient de lumière l'imposante maison géorgienne, haute de trois étages.

En débarquant, j'ai vu sortir d'un taxi une joyeuse troupe qui s'était inspirée du groupe de Bloomsbury[1]. Culottes de golf, corsages de suffragettes, jupes bouffantes, vieux ouvrages poussiéreux et paniers de fleurs, tout y était et Jennie aurait sans nul doute jugé ces déguisements de très bon goût.

Emboîtant le pas aux écrivains chics, je me retrouvai au milieu d'une foule d'au moins deux cents convives en costumes de toutes époques et de tous genres. Dans le brouhaha des conversations, le champagne coulait à flots ; on me tendit un verre dès mon arrivée.

Peu après retentit une sonnerie de trompette. Le silence se fit, et en haut de l'escalier apparut... la reine Élisabeth Ire dans toute sa splendeur, couronnée d'un diadème de rubis et de saphirs et vêtue d'une robe somptueuse, brodée de mille perles. « Je suis en plein rêve, me répétais-je. Un rêve extrêmement agréable. »

La reine en question n'était autre, bien évidemment, que notre hôtesse, Lady Trevelyan. « Le dîner est servi », annonça un majordome, et nous passâmes dans une fastueuse salle à manger pour nous régaler de saumon, salades, fromages,

---

1. Groupe d'intellectuels qui se réunissaient dans le quartier du même nom, à Londres, au début de ce siècle. Les représentants les plus célèbres en sont l'économiste John M. Keynes et l'écrivain Virginia Woolf. *(N.d.T.)*

fruits et petits fours. Au bout d'une heure environ, Lady Trevelyan se leva pour faire signe, du menton, à deux domestiques. Les portes du grand salon s'ouvrirent et la musique commença. Valses et fox-trot.

Sur la piste, je vis un homme s'avancer vers moi. Impossible de lui échapper, il y avait trop de monde.

Il était tout de noir vêtu, la tête encapuchonnée, un masque sur le visage. On ne distinguait que ses yeux et je remarquai qu'ils étaient magnifiques. Quelque chose se passa en moi. Bizarre.

— Vous êtes Maggie Bradford, me dit-il. Veuillez avoir l'obligeance de me remettre vos bijoux, ou je me verrai forcé de les dérober.

— Vous avez l'avantage, lui rétorquai-je. Vous connaissez mon nom et moi, je ne connais pas le vôtre.

Il exécuta une courbette et me gratifia d'un baisemain.

— Raffles, le maître des voleurs, pour vous servir. Et sachez qu'il me serait bien plus agréable de voler votre cœur que vos joyaux.

J'étais incapable de fuir son regard.

— Alors permettez-moi de voir votre visage. Je ne laisse pas n'importe qui s'emparer de mon cœur.

J'ignorais quelle attitude adopter. Bien des hommes avaient tenté de me séduire depuis que j'étais devenue « quelqu'un », mais personne ne m'avait encore abordée de cette manière : « Bonsoir, j'aimerais voler vos bijoux, ou alors votre cœur... »

Nouvelle révérence, et d'un même geste il ôta sa capuche et son masque.

Je n'exagère pas en affirmant que l'homme qui se trouvait devant moi était l'un des plus beaux que j'aie jamais vus. Sa chevelure, une véritable crinière blonde, lui frôlait les épaules, et ses yeux verts brûlaient d'un éclat intense. À en juger par le cuivre de sa peau, il passait le plus clair de son temps en plein air, mais aucune ride n'affectait son visage, ce qui prouvait son jeune âge. Il arborait un large sourire. Ses dents étaient d'une blancheur immaculée, il avait la peau de la mâchoire lisse et tendue.

— Raffles ? Tiens donc... Et comment vous appelle-t-on, de jour ?

— Will. Will Shepherd.

Il fit un pas en arrière pour juger de l'effet produit, mais, malheureusement pour lui, cela ne me disait rien.

— Joli nom. (Et, ayant remarqué son accent, je hasardai :) Vous êtes américain ?

— D'origine. J'ai surtout vécu en Angleterre, mais je fais tout pour que ça ne se voie pas. Je suis têtu, parfois. Souvent, même.

— Et quand vous ne dévalisez pas les voyageurs, que faites-vous, monsieur Shepherd ?

Son sourire s'élargit encore.

— Vous allez rire. Je joue au football... mais pas au football américain. Vous devriez venir me voir sur le terrain, un de ces jours.

— Pourquoi pas ? Mais je dois vous prévenir : je ne suis pas tellement férue de sport.

— Moi, je dois avouer que je suis l'un de vos fans les plus ardents. Je trouve votre musique géniale, surtout les paroles. On a vraiment l'impression que vous comprenez tout.

Et, brusquement, il me prit par le bras.

— Je passe vos disques en permanence, Maggie Bradford. J'ai envie de vous ramener à la maison ce soir. C'est la pure vérité. Je veux vous faire l'amour. Venez, on s'en va. Vous en avez autant envie que moi.

De quel droit me disait-il une chose pareille ? « Vous en avez autant envie que moi... »

— Comment osez-vous me parler ainsi ! hurlai-je, couvrant la musique.

Je le giflai violemment ; il recula, surpris. L'orchestre, qui avait dû m'entendre, s'interrompit au milieu d'un morceau. Tous les yeux s'étaient braqués sur nous, mais peu m'importait. C'était comme si Phillip m'avait touché le bras, comme si Phillip m'avait parlé. Tremblante, la voix brisée, j'ajoutai :

— Si vous aviez vraiment écouté ce que je chante, vous sauriez ce que je pense de ce genre d'avances. C'est pitoyable. Vous m'avez gâché la soirée. Je me fiche pas mal que vous soyez le meilleur joueur du monde, football américain ou pas. Pour moi, vous n'êtes qu'une vulgaire merde et, si vous osez encore m'adresser la parole de cette manière, je vous... j'allais dire : je vous tue).

Mais il avait déjà pris le large, alors je laissai ma phrase en suspens. Je le regardai — comme tout le monde, d'ailleurs — traverser la salle jusqu'à la porte la tête haute, les cheveux flottants, d'un pas assuré, très maître de lui. J'étais totalement écœurée.

Figée sur place, j'essayai de contenir ma gêne et ma colère. L'orchestre se remit à jouer, les invités regagnèrent lentement la piste. Lady Trevelyan vint m'effleurer la main en signe de réconfort.

Au bord des larmes, je bredouillai :

— Excusez-moi, je suis vraiment désolée. Je ne voulais pas faire d'esclandre, mais... Excusez-moi.

— Ne vous inquiétez pas. (Elle paraissait sur le point d'éclater de rire.) Vous avez traité Will Shepherd exactement comme il le mérite et il n'y a pas une femme dans cette salle qui vous désavouerait. (Finalement, son rire éclata.) Cela dit, si on leur en donnait l'occasion, elles seraient ravies de se jeter dans son lit. Mais félicitations quand même...

Livre II
LE CALME AVANT LA TEMPÊTE

24

C'était l'une de mes premières comparutions devant le tribunal. Je ne sais plus exactement laquelle, mais je me souviens que j'étais ravie de sortir de prison, ne fût-ce que le temps d'un aller-retour.

Bien entendu, j'avais toujours le sentiment de porter sur la peau cette lettre écarlate, ce grand C comme « criminelle ». Jusqu'à ce que l'on ait fait la preuve de ma culpabilité, je demeure innocente, mais j'ai eu l'occasion de me rendre compte que, dans l'esprit de la plupart de mes concitoyens, il n'en est rien. Un certain nombre de personnes qui ne me connaissent même pas se sont déjà forgé une opinion et m'ont condamnée.

Pour les uns, je suis coupable de meurtre. Pour les autres, j'ai couché à droite, à gauche, et Dieu sait que rien n'est plus faux. Ce dont je souffre le plus, ce sont les attaques de ceux qui s'imaginent que je suis une mère indigne. S'ils me voyaient dix petites minutes avec mes enfants, s'ils demandaient à mes enfants ce qu'ils pensent de leur mère, ils comprendraient à quel point ils se trompent.

Mais on m'a déjà jugée. Je crois que les femmes sont coupables tant qu'on n'a pas prouvé leur innocence. Or il y a beaucoup de femmes parmi les personnes qui m'accusent avec le plus d'acharnement. J'aimerais que l'on m'explique pourquoi.

Et donc, par ce beau matin d'été, je me rendis au tribunal avec mon C écarlate, contente de m'offrir une petite escapade. L'air devait être saturé de pollen, car je vis plusieurs passants éternuer et une fine pellicule verte recouvrait toutes les voitures en stationnement.

Les gardiens du centre de détention, qui me connaissaient et m'avaient à la bonne, s'efforcèrent de me protéger de l'inévitable foule plantée devant le palais de justice. Au milieu de ce fan-club d'un genre particulier se dressaient quelques pancartes vengeresses : LA DIABOLIQUE A TUÉ — MAGGIE, TUEUSE DE MARIS — LES MEURTRES, ÇA FATIGUE, DONNEZ-LUI UNE CHAISE... ÉLECTRIQUE.

— Baissez la tête, Maggie, et suivez-nous, me conseilla l'un des gardiens.

J'avais passé tant de temps en cellule, coupée du monde, que je voulais absolument tout regarder, mais l'homme avait raison.

Jamais à court d'astuces, les journalistes avaient investi tous les recoins du palais pour nous coincer dès notre arrivée et me harceler de questions.

Ce fut un véritable tir de barrage, comme d'habitude, et avec moi on ne prenait pas de gants. On me plantait des micros devant la bouche — voulait-on que je chante ? Les caméras de télévision me fixaient de leur œil cyclopéen, sans ciller.

Une journaliste aux cheveux blond cendré se pencha pardessus la barrière de sécurité, près d'une porte latérale, en me suppliant :

— Maggie ! Par ici, Maggie, s'il vous plaît, soyez gentille !

Ma tête se redressa instinctivement, mon regard rencontra celui de la jeune femme. Derrière elle, l'objectif d'une caméra me scrutait impitoyablement. À brûle-pourpoint, elle m'interrogea :

— Et Patrick ? Vous l'avez tué, lui aussi ? C'était vous, Maggie ?

Je n'avais jamais craché sur quelqu'un, jamais... mais ce matin-là, je fis une exception. Je ne sais pas ce qu'il m'a pris.

L'incident n'échappa pas à l'œil de la caméra et les images, évidemment, firent le tour des journaux télévisés. Maggie Bradford avait du mal à se maîtriser. Était-ce là son vrai visage ?

Et Patrick ?

Avez-vous assassiné un troisième homme, Maggie ?

Cela n'aurait rien de surprenant.

25

— Les comptables ne connaissent rien à rien et je me demande bien pourquoi on les paie ! Là, il y a des économies à réaliser !

Patrick O'Malley se trouvait dans la salle de bains d'une suite en cours d'aménagement dans un hôtel en construction qui n'avait pas encore été baptisé, à l'angle de la Soixante-cinquième Rue et de Park Avenue. Son hôtel.

Patrick O'Malley fusillait du regard son directeur financier, mais Maurice Freund, pour avoir eu maintes fois l'occasion d'entendre son patron l'accuser, lui et ses confrères, de tous les maux, ne se départit pas de son calme.

— Peut-être, mais les comptables savent compter et, en l'occurrence, vous dilapidez inutilement vos deniers.

— Du savon Pears, indispensable, écumait O'Malley. Idem pour les serviettes Porthault. Quant au bain à remous dans la salle de bains d'une suite, c'est une nécessité absolue.

Freund haussa les épaules en soupirant.

— La bonne nouvelle, c'est que toutes les chambres sont déjà réservées. La mauvaise, c'est que nous perdons de l'argent sur chaque nuitée.

— Il n'y a qu'à revoir les tarifs, merde. Quand on promet le meilleur, il faut être capable de l'offrir et cet hôtel doit être le meilleur, sans quoi je vais vous fourrer cette savonnette dans le cul, moi.

— Du moment que c'est une Pears, plaisanta Freund.

Grognement d'O'Malley.

— Et question délais, on est dans les temps ?

— Si on les écoute, oui. Ce qui nous amène à huit mois de retard et 20 % de dépassement.

— Ce qui reste inférieur à ce que nous avions prévu au départ...

— Oui, d'environ 10 %.

— Eh bien, prenez les savonnettes et les serviettes sur ces 10 %-là.

— Hors de question. (Freund prit O'Malley par le bras et l'entraîna vers l'ascenseur provisoire.) Tel que je vous connais, vous feriez exploser tous les budgets. Les tarifs vont prendre un méchant coup...

O'Malley s'abstint de tout commentaire, mais annonça :

— Je sais comment je vais appeler l'hôtel.

Bonne nouvelle, songea Freund. Il était temps.

— Et ce sera ?

— Je veux l'appeler le Cornelia.

— Le Cornelia. Excellent ! (Freund savait que son patron guettait sa réaction, mais son sourire de satisfaction n'était pas feint.) C'est très bien. Vous avez fait le meilleur choix, Patrick.

— Je crois que ce sera le premier grand hôtel à porter un nom de femme, ajouta O'Malley avec une pointe de doute dans la voix.

— Un nom unique pour un hôtel unique. Et, au bon moment, qui plus est.

— C'était indéniablement une femme unique. Enfin un point sur lequel nous sommes d'accord, Maurice, conclut O'Malley.

Freund lui serra la main avec gravité comme si, par miracle, il venait d'éprouver un sentiment profond.

— Cet hôtel sera votre hommage à la seule femme que vous ayez aimée.

26

Durant vingt ans, Cornelia et Patrick O'Malley avaient été l'un des couples new-yorkais les plus en vue et les plus sollicités. Rien, a priori, ne les réunissait, lui, l'homme d'affaires autodidacte et bourru qui, à partir d'une poignée de motels, s'était bâti dans l'hôtellerie de prestige un véritable empire lui permettant d'être présent aux États-Unis, en Europe comme en Asie, et elle, perle de la bonne société qui, à la grande indignation de la famille Whiting, avait osé tomber amoureuse d'un catholique n'ayant pas fait ses études à Princeton, et l'avait même épousé. Mais ils se complétaient admirablement. Le calme de Cornelia tempérait la fougue de Patrick, et la passion de Patrick déteignait sur Cornelia. Ils évoluaient en parfaite harmonie dans les milieux les plus huppés, sans jamais voir leur couple affecté par le moindre scandale. Malgré d'innombrables tentations, il ne l'avait jamais trompée et elle se nourrissait de cette fidélité. Sous ses dehors altiers, elle recelait des trésors d'affection et de tendresse, à lui réservés, et pour l'éternité.

Jusqu'à ce qu'une tumeur cérébrale l'emporte en l'espace de dix-huit mois. Et Patrick O'Malley se retrouva seul, à l'âge de cinquante-quatre ans, avec sa fortune, un fils difficile nommé Peter et les formidables témoignages de sympathie de ses amis.

Il avait choisi de bâtir le plus somptueux de ses hôtels autour d'un ancien hôtel particulier, un peu comme Hemsley l'avait fait avec son Palace. Une fois achevé, l'établissement comprendrait trois cent trente chambres et soixante-dix suites dont certaines avec les marbres d'origine de Witherspoon House. Les clients pourraient choisir leur décor. Renaissance, dix-huitième ou high-tech.

Et, dans toutes les salles de bains du Cornelia (O'Malley se demanda pourquoi il n'avait pas pensé à ce nom plus tôt), on trouverait du savon Pears et des serviettes Porthault. Ce serait un authentique grand hôtel, un vrai, comme ceux que l'on savait faire à la grande époque, avant l'invention des comptables.

Il passa toute la journée sur place. Après son entretien avec Freund, il supervisa jusqu'au moindre centimètre carré le polissage des colonnes de marbre du hall, puis vérifia les tabourets, les fauteuils et l'éclairage du bar. À midi, il avait rendez-vous avec Michael Hart, l'architecte maître d'ouvrage.

La discussion se prolongea jusqu'à la fin du déjeuner. Plusieurs points importants figuraient à l'ordre du jour, et notamment la dorure des motifs Renaissance du grand hall et le filigrane des vitres surplombant l'entrée de Lexington Avenue.

Une fois seul, O'Malley gagna les cuisines et eut la douce satisfaction d'entendre un concert pour marteaux et perceuses. Au terme d'une attente de quatorze semaines, on venait enfin de réceptionner les tables de cuisson, les fours et les plans de travail en inox. O'Malley nota avec plaisir qu'il y avait déjà suffisamment de casseroles en cuivre pour ouvrir le plus grand magasin d'ustensiles culinaires de Manhattan.

À 19 h 30, O'Malley passa une nouvelle fois sous la très vieille horloge du hall, une pièce exceptionnelle qui avait autrefois orné le palais d'Hiver de Catherine la Grande.

Au fond du hall il y avait un atrium au centre duquel trônait une fontaine Bernini importée de Rome pierre par pierre et entièrement restaurée. Cet après-midi-là, les travaux de plomberie avaient enfin été achevés et Timothy Sullivan, patron de l'entreprise du Bronx responsable du chantier, avait appelé O'Malley pour lui faire savoir que tout fonctionnait.

— Paré au décollage, murmura le P.-D.G. en déverrouillant le bouton de commande des jets.

Quand il vit l'eau s'élever en arcs gracieux, au ralenti,

son visage s'illumina comme celui d'un enfant le jour de Noël. « Que c'est beau ! » s'exclama-t-il dans l'atrium désert.

Mais en contemplant la fontaine, il se rendit compte que le jet n'était pas assez haut. Il tourna le bouton, ce qui ne changea rien. « On ne verra pas la lumière de l'après-midi dans la colonne d'eau, songea-t-il. Ce n'est qu'une éjaculation de vieillard... Enfoiré de Sullivan. "Tout fonctionne", tu parles ! Je vais lui montrer comment je fonctionne, moi ! »

Patrick O'Malley allait prendre des dispositions dès le lendemain.

Au moment de repasser sous l'horloge du hall, il s'arrêta et vérifia l'heure à sa montre. 20 h 16 ! L'horloge avançait de trois minutes !

Il sentit monter en lui une envie de meurtre. Imagina la voix de Nellie : « On se calme, Pat. Doucement, doucement. » Mais « doucement », ça n'était pas son truc. Et puis, de toute façon, il était entouré d'incapables et Nellie n'était plus là. Alors, à quoi bon vivre ?

27

Jennie avait treize ans — elle allait bientôt passer dans le second cycle — quand j'ai acheté une belle villa sur Greenbriar Road, à Bedford, État de New York. Il était temps que nous ayons une vraie maison. Et je tenais surtout à pouvoir inscrire Jennie dans un bon établissement.

J'estimais qu'il nous fallait un peu de stabilité et un environnement calme. Cette maison, nous l'avons choisie ensemble. Un vrai coup de foudre. Il y avait de l'espace et Bedford ne manquait pas de charme. Nous avions enfin retrouvé un foyer digne de ce nom.

J'avais déjà la réputation d'être extrêmement difficile quant au choix de mes concerts et de mes tournées. En fait, je pense tout simplement que je savais très bien ce que je voulais et que j'avais la tête sur les épaules. Je ne m'étais jamais prise pour une star, je ne voulais pas d'une vie de star, et je m'étais juré de ne jamais entraîner ma fille sur cette voie.

Les années avec Phillip m'avaient refroidie et je n'osais plus espérer davantage qu'une vie paisible et satisfaisante. Ce n'est déjà pas si mal, ne cessais-je de me dire.

Nous habitions à moins d'une heure du centre, et il y avait une très bonne école pour Jennie. Je pouvais être complètement seule quand j'en éprouvais le besoin et voir du monde si j'en avais envie. C'était vraiment la ville qu'il nous fallait, une petite ville calme et solidement plantée sur ses fondations, où nous pourrions effacer les derniers vestiges d'un passé encore douloureux.

Jennie baptisa notre maison *Shangri-la, la, la*, un nom

destiné à être chanté, et non prononcé. Elle avait une belle voix, et un redoutable sens de l'humour.

Nous apprécions nos soirées tranquilles à la maison, avec pour tout bruit de fond des chants d'oiseaux, quelques aboiements et parfois des échos d'autoradio. Des jeunes qui faisaient leur virée du samedi soir, et qui me rappelaient mon enfance à Newburgh, à peine cinquante kilomètres au nord.

Un soir d'avril, j'eus la surprise d'entendre tambouriner à la porte. Je n'attendais personne et la police, à ma connaissance, n'avait rien à me reprocher. Jennie travaillait dans sa chambre et elle était bien trop jeune, du moins je l'espérais, pour avoir déjà plaqué un petit copain.

Comme je prenais toujours soin de ne pas divulguer mes coordonnées, l'intrus n'était probablement ni un fan, ni une concurrente. Sans doute quelqu'un qui s'était trompé de maison.

Intriguée, un peu nerveuse, je fis quelques pas jusqu'à la porte. L'œilleton me donna à voir l'image déformée d'un homme élégamment vêtu, mais le complet froissé, la cravate de guingois, les cheveux en bataille, le visage congestionné. Sentant que je ne risquais rien, je lui ouvris.

— Madame Bradford ? dit-il d'un ton vaguement exaspéré.

— Oui. C'est pour quoi ? Comment savez-vous mon nom ?

— Simple déduction, j'ai lu « Bradford » sur votre boîte aux lettres.

— Il y a une sonnette. Pourquoi frapper ?

— Ah bon ? (Sa surprise n'était pas feinte.) Je crois que j'étais tellement énervé que je n'ai même pas remarqué. Désolé...

Visiblement, sa colère s'était dissipée et il n'avait rien de dangereux. Je le fis entrer.

— Quel est le problème ?

Il m'emboîta le pas jusqu'au salon.

— Si je construisais mes hôtels comme on construit une voiture, ici, il y a longtemps que je serais au chômage. Mais ces connards...

Je commençais à comprendre.

— Ah, c'est votre voiture ?

— Un cabriolet Mercedes flambant neuf, même pas quinze cents bornes au compteur. Je suis tout content de sortir enfin de l'autoroute, je suis lessivé, je n'emmerde personne, et voilà que cette saloperie me claque dans les mains, comme ça, sans prévenir. Pas un bruit, rien, cette putain de bagnole me fait : « Va te faire foutre, Pat » et me lâche. Et ai-je un téléphone de voiture ? Non, bien sûr. Si j'en avais un, je m'en servirais en permanence et moi, au volant, j'aime bien être tranquille, avoir le temps de réfléchir. La seule utilité du téléphone de voiture, c'est si la voiture tombe en panne, mais est-ce qu'une voiture neuve de 80 000 dollars tombe en panne ? Bien sûr que non ! (Il s'arrêta brusquement et sourit comme Paul Newman.) Alors me permettez-vous de me servir de votre téléphone ? Je vais joindre l'Automobile Club. Un Irlandais qui les appelle à jeun, ça va les faire rire...

— C'est sûr, approuvai-je en dissimulant un sourire. (Je le trouvais drôle et son humour, ce soir-là en tout cas, était contagieux.) Le téléphone est dans le bureau. Que faisiez-vous sur Greenbriar Road à une pareille heure ?

— *J'habite* sur Greenbriar Road. Cinq kilomètres plus loin. Vous êtes forcément déjà passée mille fois devant chez moi en allant au village. Je m'appelle O'Malley. La grande baraque de style géorgien, c'est moi. J'y vis pour impressionner mes amis.

Je connaissais la maison, ou plutôt la propriété. C'était l'une des plus luxueuses des environs.

— Vous parliez d'hôtels. Alors vous devez être...

— Patrick O'Malley. Je suis en train d'en construire un sur Park Avenue. Le Cornelia. Il vous plaît, ce nom ? Répondez oui, et vous serez ma première invitée.

Cette fois, je ne pus réprimer mon envie de rire.

— Oui. Je suis capable de vous prendre au mot, vous savez. Voulez-vous boire, monsieur O'Malley ?

— Voilà une proposition que je ne saurais refuser, dit-il en s'inclinant. Un scotch, si vous avez. Parfait.

Je lui indiquai le bureau avant d'aller préparer son verre. Il y avait quelque chose de drôle chez cet homme si riche et si désemparé à la fois. L'expression de son visage me rappelait les comiques du cinéma muet. Il avait un faciès d'acteur.

Dans mon petit univers douillet et sécurisant, peu de gens venaient me rendre visite, hormis ceux et celles avec qui je travaillais dans l'industrie du disque. Je réussissais assez bien à faire croire que cela me plaisait, mais rien n'était plus faux.

Verre à la main, je revins m'occuper de mon hôte. En entrant dans le bureau, après avoir frappé doucement, je m'arrêtai et éclatai de rire.

Patrick O'Malley avait enlevé sa veste froissée pour la pendre délicatement sur le dos d'une chaise, ôté ses chaussures noires et les avait posées juste à côté. Puis il s'était allongé sur mon vieux canapé à fleurs et avait sombré dans le sommeil.

28

Je me réveillai de bonne heure, mais quand je descendis, Patrick s'était déjà éclipsé. Jen et moi allâmes courir nos cinq kilomètres, puis on but une boisson vitaminée. Elle prit son bus scolaire. Moi, je retournai dans mon antre pour travailler les paroles de *A Lady Hard as Love*.

Vers 10 h 30, en partant me dégourdir les jambes du côté des écuries, je remarquai qu'une légère brume flottait dans l'air. J'avais l'impression de voir la campagne à travers un téléobjectif. Je me sentais bien, ou disons à peu près bien. Il me manquait quelque chose, mais j'avais déjà beaucoup et je ne me plaignais pas.

Une fourgonnette de fleuriste s'engagea dans l'allée en cahotant et cracha un gamin aux cheveux orange, en épis, avec des lunettes en forme de bouteilles de Coca, qui se précipita vers moi les bras chargés d'un bouquet de freesias enrubannés.

Il y avait également un mot. « O'Malley », me dis-je avec un curieux pincement de plaisir.

Chère Margaret Bradford.

Pardonnez-moi de ne pas avoir tout de suite reconnu votre nom, mais les seuls chanteurs que je connaisse sont les Clancy Brothers. C'est vous dire...

Je ne suis pas vraiment certain de pouvoir vous revoir en face après ce qui s'est passé hier soir, mais je vais essayer. Je ferai de mon mieux.

Accepteriez-vous de dîner avec moi cette semaine, n'im-

porte quel soir ? J'aimerais que vous me donniez l'occasion de me faire pardonner.

Je n'ai jamais vu d'aussi beaux yeux bleus que les vôtres et, en attendant notre dîner, je vais écouter des disques de Maggie Bradford et apprendre vos chansons par cœur.

Le dormeur consterné (votre voisin),
Patrick

J'ai les yeux couleur noisette et quelque chose me disait que Patrick O'Malley le savait, et qu'il savait que je savais qu'il le savait.

Un dîner en tête à tête ? Pourquoi pas ? Il fallait que je voie plus de monde à Bedford. Je laissai un message sur son répondeur pour lui proposer le mardi soir.

C'est Sinatra qui a les yeux bleus, pas moi...

29

Le mardi fut un succès aussi inattendu que grandiose. Patrick O'Malley me faisait beaucoup rire. Il me racontait des histoires à tiroirs qui n'en finissaient plus. C'était un homme au sourire extraordinairement chaleureux, et d'une nature généreuse. J'avais rencontré mon premier ami à Bedford, et Dieu que c'était bon !

Je le revis plusieurs fois en l'espace de quelques semaines. J'aimais bien son humour un peu décalé mais pas malsain, l'à-propos avec lequel il glissait ses petites phrases, ses évocations un peu forcées mais néanmoins touchantes de son enfance au sein d'une famille de dix personnes, la joie puérile qu'il éprouvait à la perspective de loger ses parents dans la suite nuptiale du premier grand hôtel qu'il faisait sortir de terre.

Comme il ne cessait de courir le monde, je me mis à décliner son prénom en Padriac, Patrice ou Patrizio, ce qui l'amusait beaucoup, mais lui n'avait pas de surnom drôle à m'attribuer. De temps à autre, il m'appelait simplement Margaret, ce que personne n'avait jamais fait depuis la mort de ma mère.

— Mon premier amour, c'était la mer, me confessa-t-il. C'est la seule image forte que j'aie conservée de l'Irlande et de ma jeunesse.

Il possédait un petit voilier. Un matin, en semaine, nous nous offrîmes une courte sortie en mer. Patrick avait décidé d'oublier son hôtel et moi, je pouvais bien délaisser mon piano et mes rites l'espace de quelques heures.

Les amarres une fois larguées, je me rendis compte que

j'allais passer encore un très bon moment. Il était tôt et nous étions en semaine, ce qui expliquait que seul un faible nombre d'embarcations eût pris la mer, malgré la douceur de l'air et un ciel sans nuages. Tandis que nous nous éloignions du rivage, la vision des embouteillages, au loin, me rappela que j'étais une privilégiée.

— À la grâce de Dieu ! lança Patrick en saluant à grands gestes les malheureux banlieusards. (Et sans réelle méchanceté, juste pour rire, il vociféra dans la brise :) Bonjour les pauvres !

Jennie et lui devaient être de mèche, car il avait emporté à bord ma boisson attitrée de manière à pouvoir me préparer mon petit déjeuner habituel. Il accepta même de goûter mon cocktail personnel de jus de fruits et vitamines.

— Alors, Maggie, vous avez fini par vous en remettre, de ce salopard ?

Toujours aussi naturel, toujours aussi direct. Je savais bien qu'il faisait allusion à Phillip, dont nous avions un peu parlé.

— Oui et non, lui répondis-je, suffisamment confiante pour ne pas chercher à masquer la vérité.

— Je comprends.

Il me prit par l'épaule. Nous regardions les vagues frangées d'écume rouler vers le bateau.

— Je suis désolé de ne pas pouvoir vous donner de conseils. Je n'ai jamais eu l'occasion de descendre un salopard, mais j'en connais plusieurs qui l'auraient bien mérité. Ne m'en veuillez pas si je plaisante, c'est ma façon à moi de parler de ce genre de problème, vous savez.

Il avait raison. Il n'y avait que lui pour être capable de dédramatiser les choses à ce point. Il ne cessait de me faire rire, et j'adorais ça.

— C'était bel et bien un salopard, et sachez que je regrette de l'avoir épousé.

Il griffa l'air d'un moulinet vengeur.

— Non, il s'est servi de vous, c'est tout. Vous étiez très jeune, vous veniez à peine de quitter votre tante, il vous a joué le grand numéro du brillant officier, vous a abreuvée de promesses, vous a menti. J'ai une idée : on va faire voile plein nord jusqu'à West Point, on va ouvrir sa tombe et on va pulvériser ses os.

« Non », lui fis-je d'un signe de tête, tout en souriant.

— Vous me faites rire.

— C'est mon boulot. C'est l'un de mes points forts.

— Et à votre avis, rétorquai-je, quels sont mes points forts ?

Il leva les deux mains au ciel.

— Oh, tout. Tout ce que j'ai vu, pour l'instant. Cela dit, je vous trouve un peu sur la défensive ; à mon sens, c'est le seul domaine où vous pourriez faire quelques progrès.

— Non seulement vous êtes drôle, mais vous êtes très gentil quand vous voulez.

— Vous croyez ?

— Oui, j'en suis persuadée. Vraiment.

— Là, il y a matière à discussion, car vous êtes dix fois plus gentille que moi. Votre façon de vous exprimer, de penser, d'élever votre belle petite Jennie, tout ce qui ressort de vos chansons. C'est pour cela que vous avez autant de succès, vous en rendez-vous compte ?

— Je...

— Moi, je le sais, mais vous, non. Il faut que je vous demande un service.

Je sentis mon corps se crisper.

Patrick, lui, grimaça.

— Vous voyez ce qu'il vous a fait, gentille Maggie ? J'ai horreur de vous voir apeurée comme ça. Dès qu'il se passe quelque chose, vous vous hérissez...

— Avec le temps, je m'améliore.

— Je sais, je sais. À présent, faites-moi plaisir, détendez-vous. Voici le service que je voudrais vous demander ; c'est la plus belle chose que je puisse imaginer.

Moi, j'étais bien incapable d'imaginer quoi que ce soit. J'avais fini par me décontracter grâce aux efforts de Patrick, mais je ne voyais pas où il voulait en venir.

— Bien, capitulai-je. Je ferai tout ce que vous voudrez, c'est dire à quel point je vous fais confiance.

— Excellent. C'est ce que vous avez dit de mieux pour l'instant. Voici ce que je voudrais, Maggie : j'aimerais que vous me chantiez l'une de vos chansons. Choisissez laquelle. Là, maintenant, tout de suite, une belle chanson rien que pour nous deux, tout doucement, vous voulez bien ?

C'était une magnifique requête. Et je chantai donc pour Patrick.

30

Un soir, environ une semaine plus tard, je picorai avec Jennie puis, sur le coup de 20 heures, l'emmenai dormir chez sa copine Millie. Après quoi je me rendis chez Patrick pour un second dîner.

Tenant à me faire lui-même l'honneur de sa cuisine, Patrick avait donné congé à son « maître queux et plongeur ». Au menu : homard grillé au beurre d'ail, frites épaisses bien saisies et épis de maïs succulents. Un repas copieux, simple mais délicieux.

Après le dîner, nous allâmes nous promener jusqu'à un bosquet de pommiers, à l'autre bout de la propriété. Patrick me prit délicatement par l'épaule et déposa un baiser à la naissance de mon front.

— Vous sentez la fleur d'oranger, c'est bizarre.

— Moi, je dirais plutôt le shampooing *Fini les yeux qui piquent* de Johnson & Johnson.

— Peu importe, vous sentez vraiment très bon.

Il m'embrassa sur les deux joues, puis le front, le nez, la pointe du menton et enfin la bouche. Je sentis sa langue effleurer la mienne.

Je m'écartai. Nous nous étions déjà embrassés, sans que je ressente une telle passion, mais chaque fois j'avais fini par reculer. Ce jour-là, c'était différent. « Il embrasse merveilleusement, me dis-je. J'entends les palpitations de son cœur et cela me plaît. »

Auprès de lui, j'éprouvais un sentiment de sécurité. Le vent du soir chuchotait dans la ramure des arbres. Patrick m'embrassa encore, et je sentis que je réagissais.

« Je ne peux plus continuer à me barricader à l'intérieur de moi-même. Je ne peux pas passer ma vie à avoir peur, même si la peur est toujours présente. »

— Rentrons, décida Patrick. Je suis déjà resté une nuit chez vous. Dans votre bureau et sans votre permission, comme vous ne cessez de me le rappeler. Vous voulez bien dormir chez moi cette nuit ?

Je me blottis contre lui, béate. Pour la première fois, j'étais contente d'avoir autorisé Jennie à dormir chez sa camarade.

— Pas dans le bureau, j'espère ?

Je le sentais durcir au contact de mon corps.

— Non, murmura-t-il. Venez. S'il vous plaît, ayez confiance en moi.

J'avais sous-estimé mon appréhension, mais lui l'avait rapidement décelée. Lui faire confiance. Dieu sait que je ne voulais que cela, mais quand nous nous tournâmes vers la maison, je vis le visage de Phillip, devinai son regard menaçant et, sans le vouloir, frissonnai de tout mon corps. Salaud. Pulvériser son squelette n'était pas une si mauvaise idée, finalement.

— Ce n'est pas une nécessité, ajouta Patrick dans l'espoir de me rasséréner. Je ne connais pas bien votre passé lointain, mais rien ne presse. Il y a longtemps que je n'avais pas rencontré une femme capable de m'émouvoir comme vous le faites, mais je tiens à ce que vous et moi soyons parfaitement à l'aise.

Ce type était si attentionné, si bon, que je ne pouvais que me fier à lui.

— J'en ai envie, lui répondis-je, la gorge serrée, l'épiderme glacé. Je vous assure, Patrick. Venez, on rentre.

31

Et sans échanger un seul mot, ce qui n'était pas dans nos habitudes, nous nous déshabillâmes dans sa chambre, une pièce immense, au premier étage, qu'un rayon de lune préservait de l'obscurité. Dans ce silence soudain, les battements de mon cœur résonnaient dans mon crâne, comme amplifiés à la manière d'une guitare électrique. Un tourbillon de doutes et d'interrogations commença à m'assaillir. « Je suis trop grande pour lui. Quand il saura vraiment qui je suis, il ne m'aimera plus. Je ne le connais pas assez. Détends-toi, Maggie. Contente-toi de te détendre, s'il te plaît. »

Sous les reflets de la lune, il était superbe. Un ventre d'homme actif, bien plat. Des jambes musclées. Un torse large, duveté de poils châtain et argent. Plutôt séduisant, songeai-je, ravie de me voir réagir de la sorte.

« Livre-toi, Maggie, n'aie pas peur. Cette fois-ci, tu peux y aller. »

Il m'enlaça durant un instant de pure sérénité, m'embrassa les cheveux et la nuque. Je n'en revenais pas. Il me tenait dans ses bras, devant cette fenêtre par laquelle on apercevait une lune blafarde, attendait que je me décontracte. Et j'avais le sentiment qu'il était disposé à attendre très, très longtemps s'il le fallait.

Il m'embrassa de nouveau, et j'eus alors l'impression que nous tombions l'un vers l'autre, comme happés par un invisible gouffre. Il couvrit mes joues, mon front, mon nez puis mes yeux de longs et tendres baisers jusqu'à ce qu'à mon tour, je l'embrasse. Et je me mis alors à couvrir de baisers ses joues, son front et ses yeux, sans que cesse cette curieuse sensation de basculer vers lui.

— Maggie, Maggie, répétait-il à mi-voix.

Il savait que mon appréhension ne s'était pas encore totalement dissipée, il savait toujours tout ce que je ressentais. C'était un homme intelligent et perspicace, mais peu enclin à faire étalage de qualités qui ne semblaient pas l'impressionner outre mesure.

— Tu es une femme à part et tu as un charme fou, Maggie. Je t'adore.

C'était bien Patrick qui me parlait, c'étaient bien ses bras qui me soulevaient pour m'emporter vers un lit démesuré. Un sentiment de libération m'envahissait soudain, comme si l'on venait de sectionner les chaînes invisibles qui me retenaient captive. Tandis que nous flottions au ralenti, tel un couple de danseurs tendrement enlacés, je découvrais des sensations neuves... ou égarées au fin fond de ma mémoire. Il prit son temps puis, doucement, avec précaution, me pénétra.

Quelque part en moi, dans un recoin fragile dont j'avais depuis bien longtemps oublié l'existence, naquit une onde de chaleur irrésistible qui ne tarda pas à me submerger. Un plaisir qui m'avait trop longtemps manqué, et qui, comme un violent ressac, déferla tout au long de la nuit.

— Mon doux Patrick, finis-je par articuler, persuadée que mon sourire ne pourrait jamais s'effacer. (Je lui caressais le visage. Il avait l'air aussi heureux que moi.) Tu es si bon avec moi. Si bon en général...

— Ce sera de mieux en mieux, me dit-il. Fais-moi confiance. (Dans un souffle, il corrigea :) Fais-*nous* confiance.

Je lui faisais confiance. Pour la première fois depuis bien longtemps, j'avais de nouveau foi en quelqu'un.

32

Normalement, Will Shepherd avait tout pour être le plus heureux des hommes, mais quelque chose lui manquait. Sa célébrité et ses revenus monstrueux ne le satisfaisaient pas. Et, ce soir, il était méchamment défoncé. « Attention, songea-t-il, le loup-garou de Londres a débarqué. »

La cocaïne qu'il avait sniffée au tout début du concert, puis juste avant l'entrée en scène de Maggie Bradford, lui donnait des ailes. Il se sentait tout-puissant. Et pourquoi pas, après tout ? Il régnait sur les terrains de football, mais faisait également partie de l'élite invitée ce soir à l'Albert Hall pour une soirée de gala.

Will regarda autour de lui, distribuant sourires et saluts. Il y avait là Pete Townsend, Sting, Mick Jagger (de quoi former un nouveau groupe de rock, les Has Been, ricana-t-il), ainsi que Rupert Murdoch et Margaret Thatcher, les deux personnages qui s'employaient actuellement à détruire la Grande-Bretagne.

Tout ce beau monde était venu écouter Maggie Bradford apaiser les âmes torturées. Car cette artiste ne ressemblait à aucune autre. Bâties sur des mélodies originales et des textes très forts, ses ballades avaient quelque chose d'obsédant. Nulle autre qu'elle n'était capable de véhiculer dans une même chanson autant d'émotions différentes et chacun de ses morceaux semblait reproduire la déconcertante complexité de la vie contemporaine. C'était, en tout cas, ce que ressentait Will.

Un tonnerre d'applaudissements chaleureux salua l'apparition de la chanteuse, dont la timidité paraissait pourtant demeurer intacte. Toutes les places de cette soirée avaient été vendues depuis des mois...

Maggie Bradford prit place devant son piano et, sans préambule, en toute simplicité, commença à chanter.

N'ayant conservé aucun souvenir de leur rencontre houleuse à la fête organisée par Lady Trevelyan, Will la contempla d'un œil vierge. Cette longue chevelure d'or qui ruisselait dans la lumière, la beauté candide de ce visage...

Mais, ce soir-là, Maggie Bradford avait l'air exceptionnellement rayonnante. Pour quelle raison ? Quel était son secret ? Cette femme avait appris quelque chose qu'il ignorait. Quoi ?

Maggie Bradford n'avait pas une voix particulièrement puissante, n'aimait pas l'emphase, négligeait les effets de style. Will l'écouta avec un ravissement mêlé de douleur car, si la musique était belle et simple, la voix, cette voix si pure, lui transperçait le cœur telle une épée.

Les chansons de Maggie Bradford évoquaient la détresse et les illusions perdues. Will avait la sensation qu'elles s'adressaient à lui.

Des larmes glissèrent sur ses joues. Cette musique le bouleversait d'une manière inexplicable, comme si un faisceau de lumière jaillissant de la scène se braquait sur lui et l'arrachait à la salle de concert pour le déposer en un lieu où ils n'étaient plus que deux, elle et lui. « Je délire, se dit-il. C'est ridicule. »

Mais Dieu qu'il aimait le son de cette voix ! Il se sentait capable de passer le restant de sa vie à l'écouter.

Et un pressentiment étrange l'obsédait : seule Maggie Bradford pouvait l'empêcher de courir à sa perte.

— Vous rappelez-vous que nous sommes venus ici ensemble, Will ? Non, cela vous était sorti de la tête, n'est-ce pas, ignoble personnage !

Ils venaient de quitter l'Albert Hall. Will regarda la jeune femme qui lui tenait le bras. Brune, mince, lunettes noires, bref, belle bête. Elle avait vu juste. Il l'avait complètement oubliée. Pis encore : il ne savait même plus de qui il s'agissait.

Bien sûr, elle était canon, mais elles l'étaient toutes. Une top model ? Une actrice ? Une future actrice ? Une vendeuse ?

Où donc avait-il pu la rencontrer ? C'était la première fois que ce genre d'incident se produisait. Comment allait-il se sortir de ce mauvais pas ?

— Ça vous arrive souvent d'être chargé à ce point-là ? Parce que vous avez pris de la coke, hein ? Et vous êtes capable de jouer dans un état pareil ?

« Ah ! » Will poussa un grand soupir de soulagement. « Journaliste ! » Ça lui revenait. Une nana du *Times*. Elle voulait faire un papier sur lui et lui voulait faire des pompes sur elle. Donnant, donnant.

Retrouvant son aplomb, il endossa aussitôt sa tenue de prince charmant. L'un des numéros qu'il réussissait le mieux. Rares étaient les femmes, fussent-elles reporters au *Times*, qui ne tombaient pas dans le panneau.

— Non, rien à voir avec la drogue, Cynthia, lui répondit-il très posément. « Cynthia Miller ! Elle s'appelle Cynthia Miller ! »

Et, très fier de lui, il ajouta :

— J'aime beaucoup les chansons de Maggie Bradford.

— Oui, c'est ce que vous m'avez dit à l'aller. J'ai vu toutes les cassettes dans la voiture.

— Ses chansons sont si réalistes, elles ont un ton si personnel. Et vous, vous aimez ?

— Comme je vous l'ai déjà dit à l'aller, oui, j'aime bien ce qu'elle fait. J'ai apprécié le concert, mais peut-être pas autant que vous.

Will déposa sur sa joue un très chaste baiser.

« Prudence Will. C'est une journaliste. »

— Et, maintenant, que fait-on ?

— J'aimerais en savoir davantage sur la fameuse Flèche d'or, lui répliqua Cynthia Miller avec une moue retorse.

« C'est bien la presse, songea Will. On met un mouchoir sur ses idéaux et on tombe dans le cynisme absolu. »

— Aimeriez-vous la voir ?

Will lui décocha son petit sourire ravageur. Il savait qu'elle ne demandait que cela, comme toutes les autres. Sauf une, peut-être.

Maggie Bradford était celle qu'il voulait, celle qu'il lui fallait ! Quelqu'un capable de le comprendre et de lui tenir tête.

33

On sonnait à la porte. Will posa son quotidien du matin, mit le nez à la fenêtre. Une Rolls-Royce bleu acier avait pris possession de l'allée. Il entendit la bonne accueillir le visiteur, puis un bruit de pas vers le séjour.

— Monsieur Shepherd, M. Lawrence pour vous.

L'homme aux cheveux blond-roux qui souriait dans l'encadrement de la porte pouvait avoir dix ans de plus que Will. C'était à lui, Winifred Lawrence, généralement surnommé Winnie, que l'on devait le spectaculaire développement du football européen aux États-Unis. Avocat de son état, parfois impresario mais surtout magouilleur de première, Lawrence avait la ferme intention de faire découvrir à un pays saturé de football américain, où tout n'était que violence et confusion, la grâce et la beauté d'un sport nettement plus raffiné.

Will attendit que son visiteur eût pénétré dans la pièce pour s'extraire lentement de son fauteuil, comme s'il s'y était assoupi quelques instants, et serrer la main de l'Américain. Comme beaucoup de ses compatriotes, Lawrence n'aimait ni les préambules, ni les tergiversations. D'emblée, il interrogea Will avec un grand sourire plaqué sur son visage tel un accessoire de théâtre.

— Dites-moi, Will. À votre avis, pourquoi les Allemands sont-ils aussi dangereux en Coupe du monde ? Quelle que soit sa composition, leur équipe est toujours redoutable.

Cette question, Will se l'était souvent posée.

— Parce qu'ils sont disciplinés, j'imagine. Leur réussite repose davantage sur le jeu collectif que sur les talents individuels.

Lawrence rayonnait car, à l'instar de tant d'Américains, il se délectait d'évidences.

— Ce style, je l'ai inculqué à l'équipe américaine, mais il nous faut malgré tout des joueurs de rang mondial. Il nous manque un attaquant de génie, un vrai buteur.

— Je me doutais bien que vous n'étiez pas venu me voir pour parler broderie.

— C'est vrai, je suis là pour vous convaincre de jouer dans l'équipe nationale américaine. Et je ne repartirai pas d'ici sans avoir eu gain de cause.

Will accueillit cette menace en riant.

— Je vous souhaite du courage, parce que je vois mal comment l'Amérique pourrait être dans la course, avec ou sans moi. Me payer des mois d'entraînement juste pour avoir l'honneur de participer aux éliminatoires, non merci. À moins que quelque chose ne m'ait échappé ?

Lawrence plongea la main dans une mallette bourrée jusqu'à la gueule et en extirpa un listing qu'il déplia sur la table. Ils se penchèrent sur le document.

— Regardez, Will. Je vous demande d'oublier vos préjugés quelques instants. Regardez bien : *Concacaf Zone Norte, Zone Centro* et *Zone del Caribe*. C'est le calendrier officiel des matches éliminatoires de l'équipe américaine dans le groupe nord.

— Et alors ?

— Vous ne voyez pas ? Je vais vous éclairer. Les États-Unis ne rencontreront aucun adversaire sérieux avant la phase finale qui réunira vingt-quatre équipes.

Will se régalait. Winifred Lawrence était un bonimenteur hors pair, mais là, il racontait vraiment n'importe quoi.

— Je ne sais pas si vous êtes au courant, monsieur Lawrence ou Winnie si vous préférez, mais l'équipe des États-Unis n'est pas, elle non plus, considérée comme un adversaire sérieux. Je ne connais pas un pays qui ne serait pas ravi d'affronter les Américains ; sur le papier, c'est une vraie promenade de santé.

Lawrence prit Will par l'épaule. « C'est un bon commercial, songea le footballeur. Un pro du racolage, dans la grande tradition américaine. Plutôt sympa. »

— Justement, ça joue en notre faveur ! Nous aurons

l'avantage de la surprise. Et si je vous disais que Wolf Obermeier a accepté le poste d'entraîneur de l'équipe nationale ?

D'origine allemande, ancien entraîneur de différentes équipes de championnat dans son pays natal ainsi qu'en Argentine, Obermeier passait pour l'un des esprits les plus brillants — et l'une des langues les plus perfides — de la planète foot.

— Je serais assez impressionné, admit Will. Maintenant, vous avez déjà réussi à capter mon attention. Allez-y, monsieur Lawrence, continuez. J'ai peut-être besoin de relever un nouveau défi, après tout...

— Ou de connaître les joies d'un sacre mondial..., ajouta l'Américain, tout sourires.

34

« Essayez d'imaginer les World Series, le Super Bowl, le Kentucky Derby[1] et les deux congrès démocrate et républicain réunis en un seul et unique événement... » s'enflammait Mickey Trevor Jr. dans le très populaire *Sports Illustrated*.

« ... et vous aurez une petite idée de la puissance et de la gloire que représente la Coupe du monde de football.

Imaginez-vous ensuite la ville de Rio de Janeiro, une ville où le football a peut-être plus d'importance que le sexe et la samba, une ville où, à côté de la Coupe du monde, le carnaval de Mardi gras ferait figure de kermesse de patronage.

Et c'est ici, à Rio, que va se jouer la finale des finales.

Songez à présent aux deux équipes qui vont s'affronter. Le Brésil, grand favori, trois fois vainqueur du titre, au passé aussi riche que celui des New York Yankees. Et, face à lui, un petit poucet au palmarès quasiment vierge : les États-Unis. Il y a quelques années, nul ne connaissait ces joueurs au maillot étoilé qui, aujourd'hui, vont participer en véritables héros à une finale mythique. Leur fabuleux parcours tient autant du miracle que du conte de fées et, pourtant, tout cela est bien vrai.

L'histoire qui se joue sous nos yeux a déjà tous les ingrédients d'un grand classique. Peut-être êtes-vous resté relativement indifférent lorsque les États-Unis ont discrètement remporté le tournoi de qualification de la zone nord, accédant ainsi à la phase finale de la Coupe du monde. Peut-

---

1. Aux États-Unis, les trois grands rendez-vous annuels des amateurs de base-ball, de football américain et de hippisme. *(N.d.T.)*

être votre pouls s'est-il juste légèrement accéléré lorsque nos joueurs ont franchi le cap fatidique, après n'avoir concédé qu'une seule défaite face à l'Allemagne. Sans doute vous êtes-vous dit : Tant mieux pour nous, tant mieux pour mes enfants qui adorent le foot parce qu'ils le pratiquent à l'école, mais cela n'ira pas plus loin, l'aventure s'arrête là. Alors toute votre attention s'est reportée sur les grands championnats habituels et la superbe saison de Barry Bonds sur les terrains de base-ball, et pendant que vous vous demandiez, vaguement intrigué, pourquoi le reste du monde vouait au football une telle passion, notre équipe se défaisait du Nigeria, obtenant ainsi son billet pour les quarts de finale.

Mais quand nous avons battu l'Italie — excusez du peu ! — trois à deux (trois buts marqués par le prodigieux Will Shepherd), puis éliminé l'Allemagne deux à un en demi-finale, vous vous êtes vraisemblablement réveillé et aujourd'hui, si vous ne vous sentez pas fébrile, si votre cœur ne bat pas à tout rompre, si vous n'avez pas renoncé à tout ce que vous aviez initialement prévu de faire dimanche soir afin de pouvoir assister à la finale devant votre téléviseur, c'est que vous n'êtes pas américain, que vous n'aimez pas le sport, ou que vous êtes mort.

La formation qui vient d'accomplir ce parcours historique se compose de Will Shepherd et de dix autres joueurs dont même les pays ayant disputé la première phase éliminatoire n'auraient probablement pas voulu. Mais il y a Shepherd. Ah, Shepherd ! Le football est un sport d'équipe mais Wolf Obermeier, l'entraîneur national, avoue lui-même qu'en l'espèce Will Shepherd est une équipe à lui tout seul. "Sans Will, nous ne nous serions jamais qualifiés, déclarait-il récemment. Avec lui... eh bien, voyez le résultat. Il n'y a rien d'autre à ajouter." »

— Bravo ! Mes félicitations à *Sports Illustrated* ! Enfin quelque chose d'intéressant depuis leur numéro spécial maillots de bain !

Will acheva la lecture de l'article sur un grognement de satisfaction.

— « Shepherd est une équipe à lui tout seul. » Je trouve ça pas mal, moi. Enfin un journaliste qui fait correctement son boulot. Bravo !

— J'ai lu le papier pendant que tu dormais, lui dit Victoria Lansdowne.

Vautrée sur le dessus-de-lit, l'actrice anglaise, dont les longues jambes et les magnifiques yeux bleu cobalt faisaient le bonheur des photographes, admirait le corps de l'homme qu'elle venait de rencontrer. La Flèche d'or. Le sportif le plus célèbre de la planète.

La climatisation du Rio Hilton semblait impuissante à venir à bout de la chaleur qui régnait dans la suite et, après avoir longuement fait l'amour, ils avaient préféré rester nus. Leurs corps, aussi beaux que dans les magazines, luisaient de transpiration.

— Alors, ton verdict ? Suis-je à la hauteur de ma réputation ?

— Si tu es aussi doué sur un terrain de football que dans un lit, je crois que le Brésil peut s'inquiéter pour demain.

— J'en déduis que tu es satisfaite, répliqua-t-il en souriant.

— Jamais de la vie. Loin de là, mon petit chéri. Je suis insatiable, tu sais. Tu ne lis pas la presse ? Tu n'as pas entendu parler de mon « cortège d'amants » ?

Il considéra cette poitrine ferme et volumineuse, ces jambes fines et bien bronzées qui s'étaient si spontanément écartées et qui, cependant, n'en faisaient qu'à leur guise. La prétentieuse Victoria lui rappelait Vannie, et ce n'était pas la première fois que cela se produisait. Ce qui expliquait peut-être l'exaspération qu'elle commençait à lui inspirer.

— Partant pour un autre... tir au but, si je puis dire ?

Victoria avait suivi son regard. Le pouvoir qu'elle pouvait exercer sur des hommes réputés forts et puissants la grisait, mais Will se détachait du lot. Il était beaucoup plus futé qu'elle ne l'aurait imaginé.

— Je ne crois pas, lâcha-t-il en lui renvoyant un sourire Colgate. Ton « cortège » s'arrête peut-être là.

— Un problème ? Plus de flèches dans le carquois ? Pénurie de carburant ?

Réprimant sa colère, Will se força à rire.

— Demain, il y a un match, un match assez important. Peut-être en as-tu entendu parler, ma chère Vic. Tu me disais, tout à l'heure, que tu lisais les journaux...

— Ah bon, et là, tu seras en forme ? Pas pour moi ?

— Arrête.

Au moins, il l'avait prévenue.

— Arrêter de faire quoi ? De te tenter ? (Du bout de la langue, elle humecta son index et le glissa entre ses cuisses.) Si tu ne peux pas, je crois que je vais devoir me débrouiller seule. Je vois déjà la photo à la une de la presse à scandale : « Pour se consoler des défaillances de Will, Victoria se caresse ! »

Will se jeta sur elle en rugissant, la plaqua sur le lit de tout son poids. Les poumons de Victoria Lansdowne se vidèrent comme un ballon écrasé.

— Oh, tu me fais mal, tu me fais mal, haleta-t-elle. Arrête, Will. Je t'en supplie, arrête ! Je ne plaisante pas, tu me fais mal !

Mais rien ne pouvait arrêter la Flèche d'or.

35

Cet après-midi-là, sur les blanches plages de sable fin de Copacabana et d'Ipanema, le thermomètre grimpa à plus de trente-cinq degrés. À l'occasion de la finale de la Coupe du monde de football, la journée avait été déclarée fériée et un calme relatif régnait sur Rio. Riches et pauvres s'accordaient un peu de repos, préférant économiser leurs forces en prévision du rendez-vous sportif le plus populaire du monde.

Puis soudain, à la tombée du soir, la ville se transforma en jungle moite et grouillante. Chacun de ses habitants semblait être descendu dans la rue pour assister et participer à l'événement national, le plus grand des matches de *futebal*.

Les larges avenues de Rio prirent des allures de carnaval, dans une atmosphère bruyante, électrique. *Bra-sil ! Bra-sil !* scandaient les avertisseurs. Le long de l'Avenida Brasil et de Castello Branco, des étudiants surexcités s'enveloppaient dans le drapeau national. Des fanions bariolés ornaient tous les bus et taxis et, au milieu de la chaussée, des femmes aux chemisiers trempés de sueur improvisaient des pas de danse, faisant tournoyer leurs jupes.

Vers 19 heures, la foule avait convergé vers le légendaire stade Maracana surveillé par d'importantes forces de l'ordre, ce qui n'avait pas empêché des centaines de personnes démunies de billets de pénétrer dans l'enceinte pour tenter d'apercevoir quelque chose.

À l'intérieur, cent mille Cariocas déchaînés brandissaient bannières et pancartes promettant la victoire sur le terrain et la révolution sociale, s'époumonaient au rythme de dix mille tambours de samba et deux fois autant de radiocassettes.

Dans ce vacarme assourdissant, au pied d'un muret, Will et ses coéquipiers guettaient l'instant où il leur faudrait entrer en scène.

Will tendait l'oreille. Et, malgré les coups de boutoir de son cœur pareil à un animal en cage, il entendit les haut-parleurs annoncer : « *Numero nueve... de America... Will... Shepherd !* »

Du public jaillirent quelques huées, on cria « *palhaço* », c'est-à-dire « clown », mais même à Rio, Will Shepherd eut droit à des applaudissements. Pour certains, l'amour de l'art l'emportait sur le chauvinisme et Will était indubitablement un artiste. On vit un quatuor de jeunes gens faire irruption sur la pelouse, le torse peint du chiffre 9.

Will s'avança au pas de course sous les encouragements de ses admirateurs, le poing levé au-dessus de ses mèches blondes flottant dans la brise, la tête pleine de bruits et d'images, de rêves et de fantasmes. Le souffle lui manquait presque.

Il sentit un frisson d'excitation lui zébrer le corps.

Ce soir, personne ne parviendrait à l'arrêter.

Il allait offrir à la moitié de la planète une prestation historique. Au lendemain de cette nuit brésilienne à nulle autre pareille, personne ne pourrait l'oublier.

36

À 20 h 32, l'arbitre colombien déposa le ballon sur une touffe de gazon piétinée.

Le Brésil contre les États-Unis ! Une rencontre impensable, impossible et impopulaire, et pourtant bien réelle.

La finale de la Coupe du monde venait de commencer !

L'insaisissable Arturo Ribeiro, l'étoile montante du football brésilien, dix-neuf ans à peine, subtilisa le ballon, le passa à l'un de ses coéquipiers comme il s'était entraîné à le faire depuis des mois, fila droit devant lui en esquivant ses adversaires avec la grâce d'un danseur de ballet, puis récupéra le ballon, dos au but, et, grâce à une pirouette arrière — ce que les spécialistes appelaient une « bicyclette » —, l'expédia au fond des filets américains.

Une explosion de joie secoua les tribunes.

« *Gooool de Bra-sil !* hurla le commentateur officiel. *Gooool de Artura Ribeiro !* »

Trente-trois secondes s'étaient écoulées depuis le coup d'envoi.

Moins de six minutes plus tard, le Brésil inscrivait un nouveau but avec, apparemment, la plus grande facilité.

Dans les gradins, les Cariocas se mirent à danser en lâchant autour d'eux des serpents noirs et des poulets plumés sortis de paniers d'osier qu'ils avaient dissimulés. À l'extérieur du stade, des fusées trouèrent la nuit. On entendit des coups de feu tirés en l'air et les sirènes de police ululaient sans discontinuer, comme si la révolution tant attendue venait enfin d'éclater.

Mais, contrairement à ce que l'on aurait pu imaginer, la liesse populaire n'avait pas encore atteint son point culminant. Quand, à la trente-troisième minute, Ribeiro marqua le troisième but, ce fut le délire total.

À la mi-temps, le Brésil menait trois à zéro !

Pour les Américains, le match tournait à la débâcle... ou, plutôt, au jeu de massacre.

« Écoutez-moi ce donneur de leçons ! Quel con ! »

Will gardait les yeux rivés au sol. Après avoir copieusement insulté ses coéquipiers, soi-disant joueurs de football, Wolf Obermeier l'avait pris à l'écart. Les autres regagnaient déjà la pelouse.

— Tu joues comme si tu avais pris quelque chose, lui dit Wolf sans élever la voix. Un problème qui te perturbe ? As-tu pris quelque chose ?

— Peut-être.

En voyant la mine décomposée de l'Allemand, Will ne put s'empêcher de sourire. Il n'en restait pas moins que quelque chose, effectivement, le perturbait. Mais quoi ? La soirée de la veille, dont il ne conservait qu'un souvenir très confus, l'avait pourtant vivifié. Non, quelque chose d'autre le bloquait. Il haussa les épaules, perplexe. Le frisson qui l'avait électrisé comme un éclair s'était évanoui, et il avait maintenant l'impression d'être éteint, d'avoir des jambes de plomb.

— Il faut que tu deviennes comme fou, continua Obermeier. Trois buts, c'est totalement impossible à remonter, mais je t'ai déjà vu faire l'impossible. Ce n'est pas le moment de jouer le pire match de ta vie. Sois un héros, pas un pauvre type ! (Et, d'un geste paternaliste, il lui tapota le crâne.) Allons, montre-moi que tu es un homme !

« Un homme, se répéta Will, tétanisé, en pénétrant sur le terrain. Tu es en finale de la Coupe du monde et tu joues comme si tu étais encore à Fulham. Tu es en train d'affronter le Brésil, la meilleure équipe du monde. Si tu les bats, tu seras célèbre jusqu'à la fin de tes jours. Obermeier a raison : sois un homme. »

Il inspira profondément et trotta jusqu'au banc. Les clameurs qui montaient de la foule ne s'adressaient pas à lui, il le savait, mais aux Brésiliens qui sortaient des vestiaires. Il leva les yeux vers les tribunes, vit cet océan de visages cuivrés qui le narguaient. « Je les emmerde ! Je suis la Flèche d'or ! Et l'impossible, je le réussis régulièrement ! »

Au début, la maestria de Will demeura sans grand effet. Malgré ses dribbles invraisemblables, ses brusques changements de direction pour se frayer des passages inattendus et ses étonnantes accélérations même dans les espaces les plus restreints, le score ne bougea pas. Mal servi par ses coéquipiers, Will ne parvint pas à se créer la moindre occasion de tir.

Puis, neuf minutes après le coup d'envoi de la seconde mi-temps, il intercepta de l'épaule une passe tendue destinée à Ramon Palero, le *libero* brésilien.

Pendant que le ballon, parfaitement amorti, tombait comme une pierre, il arma sa jambe droite. Il sentit un petit muscle se déchirer dans sa cuisse mais, négligeant la douleur qui se vrillait jusqu'à sa rotule, il visa le coin supérieur gauche de la lucarne. Le gardien adverse eut à peine le temps d'esquisser un geste. La balle était déjà au fond des filets.

« *Gooool de America !* tonnèrent les haut-parleurs. *Gooool de Will Shepherd !* »

Will n'en douta pas un instant. Dans sa tête, ce fut comme une explosion. Le Grand Frisson était de retour. L'adrénaline irradia son corps, dissipant la douleur de sa cuisse et de son genou. Il se sentit tout-puissant, comme la veille au soir, quand Victoria avait voulu se moquer de lui. Tout-puissant...

L'attaquant ! Le buteur !

Sur le terrain, il n'y avait plus que lui ! Le joueur solitaire !

À trois minutes de la fin, il s'échappa de nouveau, poussa furieusement la balle le long de la ligne de touche gauche, feinta une passe mais conserva le contrôle du ballon. Puis, après avoir esquivé un défenseur qui le regarda filer d'un air dépité, il stoppa net. Et là, brusquement, accéléra. Frappé de la pointe du pied, à pleine puissance, le ballon fusa comme une balle traçante jusqu'au fond des buts brésiliens.

« *Gooool de America... Gooool de Will Shepherd !* »

Au chronomètre, il restait deux minutes et quarante-six secondes de jeu.

C'était bien suffisant.

37

Une chape de silence s'était abattue sur la foule qui d'un œil suivait l'action, et de l'autre surveillait la pendule. Il restait moins de trois minutes à jouer et le suspense était à son comble.

Un joueur ne pouvait à lui seul battre une grande équipe. Will Shepherd lui-même était incapable de réaliser un tel exploit.

Chacun dans le public en était persuadé, mais l'ombre d'un doute subsistait. Will Shepherd était un attaquant de légende, qui resterait peut-être dans l'Histoire comme le plus grand des buteurs. Un vrai magicien, à moins qu'il n'eût signé un pacte avec le diable.

Will intercepta une passe destinée à un ailier droit brésilien et s'enfonça en territoire adverse, filant comme un aigle. Tout reposait désormais sur la concentration, l'art de reproduire des gestes répétés mille fois, un million de fois. Après une feinte sur la gauche, il prit la perpendiculaire, laissant sur place un défenseur impuissant, et aperçut enfin les couleurs ennemies du gardien de but.

« Même s'il était Dieu, songea Will, il ne pourrait m'arrêter. » Il saisit une lueur de peur dans le regard du gardien.

Il fit passer le ballon du pied droit au pied gauche, écarta du coude un défenseur, pivota en douceur vers la droite.

Les quatre-vingt-dix minutes s'étaient écoulées, mais il restait quelques secondes d'arrêt de jeu. Bien assez pour lui permettre de rejoindre le rang des immortels, les Pelé et autres Cruyff.

« Détends-toi. Savoure cet instant. Sens-le imprégner ton corps comme un shoot d'héroïne. »

Le gardien brésilien, anticipant l'attaque de Will, se déplaça sur sa gauche, dégageant le coin droit.

Une toute petite fenêtre.

L'arbitre était en train de lever son sifflet. Dans quelques secondes, il sifflerait la fin du match.

Will opta pour un tir croisé de l'intérieur du pied gauche, l'une de ses spécialités. Une trajectoire courbe, dont il calcula soigneusement les paramètres. Cette ouverture était large comme les portes de l'enfer !

Mille détails défilèrent dans son esprit : le silence de mort qui s'était emparé du stade, sa respiration haletante, ce ballon comme cloué sur le gazon, le regard horrifié du gardien, le *libero* qui tentait vainement de le rattraper.

Et, soudain, le visage de son père se matérialisa devant lui. Avec ses yeux, ses yeux sans vie et grands ouverts à la surface de la piscine.

Dans un irrésistible tourbillon, les furies passèrent à l'attaque. Les démons prirent possession de son instinct, de ses jambes, de son âme. Non ! Il n'allait pas se laisser influencer !

Avec un rugissement de fauve, Will se cambra, arma sa jambe gauche et frappa le ballon d'un geste fluide, parfaitement ajusté.

Il lui vint l'envie de se moquer de tous ceux qui avaient osé douter de lui, de hurler au visage de tous ces Cariocas qui le regardaient d'un air méprisant, du haut de leurs précieux gradins.

Dans le public, c'était le délire. Les supporters s'étreignaient, s'embrassaient. Cent mille personnes littéralement prises de folie se livrèrent à une gigantesque danse improvisée. À l'intérieur du stade comme à l'extérieur, un concert de cornes de brume et d'avertisseurs se fit entendre, et mille serpentins fusèrent vers la lune.

Après la frappe du ballon, Will s'était écroulé, vidé. Affalé sur la pelouse, il guettait désespérément l'annonce : « *Gooool de America... Gooool de Will Shepherd !* »

Il vit les joueurs quitter le stade au pas de course devant l'afflux des spectateurs hystériques. Interloqué, il tenta de se relever. Une onde de peur le balaya. Ses jambes ne le soutenaient plus.

« Mais nous avons fait match nul, se dit Will. Il va y avoir des prolongations. Seuls les joueurs devraient être admis sur le terrain. Sortez-moi ces imbéciles, virez-les du terrain ! »

Wolf Obermeier, le visage fermé, vint l'aider à se remettre sur pied.

— Dommage. Comment dites-vous, déjà, vous les Américains ? Dur, dur.

— Il y a match nul, bredouilla Will, mais le regard d'Obermeier lui révéla la vérité, et à cet instant toutes les furies qui l'habitaient jaillirent dans un fracas bien plus terrifiant que celui des milliers de supporters dévalant les gradins. Et, au milieu de cette foule, il vit son père qui portait sa mère dans ses bras. C'était elle qui était morte, cette fois-ci. Elle vomissait un flot de sang. Son père la tendait à Will, comme un trophée.

Son passé revenait le hanter.

Alors Will Shepherd se mit à hurler. Il avait enfin compris.

Le Brésil venait de remporter la Coupe du monde.

La Flèche d'or avait manqué le tir de sa vie.

Il avait échoué.

Tout est ta faute.

Tout a toujours été ta faute.

38

Cette nuit-là, on eût dit que Rio était en plein carnaval. Nulle ville au monde ne connut pareil climat de fête, une fête sensuelle et débridée. D'interminables files de congas serpentaient dans toutes les rues. Will avait loué une Corvette rouge, qu'il pilotait pied au plancher. « Je suis le plus nul des joueurs de foot, ressassait-il. Le loup-garou de Rio. »

— Tu t'appelles Angelita, c'est bien ça ? demanda-t-il à la jeune femme lovée sur le siège passager.

Grande, très mince, cheveux noirs, elle était d'une exeptionnelle beauté. Elle voulait sentir la Flèche d'or, lui avait-elle dit. Bien au fond.

— Oui, je m'appelle Angelita. Tu veux le savoir tout le temps, comme si j'allais changer de nom. Mais si tu continues à rouler aussi vite, peut-être qu'on va tous deux s'appeler « Bons pour la morgue ».

— Ah, pas mal, très drôle, la complimenta-t-il en passant la quatrième sur la large avenue longeant la plage de Copacabana. Mais une femme à la fois belle et drôle, ça peut être également extrêmement dangereux, non ?

En riant, elle rejeta en arrière sa crinière d'ébène.

— Tu as peur que je te vole ton cœur, c'est ça ?

— Oh, non, loin de là, Angelita. J'ai peur que tu ne le voles pas, au contraire. J'ai peur que personne ne me le vole. Tu me suis ?

— Pas du tout.

— Parfait !

Il l'avait conduite jusqu'à sa suite. Les feux scintillants

de la ville le dispensaient d'allumer la lumière. Des rues avoisinantes montaient des roulements de tambours si puissants qu'ils semblaient provenir de la pièce elle-même.

Ils s'étaient jetés l'un sur l'autre, elle avait crié :

— Mets-la-moi ici, tout de suite, Will Shepherd, *numero nueve*. Je ne veux pas attendre une seconde de plus.

Tout cela remontait à plusieurs heures. Pour la lui mettre, il la lui avait bien mise. Elle avait commencé par gémir, puis elle avait voulu hurler. Et elle avait essayé désespérément d'arracher la « flèche » de son cœur.

— Qu'est-ce que tu as fait ? Oh, mon Dieu, qu'est-ce que tu m'as fait ?

— Je voulais voler ton cœur, lui avait-il chuchoté. Ai-je réussi ?

Voilà que son nom lui échappait de nouveau. Comment était-ce, encore ? Ah, oui, oui, elle s'appelait Angelita.

Angelita gisait à présent dans la baignoire de sa suite d'hôtel. En la contemplant, il comprit qu'il avait fini par aller trop loin, même selon ses propres critères.

Il avait pété les plombs.

« Si mes fans me voyaient en ce moment. Voilà à quoi ressemble le vrai Will Shepherd. Un déchet de l'humanité. Sous ce physique attrayant bat un cœur d'une rare noirceur. »

C'était du pur Conrad. *Le Cœur des ténèbres* était d'ailleurs l'un des rares livres que Will avait réussi à lire jusqu'au bout durant sa scolarité. De la première à la dernière page, il en avait parfaitement saisi l'essence.

Personne ne le connaissait, personne ne soupçonnait sa véritable nature. À l'exception, sans doute, d'Angelita, qui savait maintenant la vérité.

Angelita qui le fixait de ses yeux vitreux, le regard en biais. Il était son dieu, non ? Celui qui l'avait arrachée aux impitoyables rues de Rio. Elle rêvait de baiser une célébrité et elle s'était fait baiser. En beauté.

Brandissant un verre empli d'un liquide rouge, il porta un toast à la santé d'Angelita.

— Je suis désolé. Non, j'exagère, mais j'aimerais l'être.

Il but une gorgée de sang et comprit que tout était fini pour lui. Il venait de commettre un meurtre. Il y aurait un procès, au terme duquel on le déclarerait coupable. Des gouttelettes de transpiration perlèrent au sommet de son front.

Flèche d'or, poignard d'argent ou vampire, quelle importance ?

Il allait passer le restant de ses jours en prison.

39

Si je savais parfaitement ce que signifiait « tomber en disgrâce », je me surprenais à découvrir le sens réel de l'expression « tomber amoureuse ». Car les liens merveilleux qui se tissaient peu à peu entre Patrick et moi étaient bien ceux de l'amour. Les sentiments que nous éprouvions l'un pour l'autre se renforçaient de jour en jour ; rien à voir avec le simple engouement des premières rencontres.

Je vais vous dire ce que j'aimais chez Patrick.

Il me rappelait presque quotidiennement que je comptais beaucoup pour lui et que j'étais quelqu'un de bien. Pour la première fois de ma vie, je commençais à le croire.

Il s'était mis en tête de tout apprendre sur ce que je composais et chantais et avait fini par comprendre et apprécier ma musique bien mieux que la plupart des journalistes spécialisés de *Rolling Stone* et de *Spin*.

Lui et Jennie étaient capables de parler de tout, avec ou sans moi.

Ses histoires, son humour, ses intuitions m'étonnaient, m'enchantaient.

En fait, au cours des six premiers mois, il n'y eut qu'une seule ombre au tableau : le fils de Patrick. À l'inverse de son père, Peter était une véritable ordure. Il tenta même, sans succès heureusement, de lui ravir le contrôle de la société. L'échec de ses relations avec Peter affectait beaucoup Patrick, qui disait avoir « perdu son fils unique ».

Et pour moi, ce fut un moment extrêmement difficile. J'étais totalement pétrifiée. Alors je poussai un grand soupir, m'armai de courage et annonçai :

— Patrick, on va avoir un bébé.

Nous étions à la maison, dans le salon. Mon ventre commençait à se bomber et je n'allais pas pouvoir dissimuler ma situation longtemps. Malgré nos précautions, j'étais tombée enceinte.

Mon étiquette d'artiste et de musicienne ne m'empêchait pas de rester profondément attachée à un certain nombre de traditions et cette grossesse inattendue me bouleversa. Je l'avais immédiatement révélée à Jennie qui m'avait fait le bonheur de répondre : « Tu aimes Patrick, Patrick t'aime et moi, je vous aime tous les deux. Je suis contente que tu attendes un bébé, tu sais. »

Sur le visage de Patrick, on pouvait lire une bonne demi-douzaine de sentiments différents. L'étonnement, le choc, la consternation, le souci, le doute puis, enfin, la joie. Une joie extraordinaire, flagrante. Et ce sourire que j'aimais tant.

— Pour quand le bébé est-il prévu ? Il faut que tu me dises tout, Maggie.

— Cinq mois et douze jours. Le Dr Gamache n'a pas précisé l'heure exacte.

À présent, il rayonnait. Il me tint les deux mains.

— Fille ou garçon ?

— Un garçon, d'après l'amniocentèse. Allie ? Ça te plaît, comme prénom ?

— C'est un très beau nom, approuva-t-il, l'air éberlué. Je suis ravi, Maggie. Je ne pourrais pas être plus heureux. Est-ce que je t'ai dit, ces derniers jours, à quel point je t'aime ?

Et toujours ce sourire...

— Oui, murmurai-je, mais j'aimerais l'entendre encore une fois. Je ne m'en lasse pas.

Et cette nuit-là, avec un réalisme que je pensais ne plus avoir à subir, tout me revint. Je me souvins de lui.

Phillip revenait pour tout gâcher.

Ivre mort, comme à son habitude, il tient à peine sur ses jambes. Quand je le vois surgir à la porte en hurlant mon nom, je me réfugie au fond de la cuisine sans même répondre, alors que je ne suis qu'à quelques mètres de lui.

L'homme dont j'ai fait la connaissance à Newburgh était bien différent. Officier et gentleman, mais également universitaire, il m'a cueillie à l'âge de dix-neuf ans. J'étais si vulnérable, je me sentais si seule. Comment aurais-je pu deviner que son rôle de professeur lui pesait, qu'on l'avait obligé à enseigner alors qu'il s'était engagé dans l'armée pour se battre ? Il suivait les ordres et voulait que je suive les siens.

— Quand je t'appelle, tu me réponds « Oui, Phillip », me fait-il avec un rictus de supériorité.

— Pas quand tu es dans cet état. Non, Phillip. Pas avec moi, certainement pas

Du dos de la main, il me gifle la bouche.

— Chaque fois que je t'appelle, tu réponds « Oui, Phillip ».

Je ne réplique pas. Ses lunettes à monture en fil d'acier perchées sur le bout du nez, il avait tout l'air du snob affecté pour lequel il redoutait de passer.

— Maggie..., recommence-t-il d'une voix très posée, lourde de menace.

Je ne réplique toujours pas et, cette fois, il lève le poing. Sans être taillé en athlète, il pèse bien une trentaine de kilos de plus que moi.

— Oui, Phillip. Va te faire foutre, Phillip.

Jurer n'est pas dans mes habitudes, mais ce jour-là, j'avais fait une exception.

— Quoi ? Qu'est-ce que tu dis ? Qu'est-ce que je viens d'entendre ?

— Tu m'as parfaitement comprise.

Il reste comme figé, puis se met à ricaner.

— D'accord, mais c'est toi qui vas te faire foutre.

Et il se précipite sur moi en tanguant. Moi, je gravis l'escalier du fond jusqu'au grenier et je lui claque la porte au nez.

Sur place, il y avait des armes. Il faut dire que la maison du brave soldat en était truffée. Je saisis un revolver et j'arme le chien. Je le braque sur la porte du grenier en attendant de voir apparaître la sale gueule de Phillip déformée par la rage.

— Un pas de plus, Phillip, et je tire.

Le calme de ma voix me surprend, car je suis extrêmement nerveuse.

Il me regarde fixement, en essayant de m'obliger à baisser les yeux, sans bouger. Puis il part d'un rire monstrueux et, au bout d'un moment, il se ressaisit et me lance :

— Oh, ma petite chérie. Ma petite chérie... Ce coup-ci, tu gagnes, mais je te promets que tu le regretteras toute ta vie.

Il n'avait pas tort. Après toutes ces années, je le regrettais encore.

40

Par un beau matin radieux, Patrick dut me conduire en catastrophe à l'hôpital Northern Westchester de Mount Kisco. Je ne l'avais encore jamais vu aussi nerveux, aussi désorienté. Cela ne lui ressemblait pas du tout et sa détresse avait quelque chose de drôle et touchant à la fois. Jennie nous accompagnait. C'était de loin la plus en forme de nous trois, celle qui maîtrisait le mieux la situation.

Pendant que nous foncions sur les petites routes au milieu des sapins, je me disais sans cesse : « Pense au bébé, pense au bébé », sans pour autant réussir à me défaire des idées noires qui me trottaient dans la tête depuis que la presse avait eu vent de ma grossesse : « Pour Maggie Bradford, la chanson d'amour devient réalité : les dessous d'une implacable séduction. »

Comment pouvait-on parler de manière aussi sordide de la merveilleuse aventure que nous étions en train de vivre ? Qui écrivait ces articles infâmes ? Et pour quels lecteurs ? J'avais toujours dit à Patrick que je me moquais éperdument du qu'en-dira-t-on, mais certains journaux et magazines s'étaient montrés tellement ignobles qu'aujourd'hui je me sentais blessée, humiliée.

Évidemment, à l'époque, j'ignorais encore avec quelle sauvagerie les médias étaient capables de s'acharner sur quelqu'un.

— Patrick, je sais que tu vas aussi vite que possible... mais pourrais-tu accélérer un peu, s'il te plaît ?

À l'hôpital, le Dr Lewis Gamache qui nous attendait m'accueillit d'un grand « Bonjour, maman ! » en plissant les yeux derrière ses verres à double foyer à monture d'acier. Je l'avais déniché quelques mois plus tôt à Chappaqua, un petit bourg de la région. Généraliste de formation, mais spécialisé en obstétrique, il m'inspirait bien plus confiance que les mandarins new-yorkais qui m'avaient proposé leurs services. Je voulais lui sourire, mais j'avais plutôt envie de tomber dans les pommes.

— Bonjour, Lewis. Je me sens vaseuse...

— Bien, ça prouve que vous y êtes presque.

Il m'installa dans un fauteuil roulant et on me conduisit à l'intérieur. *Presque*, avait-il dit ! Quand les deux infirmières en blouse blanche m'amenèrent en salle d'opération, il était 11 heures du soir. J'avais tellement transpiré que j'étais trempée ; mes cheveux complètement collés étaient devenus presque bruns, je me sentais poisseuse et je grelottais de froid. La douleur était insupportable ; j'avais l'impression que c'était deux fois pire que pour Jennie.

Le Dr Gamache était déjà sur place, l'œil vif et plein d'enthousiasme, comme à son habitude.

— Alors, Maggie, vous en avez mis du temps...

— Ahhh... (J'ai fermé les yeux en attendant que la contraction passe.) Je m'amusais tellement que je n'ai pas regardé ma montre.

— Bon, on y va. Vos fans vous attendent.

Il n'y a que lui que ça faisait rire.

Le lendemain matin, à 11 h 19, le Dr Gamache m'annonça : « Maggie, vous avez un petit garçon » et déposa le bébé à côté de moi pour que je puisse le voir. On aurait dit qu'il bâillait. Déjà blasé d'être sur terre ? Mais qu'il était beau, ce petit chou...

Il eut droit à la traditionnelle tape sur le derrière, préférée à la chiquenaude sous les pieds. J'entendis un petit gémissement, à peine audible.

— Il n'a pas autant de coffre que vous, commenta le Dr Gamache. S'il vous plaît, infirmière, placez le bébé sur le lit chauffant.

— Il s'appelle Allen, dis-je juste avant de sombrer dans le néant.

41

Patrick déboula dans ma chambre à la vitesse d'une fusée. Il était aux anges. Je le vis se précipiter vers mon lit, et nous nous embrassâmes. On aurait dit Paul Newman et Spencer Tracy réunis. Patrick était un homme merveilleux. Attentionné, compréhensif, tendre, bienveillant. Il voulait m'épouser. Il m'avait déjà posé la question fatidique, mais l'idée même de mariage et l'expérience vécue avec Phillip m'avaient incitée à lui demander de patienter. Il m'avait répondu qu'il comprenait, et j'espérais qu'il me disait la vérité. J'espérais également qu'il ne tarderait pas trop à me reposer la question.

Lorsqu'il me prit dans ses bras, je sentis quelque chose craquer dans la poche de sa veste. Curieuse, je glissai la main à l'intérieur.

— Ce coup-ci, p'tit gars, t'es allé trop loin, lui fis-je en riant et en roulant des yeux. Des cigares ? Plus ringard que ça, tu meurs.

— Mais je suis un ringard, confirma-t-il en haussant les épaules. Les cigares, c'est pour mes potes. Pour le père célibataire, j'ai acheté du whisky irlandais.

— As-tu vu Allie ?

— Un peu. Oh, dis donc, ses testicules ! Plus gros que ses pieds. Très impressionnant...

— Évidemment, ça, ça t'intéresse...

— Je pensais naïvement que cela pouvait vaguement intéresser sa mère.

— Quoi, de savoir que son fils est bien armé pour affronter le monde ?

— Tout juste, et les termes sont parfaitement choisis.

Patrick se pencha et me serra doucement contre sa poitrine. Je sentais battre son cœur, un plaisir que j'appréciais chaque jour davantage.

« J'ai trouvé le père idéal », me dis-je.

Je le redis à voix haute, devant Patrick. Jamais je n'avais été aussi heureuse. Je savais que nous allions bientôt nous marier, mais nous formions déjà une petite famille des plus unies.

Et, ce soir-là, j'ai offert à Allie son premier récital privé.

42

Voici exactement ce qui s'est passé, chers lectrices et lecteurs. Voici comment s'est déroulé ce troisième « meurtre » autour duquel ont circulé tant de rumeurs atroces à la télévision et dans la presse. Ceci est ma déposition et je peux vous assurer que tout ce que vous allez lire est inédit.

Patrick aimait son métier, aimait les grands hôtels qu'il avait bâtis. J'avais la conviction qu'il aimait Allie et Jennie comme il m'aimait moi. Et il aimait la mer, il aimait la voile. Un seul point noir subsistait dans sa vie : son fils Peter, qui lui disputait continuellement le contrôle de la société, et notamment l'hôtel Cornelia. Peter avait également clairement fait savoir qu'il me méprisait royalement. Nous nous étions donc résolus à vivre avec ses attaques.

Jamais je n'oublierai cette journée, début mai. C'était notre première sortie en mer du printemps et nous étions heureux de passer un peu de temps en tête à tête.

Nous nous étions levés et habillés avant l'aube pour boire un chocolat chaud à 5 heures. Ma nouvelle employée de maison, la merveilleuse Mme Leigh, vint nous souhaiter une bonne journée : « Ne vous inquiétez pas, madame Bradford, je m'occuperai de tout. » Je lui faisais totalement confiance. Elle avait élevé ses deux beaux enfants et faisait déjà partie de notre famille.

On avait pris la voiture pour aller jusqu'à Port Washington, sur Long Island. Une journée entière en amoureux. Quel bonheur !

À 6 h 30, nous étions sur le ponton tacheté de soleil du très sélect Victorian Manhasset Bay Yacht Club. L'air vif nous piquait le visage, mais de longues heures de plaisir et de détente nous attendaient. Au beau milieu du débarcadère, je ne pus résister, j'enlaçai Patrick, l'embrassai longuement et lui chuchotai à l'oreille :

— Je t'aime. C'est tout bête, mais je t'aime.

— Tout bête, mais pas si courant, et tellement génial quand ça arrive. Moi aussi, je t'aime, Maggie.

Un instant plus tard, nous posions le pied sur le *Rebellion*. Nous allions mettre le cap à l'est, m'expliqua Patrick, « vers le soleil, pour nous éloigner de la planète Terre ».

Il entama une rapide inspection du bateau.

— La tempête de la semaine dernière a causé de sacrés dégâts. Il y a encore de l'eau dans la cale. La batterie doit être morte, et l'antenne radio est fichue. Et merde... Rappelle-moi de ne jamais faire construire un paquebot de luxe, ce serait le prochain *Titanic*.

Le *Rebellion* a pris la mer vers 6 h 45. Une belle journée s'annonçait. Je pouvais passer tout mon temps avec Allie, qui me manquait déjà, mais j'avais réellement besoin de quelques heures de vacances. J'étais en manque de Patrick.

C'était une matinée radieuse et, sous un ciel aussi bleu, je ne pouvais être qu'en forme. Patrick se prélassait à la proue. À l'horizon, un ketch de quarante-huit pieds glissait lentement vers les Caraïbes.

À midi, une petite houle s'était levée et nous étions déjà à des milles de New York l'abrutissante. Oubliés, l'hôtel, Peter O'Malley, et même Jennie et Allie. Nous étions ensemble, avec l'océan pour seul témoin. Patrick allait-il en profiter pour renouveler sa demande en mariage ?

Soudain, de gros nuages pelucheux, d'un noir de suie, surgirent au nord-ouest. Une tempête se rapprochait à une vitesse étourdissante. En l'espace de cinq minutes, la température dégringola de plus de cinq degrés.

— Merde, dis-je. Tu m'avais réservé une petite aubade, c'est ça ? C'est malin ! Je déteste ça !

Patrick scrutait le ciel avec anxiété.

— Je vais appeler les gardes-côtes et leur réclamer un point météo. Avec un peu de chance, on pourra peut-être attendre que ça se passe.

Il fit mine d'aller vers la cabine, mais s'interrompit.

— Mais non, je ne peux pas, la radio est HS. Je crois qu'on va devoir rentrer au port. Prends la barre, Maggie, et surtout ne lâche pas.

— Ouille, ouille, ouille...

Pendant que je me bagarrais avec la roue du gouvernail, Patrick serrait la grand-voile. Ça tirait trop à l'avant, et il avait décidé de la remplacer par un petit foc. Et si cela ne suffisait pas, nous retournerions à Manhasset au moteur.

Puis la tempête se déclara. Un brouillard glacé enveloppa subitement le voilier et des trombes d'eau s'abattirent sur nous. Le vent hurlait dans la voilure. Des paquets d'eau de mer balayaient le pont. Les éléments se déchaînaient avec une violence inouïe.

Mes mains glissaient sur la barre et j'avais du mal à maintenir le cap. La frénésie avec laquelle il nous fallait réagir avait quelque chose de grisant, mais la peur guettait, tel un serpent lové sous nos pieds, prêt à frapper. Notre petite croisière avait cessé d'être drôle.

Patrick émit un juron, puis un autre, bien plus poussé celui-ci. Glissant et dérapant à chaque pas, il se précipita vers une voile qui claquait au vent comme un drap humide.

En arrivant sur la toile, il eut comme un instant d'hésitation. Sa jambe gauche le trahissait, semblait-il. Telle était mon impression : il traînait la jambe.

Il marqua un temps d'arrêt, comme s'il avait oublié quelque chose, et tomba à genoux. On aurait dit que quelqu'un venait de lui assener un coup sur le crâne.

— Patrick ! ai-je hurlé.

Il tenta de se relever et là, je le vis porter la main à sa poitrine. Puis il s'effondra comme une masse.

— Patrick !

Je courus le rejoindre sur le pont détrempé. Livide, il respirait par à-coups, gisant sur un flanc. Il grimaça lorsque je voulus le placer sur le dos. Soudain, c'est moi qui manquai d'air. J'avais comme un poing serré au creux de l'estomac.

Je trouvai des couvertures de laine et un morceau de bâche verte, le recouvris aussi bien que possible, pris sa main. Je ne voyais plus très bien ce que je faisais.

— Tu es partie, me souffla-t-il à l'oreille. S'il te plaît, ne recommence jamais ça. Je veux te regarder, Maggie.

J'essayais de l'empêcher de bouger pendant que les vagues nous submergeaient sans relâche.

— Je suis là et pas question que tu partes, toi non plus. Tout va s'arranger, tu vas t'en sortir sans problème.

Je croyais ce que je disais, du moins y croyais-je un petit peu, mais le serpent de peur qui était tapi en moi s'était déroulé et je dus me détourner pour que Patrick ne le lise pas sur mon visage.

Quand je le regardai, son visage était blême, gris cendre. Malgré le vent glacé, des gouttelettes de transpiration perlaient sur son front et sa lèvre supérieure. Je me dis : « Oh, mon Dieu, je l'aime trop, faites que ça n'arrive pas... »

— Si jamais je ne réponds pas à l'appel, je veux que tu sois heureuse, et que tu fasses tout pour qu'Allie le soit aussi, mais je te fais confiance. Et s'il te plaît, arrange-toi pour que Jennie n'épouse pas un Irlandais. (De cette voix feutrée que j'aimais tant, il ajouta :) Promets-le-moi.

Je refoulais mes larmes. Je lui chuchotai :

— Oui, je te le promets.

— Je t'aime, ma chérie. Maggie, je t'aime. Tu es la meilleure.

Il y avait dans ses yeux cette lueur espiègle que je connaissais bien. Et puis, brusquement, son regard bascula dans le vide.

J'entendis un bruit bizarre monter du tréfonds de sa poitrine, et il me lâcha la main. Il m'a laissée, comme ça. Tout bêtement, sans complications, comme à notre habitude. Alors, les yeux fixés sur lui, je me mis à hurler :

— Mon Dieu, non, ne le laissez pas mourir !

Et je le serrai contre moi en sanglotant, la tête collée contre sa poitrine silencieuse et inanimée.

— Oh, s'il vous plaît, faites que ça n'arrive pas. Je ne sais pas qui est là-haut, mais ayez pitié...

Patrick ne m'entendait pas. Il s'en était allé, aussi vite qu'avait surgi la tempête.

43

J'ai dû le tenir dans mes bras une bonne heure, sans me soucier de moi, ni du pitoyable voilier.

Le grain s'était déplacé vers l'est et la mer s'était calmée, mais je n'y avais pas prêté attention. Un soleil timide irisait d'ambre la crête gris-vert des vaguelettes.

Je demeurai assise à son côté sur ce pont désolé qui tanguait doucement. Je pensais à tous les instants que nous avions partagés et, chaque fois, je me remettais à pleurer.

« Ne t'en va pas. Laisse-moi te regarder... Ne t'en va pas, Patrick. Ne me laisse pas comme ça... Oh Padriac, oh Patrizio... »

Quand les gardes-côtes me trouvèrent, je dérivais dans le soleil couchant, Patrick toujours niché au creux de mes bras.

Voilà, vous savez tout. *C'est ainsi que je l'ai tué*. Cela est ma déposition.

Livre III

WILL

44

En entendant tambouriner à la porte de sa suite du Rio Hilton, Will frissonna et descendit péniblement de son lit pour se cacher dans la salle de bains.

Il eut toutes les peines du monde à franchir ces quelques mètres sans tomber. « Allez-vous-en, qui que vous soyez. Fichez le camp d'ici ! »

La porte s'ouvrit. Il entendit des voix. La femme de chambre, et quelqu'un d'autre.

« Non, pas question qu'ils viennent. Pas maintenant ! »

— Merci de m'avoir laissé entrer, fit la voix. C'est bon, je vais me débrouiller.

Palmer !

Qui lui a demandé de passer ?

Personne ne doit se trouver ici, pas même mon frère Palmer ! J'ai pété les plombs et je ne sais pas si je vais réussir à reprendre le dessus !

Palmer Shepherd contempla l'énigmatique décor : la porte de la salle de bains fermée, le miroir posé à plat sur la table de chevet, la lame de rasoir, le billet de cent dollars roulé comme une cigarette, les restes de cocaïne. Une bouteille de tequila vide gisait sur la moquette. Et, sur l'autre table de chevet, un verre à moitié plein d'une boisson de couleur rouge. Du porto, du Cinzano ?

Mais où donc était passé Will ?

« Je suis là, petit frère ! »

Avec un hurlement de loup-garou, Will, entièrement nu,

bondit sur lui et le cloua au sol, puis s'assit sur son ventre, comme lorsqu'ils étaient gamins.

— Tu as perdu, j'ai gagné !

Mais, cette fois, le regard halluciné de Will faisait peur et son corps... son corps était maculé de sang.

Horrifié, incrédule, Palmer bredouilla :

— Mais... que t'es-tu fait, Will ?

— Je me suis coupé en me rasant, répondit son frère, accompagnant son explication d'un rire aigre et tonitruant.

Will se releva d'un bond, esquissa un pas de danse à travers la pièce, s'empara du verre à demi plein et l'offrit à son frère.

— Elle aussi, je l'ai coupée en me rasant. Le sang se marie très bien avec la tequila. Tu veux goûter ?

— Tu as coupé *qui* ? Que s'est-il passé ici ? C'est quoi, ce plan ?

— Angelita. J'ai laissé son cadavre dans la salle de bains. Ce n'était qu'une pute. (Il lui tendit une nouvelle fois le verre.) Désolé, mais j'ai déjà presque tout bu. Je me suis offert le petit déjeuner des champions...

— Tu n'as pas fait une chose pareille, articula faiblement Palmer en se redressant avec difficulté. Ce n'est pas possible...

— Pas fait *quoi* ? Qu'est-ce qui n'est pas possible ?

— Tu ne l'as pas tuée.

— Oh, je ne sais pas, chantonna Will qui, les yeux écarquillés, donnait l'impression qu'il avait sombré dans la démence. Il faut vérifier. Allons jeter un coup d'œil.

Il ouvrit la porte de la salle de bains et Palmer pénétra dans son jardin secret.

— Alors, conclusion, petit frère ? L'ai-je ou ne l'ai-je pas fait ? Accepteras-tu de m'aider, cette fois-ci ?

45

Les récits extravagants publiés par la presse *people* étaient, une fois n'est pas coutume, en grande partie fondés, voire en deçà de la vérité. Ni Will ni son frère ne l'ignoraient.

Will était effectivement dangereux, et bien plus que ne le suspectaient les journaux à scandales. Il avait passé six semaines dans une clinique privée de New York pour se remettre de ce qu'on avait pudiquement qualifié de « dépression nerveuse », après avoir souffert d'un « problème lié à l'absorption de certaines substances » durant son séjour à Rio.

Il avait fait bien pire que consommer un peu de cocaïne, mais s'en était sorti sans trop de casse. Certes, il avait fallu payer — chaque semaine il remettait à son frère bien-aimé une coquette enveloppe —, mais il demeurait libre de ses mouvements. Il avait échappé de justesse à la prison à vie.

Après mûre réflexion, il fut décidé qu'il avait intérêt à quitter momentanément Londres. Ce petit salaud de Palmer avait même lourdement insisté. Cela faisait partie de leur accord. Sans trop savoir pourquoi, Will songea à s'installer à New York.

Il sous-loua un appartement dans l'East Side, et cela lui plut tellement qu'il se mit en quête d'une maison. Il avait lu dans le *New York Times* que Maggie Bradford possédait une propriété dans le comté de Westchester. Et Winnie Lawrence habitait dans les environs. Will commença donc par là.

Il aimait toujours autant les disques de Maggie dont la musique, il en avait la conviction, pouvait l'aider à guérir. Il s'en était même ouvert à son psy très chic de la Cinquième

Avenue, lui avait cité certaines paroles. Fan de Maggie Bradford lui aussi, le psy avait eu l'air de le comprendre.

Will caressait l'idée de rencontrer Maggie, un jour, dans le Westchester. Il était sûr de pouvoir arranger le coup. Pour quelqu'un de doué comme lui, cela n'avait rien d'une mission impossible...

46

Ce qui va suivre défie la logique. Peut-être est-ce pour cela que ce chapitre fascine autant et a retenu l'attention de tant de personnes des semaines, des mois avant le procès. Même pour moi, il s'agit d'un véritable mystère. Ma liaison avec Will Shepherd, cette part d'ombre de mon âme. Comment une chose pareille a-t-elle pu se produire ? Que s'est-il passé ?

Après la mort de Patrick, et je précise bien : après sa crise cardiaque, je restai seule avec Jennie et Allie, en prenant soin de me tenir à l'écart de la presse que je redoutais et méprisais à la fois depuis ma grossesse. Près d'un an donc après la disparition de Patrick, par une belle matinée de printemps, je travaillais au jardin (Allie jouait à côté de moi) quand le vigile que j'avais engagé pour écarter les visiteurs importuns — autrement dit, quasiment tout le monde — vint me trouver.

— Il y a là un M. Nathan Bailford. Il sait que vous ne voulez voir personne, mais il dit que c'est très important.

Nathan était un voisin que je connaissais peu. Je savais simplement que c'était un avocat de renom et qu'il s'était notamment chargé d'empêcher Peter O'Malley d'entraver la réalisation du Cornelia. Que pouvait-il bien me vouloir ? Pourquoi venir me voir maintenant ? Un problème au sujet de Peter ?

— Faites entrer M. Bailford, répondis-je au gardien,

légèrement contrariée, avant d'ajouter à l'intention d'Allie : On a de la visite. Il faut qu'on se fasse beaux.

L'avocat allait vers ses soixante ans, mais il en paraissait quarante-cinq. Un grand sourire lui égayait le visage et, pour le reste, il ressemblait à tous ses confrères. Costume anthracite, chemise blanche, cravate à rayures pourpre et or, cheveux bouclés argent et châtain foncé parfaitement coiffés.

Nathan Bailford saisit ma main tendue dans les deux siennes.

— Vous savez, je suis passé trente-six fois devant chez vous depuis l'enterrement. J'ai souvent pensé à vous, sans savoir si je devais m'imposer ou vous laisser tranquille.

— Je suis contente que vous vous soyez décidé à venir, le rassurai-je en me disant qu'en qualité d'ami de Patrick il avait droit à mon hospitalité.

— Alors, ça va ? Vous tenez le coup ?

— Oh, ça dépend des jours. Le pire, c'est le soir. Je crois que ça ira mieux dans dix ans.

Ne sachant que répondre, Nathan Bailford se borna à sourire et cette saine réaction me le rendit aussitôt sympathique.

— En fait, je suis ici pour affaires, m'avoua-t-il lorsque le café fut servi sur la terrasse. Il s'agit de... enfin, disons que cela ne pouvait plus attendre. Comme vous le savez, il y aura bientôt un an que Patrick est mort. Il fallait absolument que je passe vous voir aujourd'hui.

Il but une gorgée de café et je vis alors que sa main tremblait. Il desserra son nœud de cravate.

— Nous allons prochainement procéder à la lecture du testament de Patrick. C'est un dossier d'une extraordinaire complexité ; je n'ai jamais rien vu de semblable. Mes collaborateurs et moi-même avons tout préparé selon les instructions de Patrick, des instructions précises et, comme on pouvait s'y attendre, extrêmement compliquées. Il faut que je vous prévienne, Maggie : vous allez avoir du fil à retordre. Peter O'Malley n'a rien d'un joyeux drille. Patrick ne se trompait pas quand il traitait son fils d'ordure. C'est exactement le qualificatif qui s'applique à Peter.

Je tombais de haut. Jamais je n'avais songé à la fortune de Patrick et l'attitude de Nathan, visiblement mal à l'aise, ne me rassurait guère. Plus encore que la perspective d'un affrontement avec Peter, c'était l'idée de voir la presse à scandales en faire ses choux gras qui me refroidissait.

— Mais quel rapport avec moi, Nathan ? Je ne tiens pas du tout à être mêlée à cette histoire.

Nathan me regarda droit dans les yeux.

— Patrick vous lègue à vous, à Jennie et à Allen une minorité de blocage dans le groupe. Peter hérite d'une somme précise, extrêmement importante, bien entendu, mais vous et vos enfants allez toucher 27 % des parts de la société.

Je n'en croyais pas mes oreilles.

— Et... et à combien tout cela se monte-t-il ? bégayai-je.

— Bof, un peu plus de 200 millions de dollars en liquidités, actions et actifs immobiliers. À quelques millions près. Ce qui fait beaucoup, Maggie.

J'eus un accès de colère aussi soudain qu'irréfléchi.

— Mais pourquoi, Nathan ? Je n'ai pas besoin de ces parts, que ce soit 27 % ou non. J'ai déjà plus d'argent qu'il ne m'en faut. Je ne veux pas toucher à son héritage, je vous assure.

Et, brusquement, je me surpris à rire, ce qui eut pour effet d'aider Nathan Bailford à se détendre.

La situation était véritablement comique. Je venais d'hériter quelque 200 millions de dollars, et j'avais le sentiment de me retrouver derrière des barreaux.

47

Il portait Jennie dans ses bras ! Comment était-ce possible ? J'avais l'impression de rêver et, malheureusement, la scène était bien réelle. Catastrophe...

Will Shepherd, le footballeur qui avait essayé de me draguer à la soirée des Trevelyan, à Londres, se trouvait à ma porte, ma fille dans les bras ! Pas d'erreur, c'était bien lui. Impossible d'oublier ces longs cheveux blonds, ce visage et quelques autres détails.

Le vigile venait de m'appeler de la grille pour m'apprendre que ma fille s'était fait mal et que quelqu'un des environs l'avait prise en charge. Quand je découvris de qui il s'agissait, je crus avoir une attaque.

C'était du délire.

Sans m'enquérir de la santé de Jennie qui, en survêtement, les jambes ballantes, semblait beaucoup trop à l'aise, j'ordonnai d'une voix forte :

— Posez-la ! Posez Jennie, s'il vous plaît !

— Où ça, madame ? s'enquit Will Shepherd calmement, posément.

Pour lui, apparemment, Jennie ne pesait pas plus lourd qu'un oreiller.

— Là, sur le canapé du salon, ce sera parfait. Posez-la, s'il vous plaît !

Il me regarda d'un air perplexe, ce qui me laissait le temps de me ressaisir.

— Elle s'est blessée. J'ai failli la renverser. Heureusement, elle a fait un bond de côté et elle s'est seulement tordu la cheville. Ça s'est passé juste devant chez les Lawrence, là où j'habite en ce moment. Je sortais, je ne l'ai pas vue.

— C'est très aimable à vous de l'avoir ramenée, parvins-je à lui dire d'une voix sans timbre. Je vous remercie. Maintenant, soyez gentil, laissez-nous. Merci tout de même, et c'est sincère.

Jennie, sur le canapé, se redressa.

— Tu pourrais au moins lui proposer une tasse de café, ou quelque chose...

— Je pense que M. Shepherd nous a déjà suffisamment aidées et qu'il a autre chose à faire.

— Vous connaissez mon nom ? questionna-t-il en prenant un air encore plus désemparé.

Salaud...

— On s'est déjà rencontrés, lui fis-je, laconique.

Il parut surpris.

— Ah bon ? Où donc ? Je ne vais jamais dans les coulisses, mais je vous ai déjà écoutée chanter. C'était à l'Albert Hall. La reine d'Angleterre était là.

— Non, pas à un concert, à une soirée.

— Si c'est le cas, je ne m'en souviens pas et, si je vous avais rencontrée, je m'en souviendrais. J'en suis absolument certain. (Il se pencha pour examiner la cheville de Jennie.) Rien de cassé, apparemment. Des os, j'en ai brisé suffisamment pour acquérir une certaine autorité dans ce domaine. Cela dit, vous devriez tout de même appeler un médecin.

— C'est ce que je vais faire dès que vous serez parti. Merci pour le conseil.

Will se leva doucement.

— Heureux d'avoir fait ta connaissance, Jennie. J'espère que tu te remettras vite.

Il se tourna vers la porte.

— Au revoir, monsieur Shepherd, lança Jennie.

À cet instant, je me demandai si elle n'avait pas manigancé quelque chose. Il lui était déjà arrivé, avec des copines, de pratiquer la chasse aux rock stars. Alors pourquoi pas un footballeur vedette ?

— Je ne veux plus que tu lui adresses la parole, lui dis-je une fois qu'il eut refermé la porte.

Elle me dévisagea, les joues en feu. Jamais je ne l'avais vue furieuse à ce point. Puis elle s'écria :

— Comment as-tu pu agir ainsi ? Maman, c'est pas vrai !

Elle sauta du canapé, poussa un petit cri et s'effondra. Oui, elle s'était réellement blessée et Will Shepherd avait peut-être bien fait de la ramener à la maison. Cette fois-ci, peut-être m'étais-je trompée à son sujet.

48

Nous habitions à deux pas de l'un des meilleurs country-clubs de la région. Les membres du Lake Club, à Bedford, payaient des cotisations astronomiques pour s'assurer les services des plus grands cuisiniers et jardiniers. Entretenus avec un soin tout particulier, les espaces verts me rappelaient Gstaad, Lake Forest ou Saint-Tropez, des endroits que j'avais eu l'occasion de visiter pendant mes tournées européennes.

Je me rendis à une fête organisée au club, un soir, fin septembre. C'était l'une de mes premières réapparitions.

L'escalier de pierre de taille par lequel on accédait au grand club-house étant particulièrement raide, parvenue en haut, je dus m'arrêter pour reprendre mon souffle. La dernière soirée à laquelle j'avais participé était celle de l'inauguration du Cornelia, et le souvenir de Patrick me revint avec une telle netteté que mes yeux s'embuèrent.

— Merde, fis-je à mi-voix. Un peu de courage, Maggie.

Il y avait un monde fou sur la pelouse et j'étais dans un état second. Je repérai vaguement un bar, près duquel jouait une petite formation de jazz. Le temps de saluer quelques habitants de Bedford et de sourire à d'autres dont j'ignorais impardonnablement le nom, un producteur de Broadway m'entraîna à l'écart pour me proposer un spectacle, au prix que je voulais et avec qui je voulais. Je lui répondis que son offre me flattait, mais qu'elle arrivait un peu tôt et que je n'hésiterais pas à l'appeler dès que je m'estimerais prête. Il s'était cependant montré si pressant que, rapidement, je sentis mes vieilles angoisses revenir au galop.

« L'ermite de Greenbriar Road refait des siennes ! » Tout

cela allait bien trop vite pour moi. Je n'aurais pas dû venir. Je m'en voulais.

Peu après, j'allai trouver un peu de solitude dans les jardins qui jouxtaient la piste équestre. J'avais le sentiment de n'être qu'une idiote, une *has been*, une marginale, une folle. Tout ce que je me rappelais avoir vécu lorsque j'étais jeune ; une fille trop grande pour la plupart des garçons, et qui de surcroît bégayait.

Les jardins étaient déserts, l'air embaumait. Je respirai à pleins poumons et finis par me détendre, tout doucement, avec une sorte de satisfaction diffuse.

— « Perdre la grâce est la plus triste des expériences... mais la grâce se reconquiert », Maggie.

Quelqu'un, derrière moi, venait de citer mes paroles. Je me retournai.

Will Shepherd était là, juste à côté de moi.

Je fis un bond en arrière.

49

Un petit bond, rien de bien méchant. Il faut dire que, en plein jour et dans ce décor fleuri, Will Shepherd me parut beaucoup plus inoffensif.

— Je voudrais que vous me disiez pourquoi vous m'avez reçu aussi froidement lorsque je vous ai ramené votre fille.

Sans réfléchir, je levai les yeux au ciel. Non, il ne pouvait pas être niais à ce point.

— Vous ne vous rappelez vraiment pas ?

Il secoua la tête, éparpillant des paillettes de soleil dans ses boucles blondes.

— De quoi parlez-vous ? Expliquez-vous.

— Le bal costumé chez les Trevelyan. Vous m'avez demandé de rentrer avec vous, de passer la nuit avec vous. Vous étiez extrêmement grossier. Pire que grossier, d'ailleurs.

— Non, ça ne me dit... (Il s'arrêta en pleine phrase, se frappa le front en rougissant.) Oh, merde, il faut que vous m'excusiez. J'étais fin soûl, peut-être même un peu chargé, et j'avais complètement perdu la tête.

— Vous n'étiez pas beau à voir, ajoutai-je pour enfoncer le clou. Souvenez-vous-en. Eh bien, ravie de vous avoir revu, et sur ce, au revoir.

Je fis demi-tour pour rejoindre les autres invités.

Il me rattrapa au pas de course.

— Écoutez, en ce moment, je ne suis ni ivre ni drogué et j'ai encore toute ma tête, enfin presque. Parlez-moi un peu. Pour moi, c'est important. S'il vous plaît. Je crois pouvoir vous expliquer mon comportement.

— Mais ai-je vraiment envie d'entendre vos explications ?

— D'accord, je comprends et je suis sûr que je ne l'ai pas volé, bien que je ne sache pas très bien ce que j'ai pu faire.

Je l'étudiai l'espace de quelques secondes. Il portait un complet de lin écru passablement froissé et ses cheveux brillaient comme de l'or. Il était bronzé et, il fallait bien le reconnaître, très, très beau.

— Il faut que je vous dise une chose, une seule, me déclara-t-il avec une sincérité qui ne pouvait être que feinte. Pour moi comme pour nombre de gens, vous êtes une source d'inspiration. Lorsque je vous ai écoutée au concert en l'honneur de la reine, j'ai eu l'impression que vous chantiez pour moi. Je savais bien que ce n'était pas le cas, mais c'était exactement ce que je ressentais. Vous m'avez ému, et je vous en remercie. Alors, était-ce si pénible à entendre ?

Malgré moi, je me retournai et je lus des signes de souffrance dans son regard.

— Vous vous êtes retrouvé dans *Loss of Grace* ? demandai-je.

— Oui, plus particulièrement dans ce morceau, bien que je les aime tous. Enfin, la plupart. À l'époque, je traversais une période difficile et vous m'avez rappelé que la grâce peut se reconquérir.

— Et vous y êtes parvenu ?

Son visage s'assombrit et, aussitôt, il me parut sincère, presque humain.

— Euh, non, malheureusement. Ce sera pour une autre vie. Après mes exploits à Rio...

Je n'y comprenais rien.

— À Rio ? Désolée, mais je ne vois pas.

Pour la première fois, je le vis sourire et cela valait le déplacement.

— Vous êtes sérieuse ?

— Tout à fait. Il me semble vous avoir dit, lors de notre première rencontre, que je ne connaissais strictement rien au sport. Je suis vraiment navrée, mais je ne passe pas mon temps à découper les articles de journaux qui vous concernent. À la maison, notre collection de souvenirs sportifs se limite à un gobelet McDonald's avec Michael Jordan dessus.

— Vous me voyez soulagé, commenta-t-il sans cesser de sourire.

Visiblement, je n'avais pas encore réussi à le décourager. Nous restâmes un moment sans prononcer un mot. « Je l'intimide, pensai-je. Il ne sait plus quoi dire. Maggie, ne t'embarque pas dans cette histoire. Pas question de craquer, bien sûr, mais il ne faut même pas y songer. »

— Il faut que je retourne au club-house, prétextai-je. Je suis venue accompagnée, et...

— Votre ami pourra bien patienter quelques minutes, non ? Venez donc d'abord faire un petit tour avec un vieux gentleman à la retraite.

— J'étais sur le point de partir, rétorquai-je, hésitante.

— Pas tout de suite, s'il vous plaît. On parlait de vous, hier soir, au dîner. Winnie Lawrence, June et moi.

— Ah bon ?

— Ils m'ont raconté ce qui était arrivé à Patrick O'Malley. Je suis désolé.

— Oui, c'est horrible.

Je n'avais pas envie d'en dire plus. Nous fîmes quelques pas sous une voûte de pins — on aurait dit une aquarelle éclaboussée de lumière — en abordant les sujets les plus inattendus : la voie désaffectée de la Harlem River Railroad (Will était un passionné de trains), la campagne du Westchester comparée à la campagne anglaise, l'un des derniers romans de Jeffrey Archer que nous avions tous deux lu. Il était aussi poli qu'un écolier et je sentais ma propre timidité remonter à la surface.

Évidemment, je craignais de me faire manipuler mais j'avais l'impression qu'il faisait tellement d'efforts... Ce jour-là, je le trouvai vraiment adorable. Et il était, je dois bien l'admettre, beau comme un dieu.

Des échos d'éclats de rire et d'applaudissements filtrèrent à travers les buissons d'épineux. Je regardai ma montre.

— Incroyable, cela fait plus d'une heure qu'on discute. Il faut que j'y aille. Ce soir, c'est moi qui suis aux fourneaux. Je suis désolée, Will.

— Et moi, pas du tout, mais comme invité d'honneur, on a déjà vu mieux. C'est peut-être la dernière fois qu'on fête mon départ en retraite. Je ferais bien d'y retourner.

Sur le chemin du club-house, il me prit le bras une seconde, m'effleura le coude, et me dit :

— J'en avais vraiment besoin. Il y avait très longtemps que je n'avais pas parlé à quelqu'un comme ça.

— Moi aussi, admis-je en souriant. Nous avons un secret en commun.

— Pourrait-on se revoir ? Je ne suis pas du tout celui que vous imaginez.

Je savais qu'il me poserait cette question, j'avais préparé ma réponse.

— Je crains que non. Je ne suis pas prête.

— Vous avez raison. Et puis, vous méritez mieux qu'un footballeur sur la touche.

J'aimais bien son sens de l'autodérision, tout en me demandant si cela ne faisait pas partie de son numéro de séducteur. « Ça doit être terrible, pour un sportif de haut niveau, d'interrompre si tôt sa carrière. Comment réagirais-je si je devais arrêter de chanter ? »

— Et vous, vous pourriez facilement trouver des femmes plus jeunes et plus jolies, ripostai-je.

— Je recherche quelque chose de plus sérieux. Et de plus, vous êtes très belle. J'espère que vous le savez, Maggie.

— Il faut vraiment que j'y aille, fis-je.

Mais j'avais déjà compris qu'il n'était pas l'homme que j'avais cru entrevoir initialement. C'était un personnage très complexe. Intéressant...

50

Will n'était pas déçu, bien au contraire. Maggie Bradford était telle qu'il l'avait imaginée en écoutant ses disques, et mieux encore. En outre, bien qu'elle n'ait pas conscience de son charme, il la trouvait très séduisante.

Si une personne pouvait le sauver, c'était bien elle. Très vite, elle devint pour lui une véritable obsession. Il devait absolument la revoir. Il se mit à écouter ses disques en boucle, chez lui aussi bien que dans sa voiture.

Il établit un plan minutieux et commença par écrire à Maggie une longue lettre dans laquelle il sollicitait, non pas une nouvelle entrevue, mais sa compréhension, tout bonnement. Puis, un peu plus tard, il envoya un autre courrier évoquant la désertion de sa mère lorsqu'il était enfant, puis le suicide de son père. Il lui avoua ensuite que ses chansons apaisaient ses blessures et le réconfortaient, et la pria simplement de bien vouloir lui adresser un signe, quel qu'il fût.

Elle ne répondit pas et, comme à son habitude, il se tourna vers d'autres femmes. L'une d'elles eut droit à un sérieux passage à tabac. Rien d'aussi grave qu'à Rio, mais impressionnant tout de même. Le loup-garou de New York.

Puis, un jour, il eut la surprise de recevoir une lettre de Maggie Bradford. Elle lui disait de commencer par apprendre à vivre avec sa souffrance. Il l'appela et lui demanda s'ils pouvaient se revoir une fois, une seule, à New York, juste le temps d'un déjeuner.

Ils se retrouvèrent le 12 novembre à 13 heures au Plaza. L'Oak Room offrait un cadre aussi rassurant que possible. Il l'avait soigneusement choisi car, cette fois, il allait conquérir Maggie et ne pouvait envisager d'échouer dans sa tentative.

Il avait tout mis en œuvre pour la séduire, pour arriver à ses fins.

Et, il en avait la conviction, il réussirait.

51

Je passai un mois et demi sans revoir Will, mais il m'écrivit plusieurs fois et ses lettres en disaient plus sur sa personnalité que notre conversation. C'était un homme non seulement profond, mais également sensible. Le jour où il finit par me téléphoner, j'étais prête à le revoir. Ce n'était qu'un déjeuner, après tout, et je ne risquais pas grand-chose. Du moins le croyais-je.

Un déjeuner en tête à tête avec Will Shepherd ! Même dans l'ambiance tamisée et, pour tout dire, presque sinistre de l'Oak Room, je savais que nombre de femmes auraient tout donné pour vivre un pareil moment. Certaines d'ailleurs, aux tables voisines, nous lançaient des regards en coin.

Je dois admettre qu'il était d'agréable compagnie. Charmant, chaleureux, il parlait bien et me paraissait sensible. Aujourd'hui, quand je repense à ce déjeuner, il me vient cependant un doute affreux : et s'il avait tout répété ?

— J'aime discuter avec des gens qui ont connu les feux de la rampe, confessa Will. À condition qu'ils n'aient pas la grosse tête.

Je fis mine de prendre les mesures de mon crâne.

— Moi, ça va ?

Il se mit à rire et je l'imitai. Je savais parfaitement ce qu'il voulait dire en faisant allusion aux gens qui avaient goûté aux fastes et aux tourments de la vie de star. Il y avait quelque chose qui, indubitablement, pouvait nous rapprocher.

— Parlez-moi de Rio, glissai-je au milieu du repas. Non,

après réflexion, dites-moi d'abord ce que vous avez fait de bien.

— Je n'ai pas envie de parler de moi.

D'un geste de la main, il avait écarté ma suggestion, une réaction qui me parut plutôt sympathique et originale. Ce qui m'énervait le plus, quand je discutais avec d'autres « stars », c'est qu'elles aimaient surtout parler d'elles-mêmes. J'aurais parié que Will allait se comporter de même et, visiblement, je m'étais trompée.

— Affaire classée, reprit-il en buvant une gorgée de vin, le regard dans le vide. En ce moment, je suis en pleine mutation. Je voudrais retrouver l'équilibre d'antan. Comme dans votre chanson.

— Vous finirez par y parvenir, lui dis-je gentiment.

Je lui trouvais quelque chose de touchant. Manifestement, il n'était pas tout d'un bloc, il avait besoin qu'on l'aime. Et même si je refusais de l'avouer, la véritable vénération qu'il vouait à mes créations me flattait. Au fond de moi-même, je rêvais de prendre part à son effort de conversion.

Tout doucement, il m'implora :

— Maggie, il faut que vous m'aidiez.

— Comment ? Comment voudriez-vous que je vous aide, Will ?

Il me fixa alors d'un regard si pénétrant que je sentis mes joues s'empourprer, et me déclara :

— Faites-moi une petite place dans vos chansons.

Je fis mieux que cela : je lui offris une petite place dans ma vie. Je vivais une situation qui m'échappait totalement, comme si les astres avaient conspiré contre moi.

Quand il me demanda, non sans hésitation, de sortir avec lui, le charme inoffensif qu'il exerçait sur moi jusqu'alors se transforma en véritable fascination. Il m'accordait toute son attention, comme si j'étais pour lui la seule personne qui comptait. Pendant nos conversations, il s'isolait entièrement du monde extérieur. Il ne regardait que moi, n'écoutait que moi, me persuadait que j'étais une femme intelligente, une femme de valeur, une femme hors du commun.

Et c'est ainsi que j'ai replongé.

Au début, nos rapports furent très romantiques. Les choses se firent lentement, sans brusquerie.

Nous attendîmes même le quatrième rendez-vous avant de nous embrasser. Il était en train de me souhaiter bonne nuit après m'avoir raccompagnée à ma porte et cela arriva très naturellement. Un baiser à la fois affectueux et passionné auquel je répondis immédiatement, presque malgré moi.

Puis je le repoussai gentiment.

— Il va me falloir un peu de temps...

Will m'embrassa de nouveau, plus longuement cette fois, avec une extraordinaire tendresse. Je ressentais un mélange de plaisir et de douleur. J'avais envie de lui et, en même temps, ce besoin me faisait peur. Je savais ce qu'on racontait sur lui et j'avais des doutes sur sa capacité de changer. Mais il le voulait tellement.

Cette fois-ci, c'est Will qui s'écarta de sa propre initiative. Il m'ouvrit la porte et s'éclipsa.

De nuit, l'allée restait éclairée. Je demeurai là un instant, le regardai s'éloigner et rejoindre sa voiture de sport. Et, bien après qu'il eut disparu dans la nuit, je continuai à regarder dans sa direction, sans trop savoir où j'en étais, et parfaitement euphorique.

52

Ce soir-là, Will roula jusqu'à Manhattan et poussa une pointe à plus de 170 sur la Saw Mill River Parkway. Ah, quelle soirée ! Il était vraiment trop doué ! Mais il restait sur sa faim et avait une furieuse envie de baiser. Combien de temps supporterait-il encore de jouer les soupirants romantiques ? Il n'avait guère l'habitude de fournir ce genre de prestation.

Maggie était à l'image de ses chansons, honnête et sans artifices, mais il commençait à se demander si le jeu en valait vraiment la chandelle. Dieu qu'il lui était pénible d'avoir à se montrer si gentil en permanence ! Parfois, il avait même le sentiment que devenir assez bien pour Maggie Bradford relevait de la mission impossible.

C'est le chat et la souris, songea-t-il en franchissant le pont séparant le comté de Westchester de Manhattan. Avec les femmes, il n'en allait pas autrement. Il les attrapait presque toujours, certaines lui donnaient simplement un peu plus de mal que d'autres. Il s'agissait d'un sport, ni plus ni moins, un palliatif du football, un palliatif de tout ce que le football lui-même servait à compenser...

Marchand d'art, Rebecca Post possédait un immense appartement sur la Soixante et unième Rue Est. De ses fenêtres, elle voyait le pont. Rebecca était une petite souris très facile, trop facile à attraper, mais il trouverait bien une idée pour pimenter un peu la partie. Pas de problème.

Will pénétra sans difficulté dans le luxueux appartement. Il en possédait en effet la clé. Il lui avait suffi de la demander.

Une fois dans les lieux, il progressa sur la pointe des pieds. Il se faisait l'effet d'un cambrioleur. Dans le salon, une pendule digitale indiquait 1 h 20 du matin.

S'imaginer dans la peau d'un monte-en-l'air lui plaisait beaucoup. N'était-il pas un spécialiste de l'effraction ? Car c'était bien par effraction qu'il pénétrait dans la vie de tant de femmes. Et ses intrusions ne semblaient pas leur déplaire...

Le loup-garou de Londres, Paris, Francfort, Rome et Rio avait élu domicile à New York. Ainsi allait la vie.

Il jeta un coup d'œil dans la chambre à coucher et aperçut Rebecca qui dormait nue au-dessus des draps, confortablement lovée dans une pose très suggestive. Ses longs cheveux auburn ruisselaient sur l'oreiller. Elle était superbe et extrêmement désirable.

Will savait parfaitement ce qu'il voulait faire : la violer sans prononcer le moindre mot, puis s'en aller.

Et c'est exactement ce qu'il fit, conformément à ses désirs.

Pour la Flèche d'or, comme toujours, l'amour n'était qu'un jeu. Il fallait un gagnant et un perdant.

53

Début janvier, Will dut se rendre à Los Angeles pour tourner quelques bouts d'essai et, à cette occasion, je m'aperçus qu'il me manquait plus que je ne voulais le reconnaître ou plus que je ne m'y attendais. À certains moments, je redoutais d'avoir affaire à un sorcier, un prestidigitateur ou un séducteur professionnel. Barry, lui, en était persuadé, mais je lui rétorquais que Will ne se comportait pas de cette manière avec moi, et je ne mentais pas.

Will rentra un jeudi et m'emmena dîner à Bedford. J'avais mis des chaussures à talons hauts et une robe noire brodée de perles, ce qui me paraissait un peu voyant.

— Tu me plais beaucoup, comme ça, commença-t-il par me dire.

Ce n'était pas grand-chose, mais cela faisait plaisir à entendre. J'étais ravie de retrouver un Will volubile et de fort bonne humeur.

— J'ai une bonne et une mauvaise nouvelle, poursuivit-il. La bonne, c'est que je passe bien à l'image. La mauvaise, c'est que je joue comme un pied.

On éclata de rire tous les deux. Il ne cessait de parler. L'accueil qu'on lui avait réservé à Hollywood semblait l'avoir réellement stupéfié et je me surprenais à être heureuse pour lui. Ce fut un dîner très joyeux. En présence de Will, je me sentais maintenant parfaitement détendue. De temps à autre, je voyais un doigt se pointer vers nous, mais les gens avaient suffisamment de savoir-vivre pour ne pas venir nous importuner. Peut-être s'imaginaient-ils que nous étions amoureux ?

Il neigeait quand nous quittâmes le restaurant. Sous le

fouet du vent, les arbres ployaient comme des danseuses de cabaret et nous courûmes jusqu'à la voiture, les yeux mitraillés de flocons. À ce moment-là, je ne pus m'empêcher de m'accrocher à lui.

Will roula prudemment sur le chemin du retour et me raccompagna à ma porte. J'avais tellement envie qu'il me tienne dans ses bras. Il portait une eau de toilette discrète et très agréable. Je le trouvais superbe dans son blouson. Il avait les joues bien rouges et, lorsqu'il souriait, c'était vraiment quelque chose.

— Bonne nuit, me dit-il. Merci d'avoir bien voulu dîner avec moi. J'espère que je ne t'ai pas trop ennuyée avec mes projets de carrière.

Je ne voulais pas qu'il s'en aille. « Sorcier. »

— Attends. Tu as vu le temps ? Tu ne vas pas repartir en pleine tempête de neige.

« Il y a déjà eu trop d'accidents dans ma vie. »

Son regard brillait d'une lueur étrange, très douce, et je distinguais la même tendresse dans son sourire.

— Ce n'est pas très loin ; ça devrait aller, Maggie.

— Fais-moi plaisir. Entre. Juste quelques minutes.

Il hocha la tête et me suivit à l'intérieur, mais il ne semblait pas avoir envie de rester.

Il avait un coup de fil à donner. Il devait prévenir les Lawrence, qui l'avaient invité à passer prendre un verre.

Quand il en eut terminé, on s'installa dans le salon. Je m'étais déjà assurée que Jennie et Allie dormaient bien. Seul un coup de canon aurait pu les tirer du sommeil et d'ailleurs, il m'en faudrait un le lendemain matin pour obliger Jennie à se lever et à se préparer.

« Je suis célibataire, me disais-je, j'ai trente-huit ans. Je maîtrise la situation et je suis assez grande pour me débrouiller toute seule. Je ne fais rien de mal. J'aime beaucoup l'homme avec qui je suis. Il n'y a pas de doute, il m'a ensorcelée ! »

On regardait la neige tomber. J'avouai à Will :

— Jamais je ne nous aurais imaginés ensemble, côte à côte, en train de regarder la neige.

— Pour être franc, moi non plus. Je ne pensais pas que tu me laisserais te prouver que j'ai fini par me calmer, que je suis devenu adulte, que j'étais capable de m'améliorer. Comment me juges-tu, maintenant ? Il y a du mieux ?

— Tu es parfait comme ça. N'en rajoute pas.

On se mit à rire, je posai ma tête contre son épaule. J'étais bien. J'aimais sentir son dos et les muscles de ses épaules. J'étais la première surprise de me retrouver avec Will, mais j'éprouvais un réel bien-être. J'en arrivais même à reconnaître qu'il était beau comme un dieu. J'adorais son odeur fraîche et propre, son épaisse crinière. J'aurais aimé savoir ce qu'il aimait chez moi.

Puis il tourna la tête et m'embrassa en chuchotant :

— Adulte, mais pas trop.

Son baiser me fit presque tourner la tête.

C'est moi qui l'ai voulu. Je saisis Will par la main et je le conduisis jusqu'à la chambre d'ami, près de la piscine. Je sentais ses doigts s'enrouler autour des miens. Dans la journée, j'avais pris la précaution d'aérer la pièce, de changer les draps et les serviettes. Juste au cas où.

Sans doute en avais-je envie. Non, j'en avais envie, point. Et je ne fus pas déçue.

Coupe sur un train qui s'enfonce dans un très pittoresque tunnel de montagne.

Encore et encore et encore.

54

Des souvenirs très particuliers qui aujourd'hui me troublent énormément, comme des photographies qui ne disent pas tout, des photographies susceptibles de mentir.

La Land Rover bleu et blanc fonçait sur la corniche rocheuse qui dominait notre luxueux hôtel de Las Veides. Will et moi avions trois jours devant nous, trois jours extraordinaires, en amoureux.

Notre chauffeur mexicain prit un virage si vite que le tout-terrain faillit sortir de l'étroite route en lacet, un plongeon qui nous aurait balancés tout droit dans la baie d'Acapulco, trois cents mètres plus bas. J'étais blottie contre Will, je voulais être aussi près de lui que possible et ne perdais aucun détail : la manière dont nous nous emboîtions, les contours de son corps, la moindre petite cicatrice et son origine, la vitesse à laquelle poussait sa barbe blond clair. Je tenais à tout connaître sur sa vie, tout ce qu'on ne pouvait pas lire dans la presse à sensation.

— Si on allait piquer une tête, Maggie ? me demanda-t-il de retour à l'hôtel, d'une petite voix timide que j'aimais bien. On enfile nos maillots et on va explorer les profondeurs de l'océan.

Nous étions en train de nous rouler gentiment sur le lit. Au plafond, un ventilateur en teck brassait l'air en silence.

— Un peu plus tard, peut-être, murmurai-je. Pour une fois que nous sommes seuls, j'ai envie d'en profiter. Ça t'ennuie si... si on ne fait rien ?

— D'accord, on oublie l'océan, me répondit-il en riant. Et si on se passait de maillots pour explorer cette petite piscine privée et ô combien intime que la direction a si aimablement mise à notre disposition ?

— Voilà qui me paraît bien mieux. Oui, ça, ça me tente beaucoup.

Nous nous embrassâmes tendrement pendant de longues minutes, comme nous le faisions souvent, et je m'interrogeai. « Suis-je en train de sombrer ou suis-je en train de redécouvrir des émotions que j'avais oubliées ? »

Will fit coulisser les portes de verre qui s'ouvraient sur une magnifique terrasse. Une fois nus, nous nous avançâmes jusqu'au bord du petit bassin où le soleil déversait une pluie d'astres et de diamants. Des perruches et des perroquets aux couleurs chatoyantes s'interpellaient dans les campêches. On se serait cru au paradis.

À travers les palmiers et les bougainvillées, j'apercevais les toits rouges des autres pavillons, mais pas les piscines privatives. Un luxe que j'appréciais. Si je ne voyais personne, personne ne pouvait nous voir.

Je sautai dans la piscine en entraînant Will. Ce n'était pas une plaisanterie stupide ; nous avions simplement envie de jouer, comme des gamins.

Il m'attrapa le bras, me tira à lui. Il était déjà en érection. Je fis glisser mes mains le long de son corps mince et musclé, lui caressai les cuisses. Il se montrait si tendre, si chaleureux, que j'avais l'impression de m'être trompée à son égard.

Nous nous embrassâmes langoureusement.

Will était debout. Il me retourna pour que je puisse prendre appui sur le rebord de la piscine et, très lentement, il me pénétra. Je fermai les yeux en me gorgeant de sensations nouvelles, goûtant avec délices le soleil qui me caressait le visage et le feu qui se propageait en moi.

Je n'avais encore jamais connu quelqu'un comme Will. Avec lui, j'avais vraiment l'impression d'exister. Il fallait que je le dise, car c'est la vérité.

55

Il y a une image, une image très forte, qui ne colle pas avec le reste. Une scène très belle et troublante qui demeurera toujours pour moi un mystère. Chaque fois que je l'évoque, j'en ai un pincement au cœur.

Au retour de notre escapade mexicaine, nous nous offrîmes un grand week-end pour faire tout ce dont les enfants avaient envie. Enfin, presque tout... Ils étaient fous de joie, et Will fut merveilleux.

On commença par passer une journée à New York, en touristes. Nous visitâmes le World Trade Center, la statue de la Liberté, le quartier des musées, nous allâmes même au Hard Rock Café. Et le lendemain, on fit encore plus fort : toute une journée ensemble à la maison, en famille. Le grand test, quoi.

En regardant Jennie et Allie jouer avec Will, je compris tout de suite qu'ils l'adoraient. J'avais la quasi-certitude qu'il aimait être avec eux, qu'il rêvait d'élever des enfants en leur donnant toute l'affection nécessaire, toute l'affection dont lui-même (il m'avait fait cette confidence) avait été privé durant sa jeunesse.

Je le revois avec Allie cet après-midi-là, à la maison. Cette image extraordinaire ne s'effacera jamais de ma mémoire.

C'était une belle et douce journée ensoleillée, on se serait cru pendant l'été indien. Ils montaient l'un des chevaux, une jument très docile que Jennie avait baptisée Sac à puces, et avançaient sur l'océan des hautes herbes ondoyantes.

Leurs anoraks étaient ouverts, et ils se comportaient de

manière très virile. On ne voyait que leurs tignasses blondes. Sac à puces, au petit galop, donnait l'impression d'être au ralenti, et eux deux riaient comme des bossus.

Will, rayonnant de joie, avait soigneusement calé Allie entre ses bras. Je savais que ce bonheur était réel et j'étais aux anges. Ils faisaient tous les deux plaisir à voir.

Jennie vint me rejoindre en disant :

— Ils sont mignons, hein ? On dirait un vrai papa et son petit garçon. Tu sais, maman, c'est génial. Je me sens si bien.

— Moi aussi, lui répondis-je, et je la pris dans mes bras.

56

Will me disait tout. Nous nous disions tout et j'avais fini par croire que nous n'avions plus de secrets. Un soir, il me raconta une histoire horrible. Son père venait de battre sa mère, qui lui avait murmuré ensuite : « Maman, tu sais, elle, elle t'aime. »

Lorsqu'il se confiait ainsi, je me sentais terriblement proche de lui. Peut-être ne m'étais-je encore jamais réellement sentie proche de quelqu'un, mais une chose est certaine : jamais je n'avais rencontré un homme blessé à ce point.

— Ce qui ne l'a pas empêchée de partir, poursuivit-il, le regard absent. Comme quoi, Maggie, elle ne m'aimait pas vraiment.

Dans ces moments-là, il me faisait complètement craquer et je l'imaginais alors enfant. Un joli petit gamin aux yeux bleus.

— Crois-tu qu'elle soit partie à cause de toi ?

— Oui, mais je m'en remets tout doucement. Je serai bientôt guéri et je n'y serais jamais parvenu sans toi, Maggie. Grâce à ta présence, à celle de Jennie et d'Allie, tout a changé.

Je lui pris la main. Comment ne pas voir la souffrance qui le rongeait, l'amour qu'il éprouvait pour moi ? Il me touchait immensément. J'imaginais sans peine ce qu'il avait vécu et peut-être essayais-je même, sans m'en rendre compte, de transposer dans cet univers tragique mon propre père tout aussi irascible que le sien.

— Je ne te quitterai pas, lui chuchotai-je. Jamais.

— Épouse-moi, Maggie. Ne m'abandonne pas. Jure-le.

Et, le lendemain matin, je lui déclarai que j'acceptais.

57

Le chat et la souris. L'amour était un jeu passionnant.

Cam Matthias, une jeune femme qui se destinait à la carrière de mannequin, prit Will dans sa bouche et le caressa longuement d'une langue aussi souple que longue, arrachant un gémissement à l'intéressé dont les doigts se crispèrent dans sa généreuse chevelure rousse.

« C'est un vrai tigre, songea Cam. J'ai peut-être mis la main sur l'homme le plus excitant de la terre. Il existe forcément, non ? »

— Oh, grogna Will. Putain, Cam, c'est génial. Tu es géniale.

Ils faisaient l'amour depuis des heures. Il n'en avait jamais assez et, à son contact, elle était devenue aussi insatiable que lui. Lorsqu'elle sut, ou crut, qu'il allait jouir, elle le libéra, se coucha sur le dos, glissa sa queue entre ses seins et se remit à la compresser, persuadée que cette fois, il n'allait pas pouvoir tenir longtemps. Mais rien ne semblait pouvoir l'arrêter. On aurait dit le lapin Duracell, version sexe. Une évocation qui la fit hurler de rire et Will, aussitôt, l'imita.

Ensuite, elle s'agenouilla au pied du mur, écarta des deux mains ses fesses parfaitement moulées et lança :

— Surtout, prends ton temps. Comme d'habitude...

Will Shepherd devait se marier le lendemain.

58

À 13 heures pile, trois heures avant « le mariage de la décennie », deux douzaines de policiers tirés à quatre épingles, arborant uniformes bleu marine et gants d'un blanc immaculé, prirent position aux différentes entrées de la propriété Bradford ainsi que le long de Greenbriar Road. Leur première mission : tenir à l'écart tous ceux et celles qui avaient fait le chemin depuis New York ou Yonkers, voire le Tennessee ou le Texas, pour nous apercevoir le jour de notre mariage.

Nos fans risquaient d'être déçus. Ni Will ni moi ne tenions à être sous les feux de la rampe en ce grand jour. Et pas davantage les jours suivants.

À 15 heures, la police avait officiellement interdit Greenbriar Road au public. L'accès à la voie était désormais réservé aux seules personnes munies d'un carton d'invitation Cartier portant une laconique inscription en lettres d'argent.

J'avais pris soin de réserver l'une des chambres donnant sur l'arrière, à l'abri des regards indiscrets, afin d'en faire mon salon d'essayage et de disposer d'un endroit calme pour pouvoir récupérer un peu avant le début des hostilités.

Jennie (qui semblait considérer mon mariage comme le plus grand jour de sa vie), le couturier Oscar Echavarria et deux de ses jeunes collaborateurs passèrent l'après-midi à voleter autour de moi. Allie, confié à la garde bienveillante de Mme Leigh, considérait tout ce remue-ménage avec un certain ravissement. Je portais une superbe robe de satin crème assortie d'un voile et d'une traîne, l'un et l'autre relativement discrets, en dentelle de Belgique. Autour du cou, un unique rang de perles. J'étais la plus heureuse des femmes, je me sentais belle à l'intérieur comme à l'extérieur. Will avait fini par guérir, et moi aussi.

— Très élégant, magnifique, absolument parfait, décréta Echavarria tel un Léonard de Vinci face à Mona Lisa.

Je l'écoutais pérorer en luttant pour ne pas éclater de rire.

— Je te trouve super, maman, jugea Jennie, plus sobrement.

— Laissez-moi seule quelques minutes, dis-je. J'ai besoin de souffler un petit peu.

— Pas de problème, fit Jennie.

— C'est ça, tout le monde dehors !

Tel un maître de ballet, Echavarria claqua des mains. La pièce se vida, mais Jennie resta, à ma demande.

— Je te remercie de m'avoir supportée ces dernières semaines, lui dis-je. Maintenant, va te faire belle. Mais attention, hein, pas plus belle que la mariée !

— Ne t'inquiète pas. Même si je voulais, je ne pourrais pas. Et je ne veux pas.

Je lui ai chuchoté :

— Je t'aime.

— Moi, je t'aime encore plus, maman.

— Impossible.

— Si. Puisque je te le dis.

La liste des invités tenait du Bottin mondain. Il y avait bien sûr Winnie Lawrence, l'ami et manager de Will, Nathan Bailford, Barry, mes amis de Bedford, mes sœurs et leur famille, des musiciens, des interprètes, des gens du foot. Sans parler des journalistes et photographes de toute la presse new-yorkaise et régionale, des télévisions locales et des grands *networks*, des correspondants de *People* ou de *Time*. J'avais quasiment l'impression que plus de la moitié des invités étaient des inconnus.

J'appris plus tard que l'une des dernières voitures arrivées était une rutilante Maserati bordeaux.

Conduite par Peter O'Malley, qui avait réussi, j'ignore comment, à se procurer une invitation.

La porte de la chambre s'ouvrit brutalement. Personne n'avait frappé. Qui pouvait bien...

— Will, tu n'as pas le droit de...

— De quoi ? coupa-t-il, le visage illuminé d'un grand sourire, superbe et très élégant dans sa queue-de-pie Brioni noire. De me marier aussi jeune ? Sans doute, mais avec une femme aussi ravissante que toi, je n'ai pas pu résister. Sais-tu à quel point tu m'as manqué hier soir ? Tiens, je vais te montrer.

Il fit un pas vers moi.

— Dehors, ou gare à toi, lui intimai-je en riant (il arrivait toujours à me faire rire). Allez, dehors, je ne plaisante pas.

Mais, sans tenir compte de mes mises en garde, il avança, me prit dans ses bras et m'effleura la poitrine. Un geste discret et d'autant plus provocant.

— Hum. Tu es un régal pour l'œil. Et pour la main.

— Will !

— C'est moi. Pourquoi ?

— Je t'adore, mais maintenant, va-t'en.

— D'accord, d'accord. Je respecte tes souhaits et, dès à présent, je me bornerai à t'honorer et à t'obéir.

Et il quitta obligeamment la pièce en fredonnant *Always*. Je me dis, en souriant, que c'était un prélude idéal.

59

Lorsque les premières mesures de la *Marche nuptiale*, jouées par un jeune pianiste de l'école Juilliard, s'élevèrent au-dessus de la pelouse, je sentis un frisson me traverser le corps. L'ambiance me grisait. Ce que j'étais en train de vivre dépassait tout ce que j'avais pu imaginer.

Tandis qu'on conduisait les retardataires à leurs places sous l'œil omniprésent des caméras, une meute de photographes mitraillait les invités et le futur marié. Les hélicoptères des radios et télévisions tournoyaient dans le ciel d'azur, ne perdant aucune miette du spectacle.

Quand je fis enfin mon apparition, le bouquet de lys tremblait dans mes bras.

J'avais déjà eu l'occasion d'affronter des foules immenses, mais cette fois-ci le trac refusait d'abandonner le terrain. Je repérai mes sœurs et leur famille, parvins à leur lancer un petit sourire. Jennie, qui était ma demoiselle d'honneur, montait solennellement la garde près de l'autel. Allie gigotait dans les bras de Mme Leigh, assise au premier rang. Eleanor et Vannie, les deux tantes de Will, avaient fait le déplacement. L'une avait des allures de matrone, l'autre était singulièrement séduisante.

À cet instant, je marquai un temps d'arrêt. À leur côté se tenait Will, qui aurait dû normalement se trouver près de l'autel... mais non, ce n'était que Palmer, sorte de copie un peu floue.

Barry m'escorta dans l'allée de gazon jonchée de fleurs. Il me paraissait un peu ramassé dans son smoking, et l'œillet qu'il portait à la boutonnière donnait déjà des signes de fatigue. Au moment de me lâcher le bras pour rejoindre sa place au premier rang, il me chuchota :

— Tu es extraordinairement belle. Je te trouve rayonnante.

Je levai les yeux en direction de l'autel blanc ornementé de roses blanches et roses. Un peu chargé, sans doute, mais malgré tout très beau. Will, flanqué de son témoin, Winnie Lawrence, me souriait.

Jamais, à aucun instant, l'idée de renoncer ne m'a effleuré l'esprit.

— Je vous déclare à présent mari et femme, énonça le prêtre.

Will souleva mon voile et m'embrassa tendrement. Je le sentais à travers sa queue-de-pie. Il était toujours aussi généreux... Applaudissements de l'assistance, pluie de flashes, le tout couvert par le vacarme des hélicoptères qui tournoyaient au-dessus de nous. Ce fut une scène inoubliable !

Une cohorte de serveurs amidonnés surgit de la maison, portant des plateaux d'argent garnis de coupes de champagne. Des renforts arrivèrent presque aussitôt pour proposer fruits de mer et caviar sur glace, canapés au crabe et autres sandwiches miniatures, fromages, fruits et pâtés. À l'entrée de l'immense tente à rayures blanches et jaunes qui tiendrait lieu de salle de bal, sur une estrade de pin fraîchement encaustiquée, un grand orchestre dirigé par Harry Connick Jr. se mit à jouer.

Peut-être n'était-ce pas le mariage de la décennie, mais je dois avouer qu'il y avait malgré tout de quoi être impressionné. Béate de satisfaction, je commençais à me sentir très à l'aise.

La tente couvrait deux mille cinq cents mètres carrés de terrain entre la maison et le petit étang. À l'intérieur, des gamins jouaient à se poursuivre entre les tables. Sur les nappes jaune pâle trônaient des paniers en osier débordant de fleurs des champs.

Des valses de Strauss à Carly Simon et Patsy Cline, le programme musical se voulait éclectique. À l'issue du somptueux dîner servi, et juste avant le dessert, Barry se leva pour entonner son *Light of My Life*, à la grande joie des invités — et des jeunes mariés — qui lui firent un triomphe.

Puis mon ami Harry Connick prit la parole, interrompant le brouhaha de la foule :

— À présent, la mariée va découper le gâteau. Allez, Maggie, ramène-toi. Il est temps que tu reviennes sous les projecteurs.

Des serveurs apparurent, portant trois gargantuesques pièces montées, chacune surmontée d'un footballeur et d'une chanteuse en pâte d'amandes. Évidemment, il nous fallut sacrifier au rituel de la dégustation croisée et les photos de Will et moi barbouillés de pâtisserie allaient faire la une de *People*, *Paris-Match* et autres revues peu académiques.

Le dîner achevé, les tables furent promptement enlevées et l'orchestre reprit du service. Will et moi dansâmes la première valse (sur *Starglow*, l'une de mes compositions), puis les invités nous rejoignirent sur la piste.

J'étais en train de voleter sur le parquet quand un homme vint littéralement m'arracher aux bras de Barry.

— Alors, heureuse ?

C'était la voix pâteuse de Peter O'Malley, imbibé de whisky, aussi blême que Patrick au moment de sa mort. Physiquement, on aurait dit une caricature du père : similitude de traits, mais de tout petits yeux et vingt à trente kilos de plus.

— Lâchez-moi, Peter. S'il vous plaît !

Il me serrait les bras avec une telle violence que je sentais ses ongles s'enfoncer dans ma chair. Il était comme fou.

— Espèce de petite salope, te rends-tu compte de ce que tu me fais ? Tu as eu mon père, et maintenant tu as sa baraque, son pognon, sa mort sur la conscience et un mari tout beau, tout neuf.

Je voulais me dégager, mais cet ivrogne m'en empêchait. J'ai tout de même réussi à articuler, aussi calmement que possible :

— Comment ça, « sa mort sur la conscience » ?

— Tu sais très bien ce que je veux dire ! me hurla-t-il au visage.

— Vous pensez que je l'ai tué ?

— Je pense que sa mort faisait bien ton affaire. N'en

disons pas plus. À chacun de tirer ses propres conclusions. Moi, j'ai ma petite idée et je sais que je ne suis pas le seul.

— Il est mort d'une crise cardiaque, Peter. Allez-vous-en, s'il vous plaît, vous êtes soûl.

— Une crise cardiaque provoquée par qui ? Que lui as-tu fait, Maggie ? Tu l'as *baisé* à mort ?

Là, j'ai réussi à libérer mon bras droit et la gifle est partie à toute volée. De quoi lui faire reprendre ses esprits.

Ses yeux noirs de hargne se rétrécirent. Il me lâcha l'autre bras.

— Une vraie pute, hein ? J'en étais sûr. Donc tu dois être habituée à ça ! (Et il me jeta au visage son verre de vin rouge, m'aveuglant momentanément.) Quant à Shepherd, ce n'est qu'un dragueur professionnel. Toute la planète le sait.

J'entendis Will pousser un rugissement de colère, mais je ne le vis pas se précipiter sur Peter. Il le plaqua au sol et lui expédia une série de coups de poing. Peter ne faisait pas le poids.

C'est Winnie Lawrence qui, finalement, arrêta le massacre en séparant, tel un arbitre, les deux corps enchevêtrés.

— Maggie ! cria Will. Oh, ma pauvre Maggie ! Ça va ?

Le visage inondé de sang, un œil déjà à demi fermé, Peter se releva tant bien que mal.

— Tu as pris le fric de mon père, ses hôtels, tout ! C'était mon père, et *tu l'as tué* !

Deux hommes de la sécurité le conduisirent finalement hors de la tente. Trop faible pour se débattre, il s'en alla sans protester. J'imaginais déjà les gros titres du lendemain...

Will me prit dans ses bras et m'essuya délicatement le visage avec son mouchoir en me réconfortant à mi-voix :

— Je suis vraiment désolé, Maggie. Oublie ce Peter O'Malley. On commence une nouvelle vie, et je t'aime.

— Moi aussi, je t'aime, Will.

C'était la pure vérité.

60

— Allô, Will ? C'est toi ? Will le vieux marié ? Le célibataire repenti ?

— Absolument, Winnie. Alors, quoi de neuf dans les territoires de l'Ouest ? De bonnes nouvelles ? Vais-je pouvoir entamer une brillante carrière d'acteur ?

— Tu ne vas pas me croire, mais Michael Caputo a donné le feu vert. Il te juge très sexe et ton état d'esprit lui convient. Bref, il a décrété que tu étais doué.

Instantanément, Will retrouva l'excitation du Grand Frisson. Il décolla bruyamment de son fauteuil, mais il n'y avait personne pour l'entendre.

— Raconte-moi tout.

— Eh bien, pour commencer, il s'agit du rôle principal de *Primrose*. J'ai bien dit le rôle principal. Le personnage s'appelle North Downing, mais cela mis à part, le scénario est honnête. Le plus important, c'est que ça va faire un carton dans les salles.

Primrose était l'histoire d'une idylle passionnelle, située au début du siècle, une saga qui figurait depuis plus de cent semaines sur la liste des meilleures ventes du *New York Times*. Le réalisateur Michael Caputo avait acquis les droits de ce best-seller fracassant pour une petite fortune ; il avait décidé de produire lui-même son film. Et, à l'instar de David O'Selznick pour *Autant en emporte le vent*, il avait organisé à grand renfort de publicité une gigantesque campagne d'auditions à travers tout le pays afin de dénicher l'acteur inconnu qui interpréterait le rôle-vedette. La phénoménale popularité du roman et la dimension de sa principale interprète féminine, la fougueuse Suzanne Purcell, que l'on disait aussi volcanique à la ville qu'à l'écran, garantissaient le succès commercial du film.

— Incroyable, souffla Will. Je ne pensais pas avoir la moindre chance. Finalement, j'ai peut-être quand même des dons d'acteur.

— Il n'y a pas eu photo. Tu passes très bien à l'image et tu sais jouer. Caputo s'en est tout de suite rendu compte, et même l'auteur, cette conne, t'aime bien.

— N'empêche que, si tu ne m'avais pas poussé, je n'aurais jamais osé faire des essais pour le grand Caputo. Quand doit débuter le tournage ? Et où ? Je ne tiens déjà plus en place.

— Le tournage aura lieu en Australie, dans très peu de temps.

— En Australie, pour une épopée censée se situer aux États-Unis ? Tu me charries, là ?

— Quand c'est l'été chez nous, c'est l'hiver en Australie, répondit laconiquement Winnie, comme si cela pouvait tout expliquer.

— Et alors ?

— Alors ? Bienvenue à Hollywood !

61

Tout le monde était sur le plateau. Tout le monde sauf Suzanne Purcell, qui ne jouait pas dans la première scène et ferait son entrée à sa manière et à son heure. Elle était la star de *Primrose,* après tout. Et dans les immenses plaines de Perth qui ondulaient jusqu'à l'horizon, les montres n'affichaient que 5 h 30 du matin.

Le tournage allait commencer. Scène un, première prise, images Nestor Keresty, mise en scène Michael Lenox Caputo. Chacun misait de grands espoirs sur ce film dont les recettes, tous pays confondus, totaliseraient peut-être 400 millions de dollars. Le roman caracolait toujours en tête des meilleures ventes...

Caputo et plusieurs techniciens s'étaient réfugiés dans la loge de Will, une caravane mal chauffée, pendant que le capricieux mais génial Nestor Keresty réglait savamment ses éclairages — premier plan, fond, saturation — pour retrouver la lumière très particulière des premières lueurs de l'aube dans la campagne texane. C'était du grand art.

Au début du film, North Downing devait faire accoucher une jument dans une écurie en ruine, à la lumière d'une lampe à pétrole. Cette scène avait apparemment déjà ému des millions de lecteurs. North Downing incarnait le dernier cow-boy américain, mais derrière le personnage rugueux se cachait un mari et amant intuitif et sensible.

Will tira Caputo à l'écart.

— Je veux que vous me fassiez une promesse et je suis très sérieux, Michael. Une promesse que vous allez devoir tenir.

Le réalisateur fronça les sourcils. Il avait l'habitude des requêtes bizarres et l'acteur auquel il avait affaire aujourd'hui était un néophyte. Enfin, un néophyte taillé en athlète et doté, à en croire la presse, d'un tempérament explosif.

— Ce que vous voudrez, Will.

— Je veux que vous me fassiez transpirer, je veux en baver. Quand je trimbalerai ce poulain, je veux que ça ait l'air pénible, comme si c'était aussi douloureux pour moi que pour la jument. Je veux que vous m'aidiez à devenir un acteur, un vrai.

Caputo sourit et se mordit la lèvre sans ménagement pour ne pas rire. Jamais on ne lui avait encore demandé une chose pareille.

— Parce que vous pensez que le physique ne suffit pas ?

— Bien sûr que non. Une belle gueule, ça ne fait pas un bon acteur. Il suffit de voir Tom Cruise.

— Mais c'est ce que recherche le public, Will. Croyez-moi. Aujourd'hui, le style fait l'homme.

— Je me fous du public et ça ne date pas d'hier. J'étais le meilleur sur les terrains de foot, je veux le devenir au cinéma. Et j'y arriverai, vous pouvez avoir confiance en moi.

Michael Caputo regarda Will, sidéré, en songeant : « Ce type est un vrai gosse. Quelle naïveté... »

— Je m'y emploierai de mon mieux, lui dit-il.

— Je n'en demande pas plus. Je me chargerai du reste. Et vous finirez par ravaler ce sourire condescendant que j'ai vu sur votre visage il y a à peine une minute.

— Ce sera avec joie, lui assura Caputo, dont le visage s'éclaira.

Il aimait bien Will Shepherd, en fin de compte, et il lui souhaitait de réussir.

Dans la toute première scène, North Downing aidait la jument à mettre bas, puis portait le poulain à sa jeune épouse, Ellie. Ce matin-là, on ne tournerait que la séquence où North délivrait la jument puis traversait la cour pour aller montrer le poulain. Le face-à-face avec Ellie serait filmé ultérieurement.

Vingt-deux prises furent nécessaires. Malgré les nombreuses répétitions, Will jouait maladroitement. Obnubilé par les consignes de Caputo, il ne parvenait pas à distiller l'émotion sans laquelle la scène risquait de basculer dans la mièvrerie.

Caputo le harcela pour l'obliger à s'exprimer. Will transpirait tellement qu'il fallait retoucher son maquillage après chaque essai. À la vingt et unième prise, enfin, ce fut parfait.

— Encore une dernière, exigea Caputo. Par précaution.

Will se replaça derrière la jument, fit mine d'extraire le poulain avec un grognement de satisfaction, le prit affectueusement dans ses bras, sortit de l'écurie en chancelant légèrement, traversa la cour gelée et franchit une porte dans un décor qui représentait la façade de la demeure de North Downing.

Il s'arrêta net, esquissa un sourire, puis se mit à rire à gorge déployée. « Nom de Dieu, ça, c'est le summum. »

Derrière la façade, hors champ, il y avait une femme. Et lorsque Will passa la porte, le poulain dans les bras, elle déchira son chemisier pour lui montrer ses seins.

Il faillit laisser tomber l'animal. Le regard de la jeune femme brillait de malice et de désir.

« Maggie ne me le pardonnera jamais, se dit-il. Si tu sautes cette nana, c'est toi qui vas sauter. Elle va foutre ta vie en l'air. »

Mais il ne put s'empêcher de la contempler. Elle était superbe. Et il avait croisé suffisamment de beautés célèbres dans le monde pour se fier à son jugement.

— Bienvenue dans l'univers de *Primrose,* lui lança Suzanne Purcell.

62

Je n'avais pu passer qu'une petite semaine avec Will en Australie. Barry m'implorait d'achever le prochain album et j'avais accepté de me remettre à l'ouvrage.

Lorsque ma voiture s'arrêta devant le 1311 Broadway, je me souvins d'un fameux matin d'hiver, en pleine tempête de neige, un certain nombre d'années plus tôt. « Regarde le chemin parcouru, me disais-je en souriant. Te voilà vedette de la chanson, heureuse en mariage, parfois au bord de l'overdose de sexe. Pas trop mal, non. Et elle est bien loin, maintenant, la petite Maggie angoissée, complexée, venue trouver Barry pour qu'il lui trouve n'importe quel boulot... »

Ce jour-là, Barry surgit de son bureau pour m'accueillir et c'est lui qui m'apporta le café.

— Viens, on va faire un petit tour au studio. Je t'ai concocté plusieurs arrangements pour *Juste Some Songs* et j'ai hâte que tu les écoutes.

— Barry, j'ai deux nouveaux morceaux, *made in Australia*.

— Les arrangements d'abord, tes bandes ensuite. Tu m'as l'air en pleine forme, Maggie. Toujours aussi rayonnante. Visiblement, ce mariage t'a réussi.

— Je suis heureuse, Barry. Réellement heureuse.

Jamais, bien sûr, Barry n'aurait admis s'être trompé au sujet de Will.

Une fois dans le studio, nous nous remîmes à l'œuvre comme d'habitude. Rien n'avait changé. Nous adorions notre travail et nous adorions travailler ensemble. Et nous avions un défi à relever : nous efforcer que chaque disque (et chaque morceau) soit différent et meilleur que le précédent. Certes, nous ne réussissions pas chaque fois, mais nous ne ménagions pas nos efforts.

La journée se déroula très bien. Les arrangements de Barry me plaisaient (c'était presque toujours le cas, même si je me montrais bien plus difficile qu'au début) et, de mes deux morceaux, Barry aimait beaucoup le premier et un peu le second. L'album s'annonçait bien.

Nous nous arrêtâmes en début d'après-midi et je décidai d'aller faire les magasins, histoire d'évacuer un peu la pression. Je l'avais bien mérité, après tout. Ensuite, je rentrerais profiter des enfants. Ce soir-là, c'était moi qui cuisinais. Et ensuite, une cassette de *Forrest Gump*. Nous ne l'avions vu que six fois. Peut-être allais-je préparer des crevettes, ça ferait rire Jennie.

Je dégotai une petite bricole que je cherchais chez Bergdorf Goodman et ressortis vers 15 h 30. Un flot de taxis et de bus s'écoulait lentement dans la Cinquième Avenue et les trottoirs étaient noirs de monde. Je ne voyais ni la voiture, ni le chauffeur.

Alors les ennuis ont commencé.

Je vis une caméra de télévision émerger de la foule comme un périscope de sous-marin et deux jeunes singes barbus de Fox News qui se faufilaient jusqu'à moi. Des brutes épaisses, avec de bien sales gueules.

— Maggie ! Maggie Bradford ! m'interpella l'un d'eux.

Instinctivement, je m'éloignai en cherchant désespérément ma voiture du regard.

— Maggie ! Par ici, Maggie ! Est-il vrai que vous et Will avez eu des problèmes en Australie ? Est-ce pour cela que vous êtes rentrée ?

J'entendais tourner une caméra. Les passants s'arrêtaient pour nous regarder. « Ah, ces équipes de télé, quel cauchemar ! Occupez-vous donc de vos fesses, je m'occupe des miennes. »

— Non.

Je pouvais difficilement faire plus court.

— On raconte qu'il s'est établi une grande complicité entre Suzanne Purcell et lui. Vous êtes au courant ?

Mon estomac se serra.

— Non.

Will et moi savions que des rumeurs sur Suzanne et lui finiraient immanquablement par circuler. S'il n'y en avait pas eu, la production se serait probablement chargée de les alimenter.

— Alors vous n'avez pas vu la photo ?

— Non. Je n'ai pas de commentaires. Merci pour les ragots.

Je ne parvenais pas à fendre la foule et à semer cette bande de vautours. Où diable était passée cette voiture ?

— La photo, Maggie, relança un nain teigneux et chauve de Channel Five en me brandissant un micro sous le nez. Elle est dans toute la presse. Will et Suzanne Purcell dans un moment très intime. Vous ne l'avez pas vue ?

Je l'écartai de mon chemin en le repoussant sur son cameraman et, quand j'aperçus enfin la voiture, je filai me réfugier à l'intérieur.

Ce n'est qu'au moment où je vis défiler les sapins, à quelques kilomètres de la maison, que je commençai à me décontracter. Ces salauds avaient un de ces culots ! Ce n'était pas la première fois que je m'accrochais avec un journaliste. Il y avait déjà eu des incidents à Rome et à Los Angeles. Et le droit à la vie privée ? Pour qui se prenaient-ils, ces morveux ?

Si seulement Will était de retour ! J'aurais tant aimé l'avoir là, à mes côtés, dans cette voiture...

« Laisse tomber le cinéma, Will. On n'a qu'à disparaître et redevenir anonymes jusqu'à la fin de nos jours. »

Cette photo de Will et Suzanne pouvait-elle être vraie ? Non, je refusais d'y croire. J'avais le sentiment de bien connaître Will désormais, et ce cliché ne pouvait être qu'un montage. Ce n'était pas la première fois que les *paparazzi* nous pourrissaient la vie, et ce ne serait pas la dernière.

Dans la voiture, j'avais réussi à chasser les soupçons de mon esprit mais ce soir-là, quand j'allai me coucher, je mis des heures à m'endormir.

Will et Suzanne Purcell.

Non !

Maudits *paparazzi*.

63

Il n'y avait pas de *paparazzi* sur le plateau.

Intérieur jour. La salle de bains d'Ellie.
Très belle lumière dans toute la pièce. Ellie se prélasse dans une baignoire en zinc. L'eau est couverte d'une épaisse couche de mousse qu'elle écarte de temps à autre pour contempler son ventre. North entre, visiblement préoccupé.

Coupe. *Ellie regarde son mari d'un air honteux. North s'agenouille près de la baignoire. C'est un homme particulièrement sensible, et il comprend ce que ressent sa femme.*

North : Pourquoi ne cesses-tu de m'éviter, Ellie ? Depuis que nous avons notre enfant, tu ne me laisses plus t'approcher. Ce n'est pas ce que nous voulions.

Ellie : Parce qu'en ce moment, je ne suis pas belle. Voilà pourquoi. (Elle fond en larmes.) Je ne serai plus jamais belle. Ce bébé a déformé mon corps ; je suis devenue vieille.

North : Dix-neuf ans, ce n'est pas vieux, et tu es aussi belle qu'avant. (Il commence à écarter la mousse.) Tu es Ellie, et cela, ça ne changera jamais.

Ellie : Non, je t'en prie... North, non.

North : Chut. (Il balaie la mousse, on distingue la poitrine d'Ellie.) Tu vois, tu es très belle. Si belle que je vais avoir du mal à me retenir.

Ellie : Je suis boursouflée comme un cochon de lait. Je me sens mal et je me sens vieille, même si ce n'est qu'une impression.

North. (Il prend un gant de toilette et caresse délicatement le corps d'Ellie ; sa main s'enfonce dans la mousse et glisse entre ses seins.) Je ne sens rien de vieux là... ni là... et encore moins là.

Coupe. *Visiblement émoustillée, Ellie sourit. Un sourire magnifique. Elle est aussi belle que l'affirme North.*

North : (Continuant à la caresser.) Ma petite Ellie, ma beauté.

Ellie : (Haletante.) Suis-je encore ta petite Ellie ?

North : Bien sûr et tu le seras toujours. Je te l'ai dit et cela ne changera pas. Même lorsque tu seras effectivement vieille.

Gros plan. *Ellie et North s'embrassent, avec de plus en plus de fougue. La vapeur envahit soudain la pièce.*

La caméra plonge vers l'eau du bain qui frémit à mesure que s'agite la main de North, que l'on ne voit toujours pas.

— Coupez ! ordonna Michael Lenox Caputo, fracassant le silence qui régnait sur le plateau. Merveilleuse prise. Mettez-moi ça en boîte. Maintenant, il faut que j'aille me masturber !

Mais ni Will, ni Suzanne ne s'arrêtèrent et les techniciens laissèrent tourner les caméras. Bientôt, ils seraient en possession d'images qui feraient le bonheur d'une certaine télévision.

Will et Suzanne semblaient indifférents à ce qui se passait autour d'eux. Elle était sortie de son bain et, toujours parfaitement nue sans que cela parût la gêner, tirait sur la ceinture de Will en riant. Il la souleva, plaqua sa bouche sur la sienne dans un baiser que les spectateurs de *Primrose* ne verraient jamais, l'emporta jusqu'à sa caravane et referma la porte du pied.

Le loup-garou de Perth.

64

— Et maintenant ? demanda Will.

Le tournage de *Primrose* s'était achevé. Il ne manquait plus que d'éventuelles scènes additionnelles, le montage et la postsynchronisation.

Suzanne et lui se promenaient dans la poussière de la plaine désertique. Il n'avait pas voulu cette liaison mais, comme l'affirmait le dicton, nul n'était à l'abri d'un accident. Suzanne était indiscutablement l'une des plus belles femmes du monde et Will avait toujours apprécié ce qu'il y avait de meilleur.

— Je rentre en Californie et toi, tu redeviens M. Maggie Bradford, comme au début.

Will cligna les yeux. Ces mots lui faisaient mal.

— Et ce qui s'est passé ici ?

— On a eu de bons moments, hein ? Tu es un bon, Will. L'un des meilleurs.

— L'un des meilleurs ? s'étrangla-t-il en riant. Tu es à la fois très belle et très bonne comédienne.

— Eh oui, lui rétorqua Suzanne. J'ai quelque chose dans le crâne, Will. Tu sais, mon chéri, j'ai eu les meilleurs. Des acteurs, des sportifs de ton niveau, des champions de ski. Mais toi, tu es très bien, ne t'inquiète pas.

Il sentit revenir ses vieux démons. Arrachés à leur sommeil, au fond de ses tripes, ils rampaient déjà en direction de son cerveau. Il avait horreur de perdre. Tout échec lui était proprement insupportable.

— Grâce à ce film, renchérit-il en luttant pour ne pas

élever le ton, je vais me faire une nouvelle réputation et je ne serai plus « M. Bradford ».

— C'est moi qui ai fait ta réputation, corrigea Suzanne Purcell, ne l'oublie pas. Et il ne faut pas que tu laisses ce boulot de dingue te monter à la tête. Tu sais que ça peut rendre fou.

« Démolis-la, songea-t-il. Mais pas maintenant. Pas de panique, Will, vas-y doucement. Rio t'a servi de leçon. »

Il ne répondit pas. Puis, lorsqu'ils firent demi-tour en direction de l'hôtel, il lui proposa :

— Un dernier petit coup, pour la route ?

Un grand sourire se dessina sur le visage de Suzanne. Elle prit Will par le bras.

— Voilà une saine réaction. Quelle chambre ?

— La tienne. Tu me prêteras tes jouets.

Suzanne Purcell n'avait pas la moindre idée de ce qui avait pu lui arriver. Elle vivait un véritable cauchemar.

À l'instant même où elle pénétrait dans sa chambre d'hôtel, Will l'avait frappée par-derrière. Un grand coup entre les omoplates, puis elle avait vu le tapis bleu venir à sa rencontre. Après avoir violemment heurté le sol, elle avait perdu conscience.

Et, en émergeant, elle s'était retrouvée comme ça.

Il l'avait attachée avec les cordes à sauter dont elle se servait pour ses exercices quotidiens, et l'avait bâillonnée avec son propre soutien-gorge et un peu de corde pour faire bonne mesure.

Puis il l'avait déposée dans la baignoire.

Et là, c'était devenu l'horreur.

Il lui avait entaillé les deux poignets en regardant le sang ruisseler jusqu'à la bonde.

Et, maintenant, il la regardait saigner tranquillement, assis, sans un geste.

Suzanne tentait désespérément de se débattre, en émettant quelques étranges plaintes étouffées.

Puis, comprenant qu'il lui était impossible de crier car son bâillon était trop serré, elle décida d'implorer Will du regard.

Et, enfin, il accepta de lui parler.

— Ah, je vois. À présent, tu veux bien qu'on discute. Tu serais même disposée à retirer certaines remarques désobligeantes que tu m'as faites tout à l'heure, si je ne m'abuse. Ai-je raison, Suzy ? Tu vois, j'ai quelque chose dans le crâne, moi aussi.

Elle hocha la tête aussi ostensiblement que possible. Elle perdait beaucoup de sang et commençait à éprouver de légers vertiges ; elle n'allait pas tarder à s'évanouir.

— Je sais bien que ce n'est pas un vrai suicide, poursuivit Will, mais on s'en approche. Regarder quelqu'un mourir est un spectacle fascinant. Tu n'as pas idée. Tes yeux me fascinent. Je suis sûr qu'en ce moment même mille idées te traversent l'esprit. Tu as peine à croire que toi, la grande Suzanne Purcell, tu vas mourir. Ce serait du délire, n'est-ce pas ? Ta vie ne peut pas s'achever comme ça, n'est-ce pas ? Je peux tout lire dans tes yeux, Suzanne. C'est extraordinaire.

Et Will s'arrêta tout net.

Il se contenta de regarder Suzanne perdre son sang. On aurait vraiment pu croire à un suicide. Comme celui de son père.

Le lendemain matin, Michael Caputo passa voir Suzanne à son hôtel pour lui souhaiter bon retour en se disant qu'avec un peu de chance il pourrait peut-être même profiter de son tempérament généreux. Il appela de la réception, en vain. Et ses coups à la porte restèrent sans réponse.

Devant son insistance, le directeur lui ouvrit finalement la chambre. Encore la drogue, songea Caputo. Pourquoi faut-il que toutes les jolies femmes, ou presque, soient des névrosées ?

Il découvrit Suzanne attachée avec des menottes aux montants du lit, nue, les poignets ouverts, inconsciente mais toujours en vie. Elle ne rejouerait pas dans un autre film avant six mois et ses gros plans ne seraient jamais plus les mêmes.

Suzanne jura à Caputo, puis à la police, que Will n'y était pour rien. Elle refusait d'en dire plus et ne porta pas plainte.

Pas un mot à quiconque.

Il l'avait littéralement terrorisée. Elle savait désormais que Will était capable de tout, y compris de tuer.

Livre IV

LA FACE CACHÉE DE LA LUNE

65

Je ne suis pas une criminelle.

Je n'ai jamais tué personne, me répétais-je en une incessante litanie.

À mon arrivée au palais de justice, tout le monde me regardait et je respirais difficilement. J'avais l'impression de devenir folle. Peut-être le suis-je.

Cernée de policiers et de tout un bataillon de ténors du barreau dévoués à ma cause, je replongeais dans l'angoisse claustrophobique de ce jour terrible où, à West Point, je m'étais réfugiée sous la maison en rampant. L'horreur rejoignait l'horreur...

Il pleuvait à verse, mais des centaines de curieux sous leurs parapluies presque tous noirs, parfois bleus ou rouges, avaient décidé de braver les intempéries en espérant apercevoir la célèbre meurtrière.

J'étais effondrée de savoir que mes enfants allaient me voir ainsi, menottes aux poignets, marquée de mon C écarlate.

Une fois dans le bâtiment, nous nous dirigeâmes au pas de charge vers une salle du premier étage, où m'attendait le juge Andrew Sussman. C'était un homme corpulent et très grand arborant une barbe poivre et sel aussi fournie qu'hirsute. Je lui aurais donné dans les quarante-cinq ans et il avait un côté rabbin qui me rassurait. Je l'imaginais juste et équitable, et je n'en demandais pas davantage.

Justice et équité, qu'y avait-il de plus américain ?

Le juge Sussman conservait l'acte officiel de mon inculpation pour meurtre dans une chemise noire d'aspect très solennel. Mes avocats m'ayant prévenue, je savais à quoi m'attendre, mais j'avais du mal à m'y habituer.

Que faisais-je là ? Me retrouver, moi, dans une pareille situation... Quelle ironie !

Je n'étais pas la coupable, mais la victime. Comment pouvait-on me juger pour meurtre ?

Les journalistes qui allaient couvrir le procès se trouvaient déjà dans la salle d'audience et il y avait là plusieurs dessinateurs chargés de me croquer sous différents profils. Je devais inspirer les grands artistes.

Je patientais debout devant mon banc, flanquée de mon principal avocat, Nathan Bailford. Cela ne pouvait pas être vrai, je devais délirer.

— Bonjour, fit le juge d'un ton très poli, comme si j'avais été convoquée pour m'être mal garée ou avoir négligé de tondre devant chez moi conformément au règlement municipal.

— Bonjour, Votre Honneur, lui répondis-je, surprise de m'entendre parler avec une telle assurance et tout aussi courtoisement.

Le juge Sussman me tendit la chemise noire.

— Madame Bradford, j'ai là l'acte de l'inculpation prononcée à votre encontre par le grand jury. En avez-vous pris connaissance ?

Il s'exprimait de manière très simple, en détachant les mots, comme si j'étais une enfant soupçonnée d'agissements d'une extrême gravité.

— Oui, j'en ai pris connaissance, Votre Honneur.

— Vous avez donc lu ce document et avez eu le temps de discuter de cette inculpation avec M. Bailford ou vos autres défenseurs ?

— Nous avons parlé de cette inculpation.

— Avez-vous bien compris la nature des faits qui vous sont reprochés ? On vous accuse du meurtre de votre mari, Will Shepherd.

— J'ai lu l'acte d'inculpation et je comprends les faits qui me sont reprochés.

Il opina comme s'il se trouvait face à un bon élève, ou un accusé particulièrement intéressant.

— Et, face à cette accusation de meurtre, souhaitez-vous plaider coupable ou non coupable ?

Je le regardai droit dans les yeux. Je savais que cela ne changerait rien à l'affaire, mais il fallait que je le fasse.

— Je ne suis pas coupable de meurtre. Je plaide non coupable.

66

New York, Central Park. Will et moi étions mariés depuis près d'un an.

— Tu distingues quelque chose, Maggie ? Moi, je ne vois rien. Il y a trop d'arbres dans ce parc à la noix.

Dans la pénombre de la limousine, Will alluma nerveusement une cigarette ; un halo de feu bleu et or éclaira brièvement son visage. Il passa ses doigts dans sa crinière bouclée.

« Comme il est pâle, me dis-je. Il est fatigué, il a peur. Pour lui, c'est une sorte de nouvelle Coupe du monde. Ce soir, il a quelque chose à prouver. Enfin, je le comprends. »

— Mais qu'est-ce qu'ils fichent, devant ? Ça fait une heure qu'on poireaute !

— On ne voit rien, lui répondis-je. Ils doivent être en train de faire activer les piétons.

— T'as vu le monde qui vient voir ton film ! l'encouragea Jennie.

Nous étions coincés à Columbus Circle au milieu d'une procession de Rolls, Bentley et autres Lincoln abritant notables et vedettes ainsi, bien sûr, que le producteur-réalisateur du film.

Puis notre caravane se remit en mouvement. Central Park South, la Septième Avenue et, après avoir traversé la Cinquante-quatrième Rue, le Ziegfeld où avait lieu la première mondiale de *Primrose*.

À chaque virage, l'anxiété de Will augmentait d'un cran. Quand je lui pris la main pour le réconforter, il avait la paume moite. Il allumait cigarette sur cigarette. Lui qui fumait rarement semblait incapable, ce soir, de s'arrêter. Il n'était pas dans son état normal.

— Tout va bien se passer, lui dis-je. C'est le trac d'avant-match.

— *Tout va bien se passer ?* Dans un quart d'heure, les critiques vont me voir sur un écran, haut de dix mètres. Pas moyen de m'éviter. Et je vais leur hurler en pleine gueule : « Aurore, quel beau nom pour un cheval, Ellie. Prends-en bien soin, petite, comme si c'était ton gosse. »

— Ce n'est qu'une histoire, Will. Le public a envie que ça se déroule comme ça. De temps en temps, il a besoin de fuir la réalité.

— Pas la critique new-yorkaise. Elle, elle va voir que c'est une abominable merde, elle va voir que je suis nul et hop, ma carrière d'acteur prendra prématurément fin.

— N'importe quoi, commenta Jennie.

— Et en plus, tu me traites de menteur ? plaisanta enfin Will.

La caravane s'arrêta. Soudain, des doigts velus et boursouflés vinrent racler la vitre de la limousine. Reconnaissant un visage tout aussi velu et boursouflé, je déverrouillai les portes en chuchotant :

— Un malheur n'arrive jamais seul.

— Caputo ! s'exclama Will, ravi, quand le corps volumineux du cinéaste envahit la banquette arrière.

Caputo faisait une tête d'enterrement.

— Ils vont nous assassiner, je le sais. Mon instinct ne me trompe jamais. Pas vrai, Will ? Parce que je suis de Brooklyn. Les gens de Brooklyn ont toujours un super instinct.

Il était si pathétique qu'on ne pouvait qu'en rire.

— Les gens attendent le film au tournant, reprit-il. Pour 50 millions, ça se comprend. Mais Will sait aussi bien que moi qu'on va leur fourguer de la merde, et qui plus est de la merde de mouton australien. Même pas de la bonne.

Will, qui avait trouvé plus cynique que lui, se dérida un peu.

— Où est votre femme ? fis-je. Je n'ai pas réussi à calmer Will et, apparemment, elle ne s'en sort pas beaucoup mieux que moi.

— Eleanor est dans la voiture de devant avec ma très sainte mère. Quand je suis *meshuga* comme ça, elles ne peuvent plus me supporter. Je me suis fait virer de ma propre voiture ; il faut bien que quelqu'un m'emmène au cinéma.

J'ouvris la portière et entraînai Jennie.

— Où allez-vous ? demanda Will.

— On rejoint Eleanor et la mère de Michael. On vous laisse entre artistes.

67

Je retrouvai Will en arrivant au Ziegfeld. Après nous être frayé un chemin, sous les projecteurs, au milieu de la foule déchaînée, des journalistes et des responsables du studio, nous nous installâmes à nos places d'honneur.

Jennie et moi n'avions encore jamais assisté à une première mondiale et nous ne regrettions pas d'avoir fait le déplacement. Le spectacle de tous ces invités en smokings, complets sombres et robes du soir, alors qu'il ne s'agissait que de voir un film, nous réjouissait beaucoup.

Au bout d'un quart d'heure environ, la projection commença. Au générique, le nom de Will Shepherd figurait en lettres aussi grosses que celui de Suzanne Purcell. Quand des applaudissements s'élevèrent du public avant même l'apparition du titre, j'entendis Will pousser un grognement. D'appréhension ou de plaisir, je suis incapable de vous le dire.

Le film me happa dès les premières images. Pour recréer la beauté majestueuse de l'Ouest américain, Nestor Keresty avait su faire parler un paysage dont je n'avais pas décelé la splendeur, et son génie explosait à l'écran.

Will sortit le poulain, le porta à sa jeune épouse (je notai avec satisfaction qu'on lui donnait plus facilement trente ans que dix-neuf) et prononça la phrase fatidique.

Dans la salle, pas un mot, pas un ricanement. Will, à côté de moi, se détendit enfin et Jennie, pouce en l'air, lui chuchota :

— Tu vois ? Je te l'avais bien dit.

C'était un film d'un peu plus de deux heures, un mélo bien rythmé dont on sentait qu'il avait bénéficié d'un gros budget. Je l'ai beaucoup apprécié — jusqu'à la scène où North venait laver Ellie dans sa baignoire.

Will la regardait comme il me regardait moi lorsque nous faisions l'amour. Il ne donnait pas l'impression de jouer, son œil brillait de désir. Sa main disparaissait sous la mousse, mais rien qu'aux mouvements de son bras, je devinais ce qu'il était en train de faire.

Mon cœur se serra. Je manquais d'air. Il fallut que je me redresse dans mon fauteuil.

« Ils ont couché ensemble. » Une douleur sourde se répandit dans tout mon corps. Les rumeurs de la presse et les démentis catégoriques de Will me revenaient à l'esprit. « Bien sûr, ils ont eu une liaison hors plateau. Mon Dieu, pourvu que ce ne soit pas vrai. »

À ce moment-là, je me forçai à tourner la tête en direction de Will. La bouche entrouverte, il dévorait l'écran des yeux. Il revivait l'instant...

Et, à la fin de cette interminable scène d'amour, il se pencha vers moi pour m'embrasser tendrement sur la joue, en murmurant :

— C'était du cinéma, Maggie. Je sais ce que tu penses, mais tu te trompes. J'ai peut-être la carrure d'un acteur.

Je soupirai, pris une longue inspiration et commençai à me sentir un peu mieux. Oui, peut-être Will avait-il des dons d'acteur, finalement.

68

À l'occasion de la première de *Primrose*, on donnait une fête très chic à l'étage du *Russian Tea Room*, sur la Cinquante-septième Rue. Une bonne centaine de personnes vinrent serrer la main de Will en lui disant qu'il était parfait. Il ne les reconnaissait pas et se contentait de répondre par un vague hochement de tête.

En fait, il était ailleurs. Il cherchait des yeux son père et sa mère, sachant que leurs fantômes ne pouvaient laisser passer une aussi belle occasion.

Oui, il était en train de se ramasser en beauté. C'était reparti comme à Rio ; tous les ingrédients du désastre étaient réunis. Et il devait bien admettre qu'il n'avait toujours pas appris à gérer ses échecs.

Vers 23 h 30, un attaché de presse de Caputo déboula dans le restaurant. Tout le monde leva les yeux. C'était l'instant tant attendu.

— Gagné ! hurla-t-il en agitant un numéro du *New York Times*. Très bonne critique. Enfin, pas loin.

Il tendit à son patron le journal ouvert à la page « spectacles » et se mêla à l'attroupement qui s'était formé autour de Michael Caputo. Chacun voulait entendre le producteur-réalisateur lire le papier à haute voix :

« Michael Lenox Caputo, spécialiste des superproductions, est sans doute aujourd'hui le seul cinéaste américain capable de nous offrir des films de pur divertissement à la fois intelligents et passionnants. Avec *Primrose*, appelé à devenir l'un des grands succès de la saison, il s'est littéralement surpassé... »

On entendit des acclamations, notamment parmi les responsables du studio, et le petit orchestre qui avait été engagé pour la soirée joua un air de victoire. Caputo poursuivit sa lecture en silence puis, lorsque le calme revint, se débarrassa du quotidien.

— La modestie m'interdit d'en lire davantage. Vous aurez tous et toutes votre journal demain matin. En attendant, buvons une coupe pour fêter ça ! Plusieurs, même ! On l'a bien mérité !

Les serveurs apportèrent le champagne, qui était d'excellente qualité. Le journal avait atterri sur une table, près de l'entrée. Nul n'y prêtait attention. Curieux de savoir pourquoi le réalisateur n'avait pas jugé bon de poursuivre, Will s'en empara comme si de rien n'était et commença à lire l'article.

Il ne lui fallut pas deux secondes pour repérer son nom.

« ... Caputo a été bien inspiré de confier le rôle féminin du film à Suzanne Purcell, admirable de candeur et de sensualité. Dans les scènes d'amour qui émaillent *Primrose*, elle parvient à incarner à la fois la jeune fille de dix-neuf ans (ce qui n'est pas le cas à la ville) et la jeune femme capable d'assumer ses désirs charnels. Son partenaire masculin, en revanche, l'ancien footballeur Will Shepherd, semble nettement plus à l'aise sur une pelouse que dans les plaines du Texas — magnifiquement restituées, au demeurant. Ellie, l'héroïne du film, paraît n'être pour lui qu'un morceau de choix, une portion de cheesecake new-yorkais ou, pire, texan. Les deux interprètes jouissent d'un physique que l'on dira avantageux et dont la caméra nous fait abondamment profiter, mais chaque fois que Will Shepherd est appelé à exécuter ce qu'on peut attendre d'un acteur, c'est-à-dire qu'il joue son rôle, l'émotion générée par la chaleur des situations se dissipe au coin d'un sourire aux allures de rictus ou sous une larme de glycérine fraîchement déposée par une maquilleuse consciencieuse. Le cœur est aux abonnés absents, et l'on en vient à craindre que M. Shepherd n'ait un peu prématurément mis fin à sa carrière sportive... »

Will n'alla pas plus loin. Pris d'une rage folle, il se tourna vers les autres invités, fouilla la salle des yeux pour retrouver Maggie. Elle était auprès de Caputo, qui venait apparemment de dire quelque chose de drôle. Elle souriait.

« Pauvre conne ! Elle est censée être mon salut, mon âme sœur. Tout ce que promettent ses chansons. Et elle m'a dit que j'étais merveilleux dans ce film. Elle m'a menti, cette salope ! »

Jetant le journal par terre, il disparut dans la nuit. Allait-il devenir fou ou était-ce déjà fait ? Il voulait entendre les clameurs de la foule, se sentir aimé sans retenue, mais ne trouvait que le vide.

Il prit la Septième Avenue et se mit à courir, de plus en plus vite. Il ne rencontra sur son chemin ni acclamations, ni amour.

« Je suis le loup-garou de New York... »

69

Will n'était pas réapparu depuis deux jours et j'avais l'impression que mon cœur s'était arrêté.

Winnie Lawrence et moi le cherchions partout. Nous avions téléphoné aux commissariats et aux hôpitaux, nous avions appelé tous les invités de la soirée en compagnie desquels il était susceptible d'être reparti. En vain. Les enfants commençaient, eux aussi, à s'affoler.

Nul n'avait la moindre idée de l'endroit où il avait pu aller. Je me souvenais d'histoires qu'il m'avait racontées à propos de Rio, de la terrible déception qu'il avait éprouvée alors. Il s'était produit quelque chose, là-bas, qui l'avait transformé.

Dès son départ, bien sûr, je m'étais précipitée sur la critique du *New York Times* et en la lisant, épouvantée, hors de moi, j'avais compris le mal qu'elle avait pu lui faire. J'étais moi-même passée par là, ayant déjà été victime de papiers assassins pas toujours mérités.

Un nouvel échec tonitruant dans une carrière déjà riche, à ses yeux, en contre-performances.

Je savais ce qu'il devait ressentir et je voulais qu'il puisse compter sur moi. Mais où était-il ? Comment l'aider si je ne le retrouvais pas ?

Le troisième jour, je rappelai Barry en lui demandant de venir. Je lui dis tout de suite :

— Je me sens un peu dans le brouillard. Je crois qu'il faudrait que je fasse quelque chose de plus, mais je ne vois pas quoi.

— Il reviendra, me rassura-t-il. N'oublie pas qu'il tient à vous et qu'il a de bonnes raisons de revenir.

— Tu me surestimes toujours et tu sous-estimes Will. Et s'il s'était tué, Barry ? Je me fais vraiment du souci pour lui. Son père s'est suicidé.

— Ce n'est pas le genre d'un type comme Will. Il sait ce qu'il fait.

— Comment peux-tu dire une chose pareille ? Tu ne le connais pas, c'est un écorché vif.

Barry haussa les épaules. Manifestement, je ne parvenais pas à le convaincre. Moi-même, je n'y croyais qu'à moitié. Quelque chose me disait que Will finirait par rentrer. Il m'aimait, il aimait les enfants, il reviendrait forcément.

— Je me vois en train de le découvrir dans un fossé, quelque part sur la route. Comme la police ne le trouve pas...

— On ne le trouve pas parce qu'il ne veut pas qu'on le trouve. Je comprends que ça ne soit pas facile à vivre, mais tu dramatises trop, Maggie. Il doit être en train de se payer une cuite carabinée et il reviendra quand ce sera fini.

Était-ce bien certain ? Je redoutais secrètement de ne pas tout savoir de Will. Ni moi, ni personne n'avait vu ce qui s'était passé à Rio. À quelles furies s'était-il abandonné ? Et aujourd'hui ? Peut-être ne me disait-il pas tout...

Comment pouvait-il s'évanouir dans la nature du jour au lendemain ?

Je le revoyais chevauchant Sac à puces derrière la maison, avec Allie. Il ne pouvait pas ne pas revenir, c'était inconcevable.

70

Et il finit par réapparaître.

Ce qui me réveilla, c'est cette main dont le toucher m'était si familier, cette main qui m'effleura la joue, puis me caressa les cheveux. Will se trouvait dans la chambre ! Mon cœur se glaça.

Terrorisée, la bouche sèche, je parvins juste à dire, à mi-voix : « Will ! » puis je repoussai sa main et je quittai le lit. La rage qui s'était accumulée en moi pendant son absence avait atteint son point culminant.

— Où étais-tu passé ? Pourquoi ne nous as-tu pas appelés ? Merde, Will, tu crois qu'il suffit simplement que tu te repointes, comme ça ?

Cette nuit-là, je décelai dans son regard une lueur qui m'était inconnue, quelque chose d'étrange. Il n'était pas lui-même.

Il portait un T-shirt et un pantalon noirs, un pantalon qui n'était même pas froissé. Les cheveux flottants, comme d'habitude, et les joues mangées par un chaume d'un ou deux jours.

Sur son visage, un sourire. Celui qu'il devait composer chaque fois qu'une femme lui en voulait et qu'il cherchait à se faire pardonner. Je n'avais qu'une envie : l'insulter, le frapper à coups de poing.

— Je suis allé à Londres, rendre visite à ma tante. Elle est comme une deuxième mère pour moi. Je ne l'ai pas vue. Elle était partie en vacances avec tante Eleanor. Alors je suis rentré.

« Oui, bien sûr. Pour me retrouver, moi, son autre maman. »

— Je suis désolé, Maggie, reprit-il. Je n'aurais pas dû faire ça, j'aurais dû te téléphoner, mais tu ne peux pas savoir comme cette horrible première m'a foutu en l'air. Tu ne peux pas savoir ce qui est en train de se passer dans ma tête.

Non, je ne pouvais pas et je ne voulais pas. Mais je m'efforçai d'être patiente et compréhensive. Trop, peut-être.

71

Will s'était mis à porter des lunettes de soleil à 200 dollars, de jour comme de nuit, à l'intérieur comme à l'extérieur. Il appelait ça sa « période star de ciné ».

Tous les prétextes lui étaient bons pour sortir. En réalité, il fuyait Maggie et les enfants. Peut-être ne les aimait-il plus, peut-être ne parvenait-il pas à ressentir les émotions qu'il recherchait, mais il ne voulait pas leur faire de mal.

Il ne voulait pas leur faire de mal.

Un après-midi, sous un soleil écœurant, il prit son tout nouveau cabriolet Mercedes pour se rendre à New York. Il avait l'impression de n'être qu'une enveloppe vide, un corps sans substance. Le matin, il avait parlé à Palmer mais — il aurait pu s'y attendre — son frère ne lui avait été d'aucun secours. Palmer ne voulait plus rien avoir à faire avec lui.

Will n'avait qu'une envie : mettre un terme à ce cauchemar. Pourquoi pas un bel accident de voiture ? Il poussa sa décapotable à plus de 160 sur la petite route sinueuse de Saw Mill, mais il était trop bon pilote pour perdre le contrôle du véhicule. Ses réflexes restaient parfaits. À moins qu'il n'eût pas vraiment envie de mourir tout de suite.

Quelles raisons avait-il d'en finir ?

Primrose faisait un carton. Ce film absurde trônait depuis plusieurs semaines en tête du box-office. Plus absurde encore, certains voyaient en Will un nouvel Eastwood, le successeur d'Harrison Ford. N'importe quoi ! Hollywood était incapable d'interpréter les goûts du public sans tomber dans la caricature. C'était à vomir...

En l'espace d'une semaine, il avait reçu plus d'une centaine de scénarios tout aussi nuls. Finalement, il avait opté pour un autre best-seller, un thriller psychologique d'une rare efficacité, intitulé *Windchimes*. Le contrat qu'il avait négocié portait sur un montant de plus de 4 millions de dollars.

Le tournage devait commencer ce même jour sous la direction du célèbre cinéaste anglais Tony Scott. Personne ne doutait que ce serait un nouveau succès. Ce film réunissait en effet tous les « ingrédients » nécessaires.

Will, lui, ne doutait pas que ce serait une nouvelle merde commerciale. Il savait ce qui était bien et ce qui ne l'était pas. Il savait quand il trompait son monde et savait également qu'un jour ou l'autre il faudrait payer la facture.

Il ne supportait pas les critiques, pour l'excellente raison que les critiques voyaient juste : il jouait comme un pied.

Il en avait marre.

Il ne voulait plus être Will Shepherd, la légende vivotante, l'ex-champion de football, l'Apollon du show-biz, M. Maggie Bradford.

Dès qu'il entra dans l'agglomération de New York et vit les panneaux annonçant Broadway et la Deux cent quarante-deuxième Rue, il écrasa l'accélérateur et recommença à taquiner le 160.

Il y avait de la circulation. Il zigzagua entre les voitures sans prêter attention aux coups de klaxon vengeurs des autres conducteurs.

« Je ne veux plus être Will Shepherd. »

Il conduisait d'une seule main. Puis il se contenta d'un doigt. Et ensuite, ce fut « Regarde, m'man, sans les mains. »

« Je ne veux pas vivre ainsi. Je ne peux pas. Est-ce là ce que s'est dit mon père lorsqu'il a bu la première tasse ? »

72

Il coulait. Il s'enfonçait inexorablement. L'eau était fraîche et opaque. Il était en train de se noyer et finalement, ce n'était pas si désagréable...

C'est en tant que Will Shepherd qu'il attaqua la soirée de très bonne heure au *Red Lion Inn*, dans Greenwich Village. Will Shepherd avait descendu sept scotches d'affilée. Et Will Shepherd rejouait maintenant ses exploits sous les couleurs de Manchester United devant un parterre d'admirateurs presque tous éméchés.

Comme il offrait les tournées sans compter, le public lui était acquis. On buvait ses paroles.

— Will, Will ! psalmodait un Anglais.

Sans doute un authentique supporter.

— Admirez la Flèche d'or ! lança Will d'une voix lourde, avec une pointe d'ironie que personne ne releva.

— Admirez le nul, fit quelqu'un au fond du bar.

Will s'interrompit au beau milieu de son récit. Ce n'était qu'un punk en jean et cuir noirs qui voulait jouer les durs. Il le fusilla du regard en pensant : « Tu me cherches, petit merdeux ? »

Le loubard fendit la foule, accompagné de deux acolytes. Will distingua des tatouages sur leurs bras. Des faucons ou des aigles.

— Nul à chier, insista le punk, face à Will, pendant que les autres spectateurs reculaient de trois pas.

Il semblait avoir un accent germanique.

— Une vraie tante, renchérit l'un de ses potes. (Pas de doute, c'étaient des Allemands.) Un pédé d'Anglais.

Un flot de jurons jaillit de la bouche de Will, dont la rancœur accumulée au fil des jours ne cherchait qu'à s'échapper.

Le punk s'avança, fit un signe à Will.

— Viens, je t'attends, le nullard. Allez, le *has been*, amène-toi.

D'où sortait la chaîne qui se balançait au bout de son bras, Will n'en avait aucune idée. Peu lui importait. Il se jeta sur l'Allemand avec une fureur aveugle. Il avait besoin de se battre, et n'importe quel adversaire ferait l'affaire.

Il sortit du *Red Lion* plus riche de quelques coupures et ecchymoses. Rien de grave, rien de mortel.

C'est alors qu'il se rappela qu'on l'attendait sur un plateau de cinéma. Il décida que c'était sans importance. Dans le genre thriller psychologique, ce qu'il était en train de vivre valait beaucoup mieux.

Puis des taches blanches explosèrent dans la pénombre d'un entrepôt désaffecté, à côté d'Hudson Street. Une bande était en train de le passer à tabac, et il ignorait pourquoi. « Hé, les mecs, j'ai dit quelque chose qui vous a déplu ? » Seule existait la douleur intense déclenchée par chacun des coups — à la tête, au ventre, à l'entrejambe, aux côtes —, cet éclair de souffrance qui lui foudroyait chaque fois le crâne. « C'est mon châtiment », songea-t-il en s'effondrant.

Le juste châtiment encouru pour tous les crimes, tous les péchés commis au cours de sa vie.

Bras et jambes cloués au sol, il ne pouvait bouger d'un millimètre. Le visage écrasé contre le ciment rugueux du trottoir, il saignait abondamment du nez. Puis on le souleva par les jambes, comme un quartier de bœuf suspendu à un crochet de boucher.

Et c'est là que les affaires sérieuses commencèrent. Une pluie de coups de poing et de pied s'abattit sur lui et, au bout d'un moment, il se demanda s'il lui restait un seul os intact. Curieusement, pourtant, cette douleur physique le rassurait. Elle lui prouvait, après tout, qu'il était bien vivant...

Autour de lui, le monde se mit à tanguer et à tournoyer comme une toupie écarlate. Will se sentit basculer, happé par un trou noir.

On allait le laisser crever sur un trottoir de New York.

Et, en réalité, ça n'avait rien de dramatique.

Il ne faisait que suivre les traces de son père. Il avait toujours su que sa vie se terminerait ainsi.

Le corps de Will Shepherd découvert dans une rue.

Bizarrement, la dernière image qu'il vit fut celle du chien qu'il avait tué des années auparavant. Il l'aimait bien, ce chien.

73

Il devait s'agir d'un cauchemar. Comment aurait-il pu en être autrement ? J'étais sans doute dans un demi-sommeil.

Des policiers de Manhattan sonnèrent chez moi vers minuit pour m'annoncer la nouvelle avec un luxe de précautions, mais leur tact et leur courtoisie n'atténuèrent pas le choc. Je dus m'asseoir, comme assommée. Je me sentais prête à m'évanouir ou à vomir.

Finalement, je réussis à appeler Winnie Lawrence qui n'habitait pas très loin et nous allâmes ensemble à l'hôpital Saint-Vincent, à New York.

On m'autorisa à voir Will quelques minutes seulement. Bourré de calmants, le visage enveloppé de bandages, il dormait. C'était un spectacle horrible.

J'avais l'impression de vivre un mauvais rêve. Ce n'était pas possible. Qu'était-il arrivé à l'homme que j'avais épousé, à celui que j'aimais ? Ce pauvre gars qu'on avait tabassé ne pouvait être Will !

Le lieutenant Nicolo, l'officier de police qui était venu nous apprendre la nouvelle, nous prit à part. Je n'avais pas envie de parler à qui que ce soit, je ne voulais voir personne.

— On l'a bien esquinté, mais c'est moins grave qu'il n'y paraît. D'après les toubibs, il devra tout de même rester hospitalisé plusieurs semaines. Je suis navré, madame Bradford. Nous ne connaissons ni les circonstances de l'agression, ni l'identité des auteurs. Pour l'instant, aucun témoin ne s'est manifesté.

— Il devait commencer un tournage hier, signala Winnie Lawrence.

— Dans ce cas, je lui souhaite bonne chance, ricana le flic. Cela dit, si c'est pour le rôle de *Rocky V*, tout n'est pas perdu.

— Putain ! cracha Winnie, et il fila vers une cabine de téléphone.

L'inspecteur se tourna vers moi. Il avait un côté Al Pacino, avec un nez plus massif, plus busqué. Ses cheveux blancs étaient plaqués en arrière sur son crâne.

— Avez-vous une idée de ce qui aurait pu pousser quelqu'un à s'en prendre à lui, madame Bradford ? Savez-vous s'il était accompagné hier soir ?

Je fis non de la tête, en essayant de retenir mes larmes.

— Désolée, inspecteur, je ne sais pas. Je ne suis pas vraiment dans mon assiette. Excusez-moi.

Nicolo gloussa, hocha la tête.

— Si je comprends bien, il n'était pas avec vous hier soir ?

— Je l'ai attendu, mais il n'est pas rentré.

Qu'insinuait-il ? Que je protégeais Will ? Parce qu'il était mon mari et que je l'aimais ?

Nicolo rengaina son calepin noir.

— Il sera difficile de retrouver les hommes qui l'ont agressé. Si M. Shepherd ne peut nous donner leur signalement, nous ne pourrons pas faire grand-chose. Je reviendrai dès qu'il sera en état de parler. Je vous téléphone s'il y a du nouveau.

Après m'avoir serré la main, il prit congé en me demandant de l'appeler si j'apprenais quoi que ce soit. Winnie vint me rejoindre dans la salle d'attente, très énervé.

— Ils vont remplacer Will. Ils disent qu'ils ne peuvent pas attendre qu'il soit remis. Qu'est-ce qui lui est donc arrivé ?

Je haussai les épaules, j'avais froid, je ne ressentais plus rien. La nouvelle que venait de m'annoncer Winnie n'était ni bonne ni mauvaise. Une pensée terrifiante me traversait l'esprit : je ne savais pas qui était mon mari.

— Quand il va apprendre qu'on l'éjecte du film, ça va lui faire très mal, dit-il.

Un voile de tristesse se déposa sur mes yeux déjà las.

— Je ne sais pas, Winnie. Si ça se trouve, il va se sentir soulagé.

74

Je repartis pour Bedford avec Winnie Lawrence. Mme Leigh gardait les enfants. Par bonheur, tout le monde dormait quand je rentrai.

Je n'avais pas envie de raconter ce qui était arrivé à Will. Comment fournir des explications, alors que je n'étais même pas sûre de comprendre ?

J'aimais Will, mais peut-être m'avait-il menée en bateau, peut-être était-il bon acteur lorsqu'il le voulait. J'avais cru l'aider. Ma mère avait commis la même erreur avec mon père. Je ne savais plus que penser. J'aurais tant aimé pouvoir me réfugier dans mon grenier pour écrire des chansons, comme avant.

J'étais dans le bureau, je regardais dehors. Le soleil brillait et les oiseaux s'en donnaient à cœur joie, mais dans ma tête voletaient des images plus que déplaisantes. J'avais l'impression de reprendre le rôle de Julia Roberts dans *Les Nuits avec mon ennemi*, à moins que ce ne fût celui d'Ingrid Bergman dans *Hantise*. Ou alors tout cela n'était qu'un rêve. Mon Dieu, si seulement...

« Cela paraît inconcevable, mais j'ignore qui est réellement mon mari. À quel jeu joue Will ? Qu'est-il en train de nous faire ? »

Au hasard de ses petites promenades, Allie découvrit ma cachette. Je m'efforçai de ne rien laisser paraître.

— Il y a des heures que j'attends que tu te réveilles et que tu viennes me voir.

Je l'invitai à venir s'asseoir sur mes genoux et il se précipita dans mes bras. Nous nous embrassâmes, nous nous serrâmes l'un contre l'autre. Il ne pouvait pas se douter de l'importance que cela avait pour moi. Je me sentais sur le point de recommencer à bégayer, je suffoquais comme si ma poitrine se contractait, mais j'étais si heureuse de tenir Allie contre moi, comme je le faisais chaque matin — sans exception pour autant que je m'en souvienne — depuis sa naissance.

Et, brusquement, le petit bout de chou se tourna vers moi, me regarda dans les yeux d'un air très sérieux et me demanda :

— Qu'est-ce qui va pas, maman ? Qu'est-ce qui va pas, dis ?

En fin de matinée, je retournai à Manhattan. On m'avait autorisée à rendre visite à Will. L'hôpital était toujours aussi sinistre. Assis dans son lit, encore abruti par son traitement, il sirotait du jus de fruits à l'aide d'une paille.

Le peu qu'on distinguait de son visage avait tourné au violet ; ses yeux étaient réduits à deux horribles fentes et il avait les lèvres tuméfiées comme si un essaim de guêpes s'était acharné sur lui. Il ressemblait à l'un de ces malheureux S.D.F. qui dorment sur les bouches de métro.

À mon arrivée, Will tendit une main dans ma direction. Malgré moi, j'eus un pincement au cœur. Il marmonna :

— Maggie...

Au lieu de lui prendre la main, je restai debout à le regarder. Ce n'était pas facile, mais il fallait que je me maîtrise.

— Maggie... pardonne-moi. S'il te plaît, pardonne-moi.

Je pus tout juste articuler :

— Comment veux-tu que je te pardonne, Will ?

Alors il fondit en larmes comme un gosse. Il se roula en boule, en position fœtale, et se mit à pleurer. Il avait l'air si désemparé, si seul, si pitoyable. Et je n'avais pas la moindre idée de ce qui pouvait se passer dans sa tête.

Il me faisait mal au cœur, mais je ne m'approchai pas pour venir le réconforter. Cette fois-ci, je ne pouvais pas.

75

Depuis qu'il était rentré, Will ne cessait de broyer du noir. Comme à l'hôpital.

Il ne supportait pas de savoir que Maggie était toujours une grande star et que lui n'était rien. Le plus énervant, c'était de la voir heureuse. Maggie, Jennie et Allie formaient une petite famille qui n'avait pas besoin de lui. Ils se débrouillaient très bien entre eux.

Des idées noires qu'il ressassait constamment, le matin, le midi et surtout le soir.

Il imaginait ainsi Allie victime d'une chute de cheval.

Ou la belle petite Jennie, qui avait de quoi alimenter bien des fantasmes. Elle était toujours très gentille avec lui. Elle était comme les autres, en fin de compte, qui faisaient tout pour l'avoir jusqu'au moment où elles découvraient qui il était vraiment.

Quant à Palmer, il était pareil, sinon pire, que les autres. Son propre frère lui soutirait de l'argent pour garder quelques malheureux secrets. Enfin, Palmer, lui, au moins, n'avait jamais caché qu'il était un parfait salaud.

Son vrai problème, c'était Maggie, et il ne savait comment s'y prendre.

Les idées noires, elles, ne manquaient pas.

Il existait bien des possibilités, toutes aussi glauques les unes que les autres.

« Par exemple... Et si je me tuais, comme mon père ? Et si j'allais un peu plus loin que cela ? Et si, et si, et si... »

76

À présent, je vous demanderai d'être très attentifs. Efforcez-vous de saisir chaque mot, chaque nuance. C'est à partir de là que la situation se complique et que j'ai commencé à mettre en doute mon équilibre mental. Le simple fait d'évoquer ce qui va suivre me noue l'estomac. J'ai les nerfs à fleur de peau, je perds toute confiance en moi.

Suis-je coupable ? Ai-je commis le crime dont on m'accuse ? Ou bien suis-je au contraire la victime de cette affaire ?

Quelques semaines après son « incident » à New York, j'annonçai à Will que j'allais à San Francisco, qu'il fallait absolument que je le fasse. Il se comportait encore bizarrement, mais comme il était charmant avec les enfants, je ne me plaignais pas trop.

— Quoi ?

C'est tout juste s'il leva les yeux de la télé. Il était plongé dans ses obscures occupations. Parfois, quand je m'adressais à lui, il avait l'air d'être à des milliers de kilomètres. Il était complètement déphasé. Moi, je ne comprenais pas ce qui se passait. Normal, puisqu'un mur invisible nous séparait.

— On m'a demandé de donner un concert gratuit à Candlestick Park et j'ai accepté. Il faut que je m'y remette, Will. Je suis restée trop longtemps sans chanter.

Il éteignit le poste et me regarda. Il suivait son match en short et maillot, comme s'il s'attendait à ce qu'on l'appelle sur son banc de touche d'un instant à l'autre. Sa forme physique était encore impressionnante et il semblait prêt à jouer.

— Et tu ne veux pas savoir si j'ai envie de t'accompagner ?

— Je crois qu'il vaut mieux que j'y aille seule. Barry sera là et...

— Ce connard !

—... et on sortira le disque le plus tôt possible.

Je ne voulais pas passer des heures à justifier ma décision et je n'osais pas lui dire ce que je pensais vraiment, à savoir : « Moi, au moins, quand je m'en vais, je te le dis. »

— Si j'ai bien compris, tu as décidé d'aller en Californie, comme ça ? (Il s'empourprait, ses yeux injectés lui sortaient des orbites. Je me dis : « Un ces jours, il va péter les plombs. ») Je suis quoi, dans cette baraque ? Un valet de merde, c'est ça ? Hein, Maggie, c'est ça ?

— N'importe quoi. Mais qu'est-ce que tu nous fais, là ? Qu'est-ce qui se passe ? Tu pourrais m'expliquer ?

— C'est moi qui te dis où aller ou pas, d'accord ?

La voix que je venais d'entendre était celle de Phillip. Presque la même tonalité. Mais je parvins à rester calme, ou du moins à donner le change.

— Certainement pas, Will. Tu décides ce que tu veux pour toi, mais pas pour moi.

Il se leva de son fauteuil, vint vers moi. Je ne bougeai pas. Il s'arrêta. Il me fixait d'un regard noir et soupçonneux.

Je n'aimais pas ça. Ces yeux, cette attitude menaçante. Je ne l'avais encore jamais vu ainsi et, pour la première fois, je commençais à avoir peur.

Sa main partit brusquement et je ne pus rien faire pour l'éviter.

Un aller-retour en plein visage. Je partis en arrière. Ce fut comme si deux explosions venaient de se produire dans ma tête. Je n'en revenais pas. Jamais il ne m'avait frappée jusque-là, jamais il n'avait osé lever la main, me menacer.

— Tu n'iras pas à San Francisco ! beugla-t-il. Tu ne me laissera pas ici, salope !

Je le vis esquisser le geste de me flanquer une deuxième gifle, mais il n'alla pas au bout et laissa ses bras retomber le long de son corps.

On aurait dit qu'il venait de réfléchir ou de retrouver ses esprits. J'avais l'impression de ne plus avoir affaire à la même personne.

— C'est bon. Vas-y, à San Francisco. Fais ce que bon te semble Maggie, je ne veux plus rien savoir.

Je sentis des frissons me parcourir le corps. Surtout, ne pas pleurer. Puis je me mis à trembler comme une feuille. Mes bras et mes jambes ne m'obéissaient plus. Incapable de regarder Will en face, j'eus toutes les peines du monde à lui dire :

— J'emmène Allie et Jennie. N'essaie pas de nous en empêcher, ça ne servirait à rien.

77

Il me frappait, frappait.
Et moi, je n'étais pas sûre
De ne pas délirer.

Je croyais m'entendre chanter. Le nez au hublot, j'escaladais des yeux une chaîne de nuages d'un blanc immaculé. Allie dormait, la tête sur mes genoux. De l'autre côté de l'allée, Jennie s'accrochait à ses écouteurs.

Ils étaient tous les deux ravis de m'accompagner, mais ignoraient tout du drame qui se jouait entre Will et moi. Par chance, le concert tombait pendant les vacances de Jennie. Allie, lui, réclamait toujours ma présence et je l'en privais rarement. Nous nous entendions tellement bien que nous avions fini par nous inventer un nom, les JAM, pour Jennie, Allie, Maggie (rien à voir, évidemment, avec le groupe anglais des années quatre-vingt) et jamais il n'avait été question de modifier le sigle pour faire une place à Will.

À la descente d'avion, je sentis les regards peser sur moi. Des gens que je ne connaissais pas me saluaient. Certains tentaient d'obtenir un autographe quitte à nous piétiner, d'autres tendaient désespérément le bras pour me toucher comme si le simple fait de m'effleurer allait leur apporter la gloire.

La gloire !

Ah, s'ils savaient ! La gloire, et tous ces yeux qui épient le moindre de vos gestes sans vous laisser un instant de répit...

Au Four Seasons, un fax de Will m'attendait :

Bonne chance, mon rossignol.
Pardonne les écarts de ton Will.
Je t'en supplie, pardonne-moi.
Rentre vite à la maison avec les enfants.
Je t'aime.
Je t'ai toujours aimée et je t'aimerai toujours.

Je chiffonnai le message.
« Tu m'aimeras toujours et tu ne changeras jamais. »

78

Il y avait Barry, Jennie, Allie et moi. Confortablement installés à l'arrière d'un gros hélicoptère Bell rouge et argent, nous survolions les eaux noires de la baie. Au loin, on apercevait les mille feux de Candlestick Park. Je portais ma tenue de scène habituelle : une grande chemise blanche sans col, une jupe longue et des chaussures à talons plats pour ne pas paraître plus grande que je ne l'étais.

Étais-je prête à affronter ce qui m'attendait ? Je m'interrogeais encore, mais il fallait que je me lance. J'y tenais.

Dans moins d'une heure, j'allais faire mon retour sur scène après trois ans ou presque d'absence. Les grandes chaînes avaient dépêché des équipes de tournage ; l'événement était de taille et elles se devaient de le retransmettre. On allait enregistrer un album *live*. Les quatre-vingt mille places s'étaient arrachées en quelques heures. On avait comptabilisé plus de cinq cent mille demandes...

Mais nous, nous étions bien à l'abri dans le cocon de notre hélicoptère, comme une petite famille : mes enfants et mon meilleur ami. C'était mieux qu'en bas, me disais-je.

— Et si on ne se posait pas ?

Je vis mon Barry lever les sourcils, faire une grimace et placer la main devant sa bouche comme s'il parlait dans un micro : « Allô, ici la Terre. Maggie, nous recevez-vous ? Allô, Peter Pan ? »

— Je suis sérieuse. On ne pourrait pas rester en l'air jusqu'à demain ?

Je commençais à avoir des vertiges.

— Mais on va tomber en panne d'essence, observa Jennie.

— On n'a qu'à se faire ravitailler en vol, comme les bombardiers. Ce serait rigolo.

— Et comment on fera pour manger ? s'inquiéta Allie, toujours préoccupé par son estomac tyrannique.

— On peut nous livrer des sandwiches en même temps que le carburant. Pas de problème.

Jennie éclata de rire. Mes inepties avaient le don de la réjouir au plus haut point.

— Mais moi, j'ai faim maintenant ! renchérit Allie.

S'il y en avait un, dans JAM, qui avait les pieds sur terre, c'était bien lui.

— On va bientôt se poser, lui expliqua Barry, même si ta mère n'est pas d'accord. J'irai te chercher à manger au parc. Un bon hot dog pur bœuf. Hum, tu vas voir comme c'est bon.

À ce moment-là, je perdis brusquement pied. Abattue, morte de peur, je commençai à paniquer.

— Je ne sais pas si je suis capable de continuer, Barry. Je t'assure, c'est sérieux.

Il me prit la main.

— Tu as le trac, c'est tout. Il ne faut pas le combattre. Utilise-le, au contraire.

— Ça va au-delà. Ici, je me sens en sécurité, tout est *bien*. En bas, ça craint. Il y a les fans, et puis...

— Will, compléta-t-il.

Je ne lui avais pas parlé de notre altercation, mais il me connaissait trop bien pour ne pas avoir deviné que quelque chose clochait.

— La vie, quoi.

Oui, j'avais vendu près de vingt millions de disques et remporté onze Grammy Awards.

Et pourtant, j'avais peur.

On va me dire que, puisque mes chansons ont souvent la forme de confessions, il me suffisait de me jeter à l'eau, de faire face à la foule et d'être moi-même. De me montrer telle que j'étais.

Malheureusement, celle que *j'avais été* était en train de

reprendre le dessus. Je me revoyais à West Point, je me revoyais même gamine, éclatant en sanglots parce que je bégayais sans pouvoir me contrôler au moment de répondre aux questions de la maîtresse.

Je connaissais bien le registre de mon spectacle : du cœur et de l'émotion. Des chansons apparemment simples, faciles à retenir, mêlant des influences aussi diverses que le rock, la comédie musicale, le classique ou l'opérette. Et, sous ce vernis trompeur, des histoires complexes qui avaient la qualité du vécu.

Tout cela, je le savais quand je traversai l'immense scène, à San Francisco, et que je vis tous ces visages impatients.

Pourquoi cette angoisse, alors ? Ou plutôt, devrais-je dire, cette terreur absolue qui me laissait pétrifiée ? Pourquoi avais-je peur de ne pas pouvoir chanter ?

Je m'installai au piano et lançai mes paroles dans le vent cassant qui soufflait de la baie.

Et, juste avant la fin du premier morceau, je craquai.

Devant tout le monde, devant le public, devant les enfants qui me regardaient depuis les coulisses.

Il me frappait, frappait.
Et moi, je n'étais pas sûre
De ne pas délirer.

Je commençai à bredouiller, puis à bégayer franchement, ce qui ne m'était pas arrivé depuis des années. Je m'étais tant battue pour surmonter ce handicap...

Je ne pouvais plus chanter, je ne pouvais plus continuer.

Alors je me tournai vers la foule et je déclarai :

— J'ai un petit problème. Euh, désolée... Ça ne va pas très bien.

Mon cœur s'affolait. Je me sentais sans forces. Je me voyais déjà m'écrouler au pied du piano.

Mais Jennie, Barry, Allie et quelques musiciens vinrent à la rescousse et m'aidèrent à descendre de scène. J'avais du mal à me tenir sur mes jambes.

— Pauvre maman, répétait Allie. Pauvre maman. Pauvre maman, elle est malade.

79

Will avait toujours été une créature nocturne et, en ce moment plus que jamais, il avait irrésistiblement besoin de traîner dehors. Le loup-garou de Bedford.

Il prit son coupé BMW noir, démarra en trombe dans l'allée sombre bordée d'arbres, parcourut environ cinq cents mètres sur Greenbriar Road, jusqu'au domaine voisin.

Un mur en pierre de taille, de hauteur irrégulière, délimitait le périmètre du Lake Club. Will dépassa l'entrée principale encadrée par deux piliers de trois mètres et gara sa voiture un peu plus loin, à un endroit bien précis, juste devant l'enceinte.

Il sortit de la BMW. Le mur s'ouvrit, révélant une allée qui menait à une porte dérobée, à l'arrière du club-house.

À l'intérieur régnait un silence presque palpable, évoquant luxe et intimité. Un silence qui, pour Will, ressemblait un peu à celui des cathédrales et des banques européennes. La salle de billard et le fumoir étaient déserts. Will connaissait le chemin. Il arriva devant une autre porte, frappa, attendit, frappa de nouveau.

La porte s'ouvrit et Will cligna les yeux, ébloui par la lumière. Puis il vit les lambris d'acajou, le grand comptoir en chêne massif, les lampes Art déco et les peintures Renaissance.

Les hommes agglutinés devant le bar le regardèrent entrer et, dès qu'ils l'eurent reconnu, ils lui souhaitèrent le bonsoir. Will était ici chez lui.

Peter O'Malley faisait partie du comité d'accueil. Curieusement, lui et Will, qui se connaissaient déjà, avaient sympathisé. N'avaient-ils pas un point commun nommé Maggie ? C'était Maggie qui les avait réunis, et ils parlaient souvent d'elle. Peter rêvait de la réduire en pièces.

Ce soir-là, tous deux avaient rendez-vous au country-club où l'on organisait une petite fête des plus discrètes.

Une ou deux fois par mois, après l'heure de fermeture, certains membres du club amenaient de quoi s'amuser. Pour ces hommes importants, c'était une manière de décompresser un peu, loin du socialement et politiquement correct. Dieu sait que chez eux, avec leurs épouses légitimes, ce genre de plaisir leur était compté.

Les flammes rouge et or qui dansaient dans l'immense cheminée de pierre projetaient un ballet d'ombres sur les murs de la pièce. Pour Will, elles étaient le feu de l'enfer. « Une petite idée de ce qui nous attend », se disait-il.

Six filles se tenaient devant la cheminée, en plus ou moins bon ordre. Des filles très jeunes et très belles. À la lueur du feu, leurs longs cheveux brillaient et des reflets cuivrés caressaient leur peau nue.

La plus âgée devait avoir vingt ans, la plus jeune peut-être seize. Chacune d'entre elles portait un masque de sommeil noir. Les filles n'étaient jamais autorisées à voir les membres du club, ni même à connaître le lieu des réjouissances.

Will se fit la réflexion que le très exclusif Lake Club de Bedford Hills n'était qu'une façade, comme tout le reste.

Un peu plus tard dans la nuit, Will choisit l'une des jeunes filles. Elle était grande, blonde, et lui rappelait Jennie.

80

Je crois qu'en mon for intérieur je savais depuis un certain temps déjà que mon couple était condamné. Maintenant, il ne me restait plus qu'à choisir le moment approprié, en tenant compte de l'intérêt des enfants, du mien, puis, enfin, de celui de Will. Je ne voulais pas lui faire de mal, je voulais simplement le quitter.

Will vint nous accueillir à notre arrivée. Il avait retrouvé son équilibre et notre retour semblait le revigorer. Il me parut presque grisé de joie. La petite dépression qui m'avait forcée à interrompre mon concert à San Francisco avait l'air de le préoccuper réellement et, lorsqu'il me dit qu'il connaissait bien le phénomène du trac, je le crus.

Il me promit qu'il n'y aurait plus de coups de colère, de bagarres ni de disparitions subites. La peur de voir tout le monde l'abandonner lui avait fait perdre la tête, disait-il, mais il s'était repris.

J'écoutai, j'enregistrai tout ce qu'il avait à me dire, mais il n'était pas question de revenir sur ma décision. Will m'avait laissé entrevoir un aspect de sa personnalité totalement rédhibitoire.

Un calme vaguement inquiétant s'installa dans la maison.

J'avais aussi connu des périodes de calme avec Phillip.

J'étais en train de régler les affaires courantes et de prendre toutes les dispositions légales nécessaires, en concertation avec Nathan Bailford. J'en avais encore pour un jour ou deux, puis je parlerais à Will. En attendant, je consultais de temps en temps une excellente psychiatre de Tarrytown, à deux pas de chez nous. J'étais « sous surveillance médicale », comme l'écrivaient laconiquement les journaux.

Un événement inattendu survint alors. L'école de Jennie me convoqua. C'était important, me disait-on. La belle petite demeure victorienne qui abritait les services administratifs de la Bedford Hills Academy ressemblait à un relais de campagne cossu. J'arrivai en courant. Les élèves et le personnel, qui m'avaient reconnue, essayaient de ne pas trop regarder dans ma direction. Je saluai quelques enfants, que je ne connaissais pas tous.

Au premier, je fis une halte aux toilettes pour me donner un coup de peigne, mettre un peu de rouge à lèvres et vérifier que j'étais présentable.

J'avais rendez-vous avec le Dr Henry Follett, doyen de l'établissement, et je ne tenais pas à me différencier des autres mères d'élèves. J'étais énervée, sans doute bien plus que ne l'exigeaient les circonstances.

Le Dr Follett avait transformé son bureau exigu mais très agréable (une grande baie vitrée permettait d'embrasser du regard tout le campus) en véritable musée. Trophées, fanions, photographies du doyen en compagnie d'élèves ou d'élus locaux, il ne restait plus un espace de libre.

C'était un homme d'une cinquantaine d'années, d'un abord sympathique, trapu et élégamment vêtu. Sous ses dehors sérieux et son sourire très universitaire, je flairais malgré tout un solide sens de l'humour. Il avait l'œil bienveillant et j'aimais sa poignée de main franche.

J'ignorais le motif de la convocation. J'étais chez moi, occupée à régler les problèmes de ma séparation, quand le téléphone avait sonné, et j'avais tout laissé tomber pour venir immédiatement.

— C'est au sujet de Jennie, m'annonça-t-il dès que j'eus pris place devant son grand bureau surchargé.

— Oui, j'imagine, lui répondis-je en m'efforçant de ne pas laisser paraître mon angoisse.

Il fallait que j'assure, pour Jennie. Et cela, j'en étais capable.

— Je ne sais pas trop, madame Bradford. Peut-être pourrez-vous m'éclairer.

Je n'avais rien repéré de particulièrement inhabituel chez Jennie mais cela dit, elle était en pleine période d'adolescence.

— J'ai l'impression qu'elle va bien. Bon, par moments, elle refuse d'obéir, elle discute mes choix, elle joue à Beavis et Butthead dans la maison pour me rendre folle...

— Mais chez vous, vous n'avez rien remarqué de différent ? Elle n'a pas été malade récemment ? Déprimée, ou malheureuse ?

Je secouai la tête, perplexe, inquiète. Où voulait-il en venir ? Je voyais Jennie tous les jours. Bien sûr, elle avait sa vie et ses amis. Je partais du principe qu'il faut laisser à une adolescente assez d'espace pour qu'elle puisse s'épanouir. Et lui donner beaucoup d'amour, bien sûr.

— Malade, certainement pas. Que se passe-t-il, Dr Follett ? Je vous en prie, dites-moi pourquoi vous m'avez fait venir.

Il pianota sur son bureau.

— Jennie a été absente dix-sept jours au cours du semestre.

La terre s'ouvrait sous mes pieds. Je fus brusquement saisie d'un froid glacial.

— Elle a manqué dix-sept jours ?

— Elle a séché ses cours. On ne l'a pas vue à l'école.

— Oh, mon Dieu ! Je ne le savais pas. J'ai du mal à vous croire, mais je suis bien obligée. Cela ne ressemble pas à Jennie.

— Vous avez raison, convint-il, ce n'est pas son genre.

Il me tendit des papiers. Un relevé de notes et des mots d'excuse.

— Est-ce votre signature ?

J'examinai les feuilles, la main tremblante.

— C'est bien mon nom, mais pas mon écriture.

Nouveau séisme

— Celle de Jennie ?

— Je ne sais pas. Peut-être.

J'avais la tête qui tournait. C'était la dernière chose à laquelle je m'attendais. Jennie n'avait jamais eu de problèmes.

— Nous pensons qu'elle a essayé d'imiter votre signature, déclara le Dr Follett, m'arrachant à mes interrogations.

— Jennie ne ferait jamais une chose pareille, lui rétorquai-je en grimaçant, et de toute évidence, pourtant, elle l'avait fait.

— En êtes-vous bien certaine ? S'il ne s'agit pas de votre écriture et si Jennie n'a pas imité votre signature, qui a signé ?

— Je n'en ai aucune idée.

J'avais le cerveau en ébullition. Malgré mes doutes, j'en voulais à Jennie. Nous nous étions toujours fait confiance et je prenais le temps de me soucier d'elle en toutes circonstances.

— M. Shepherd ? avança le doyen.

— Non. C'est son beau-père, il aurait simplement signé. Et d'ailleurs, ce n'est pas son écriture.

— Jetez donc un coup d'œil sur son dernier relevé. Avez-vous vu cela ?

Je regardai. Les notes étaient moyennes, voire médiocres. Je crus que j'allais pleurer. Jennie avait toujours obtenu d'excellents résultats et, pour cette raison, peut-être avais-je quelque peu négligé son suivi scolaire.

— Madame Bradford, Jennie est l'une des meilleures élèves de Bedford Hills. Et voilà que ses notes chutent brusquement. Ce genre d'accident de parcours n'est pas rare chez les terminales, quand une jeune fille décide de se la couler douce parce qu'elle a réussi à décrocher une place en fac. Mais Jennie est en seconde et c'est justement maintenant qu'elle devrait obtenir les meilleurs résultats.

— Je sais, et Jennie le sait également.

Je ne comprenais pas ce qui avait pu se produire. Rien ne m'avait mis la puce à l'oreille. Selon moi, Jennie n'avait pas eu vent de mes projets de séparation, mais peut-être me trompais-je. C'est intuitif, les gosses.

Le Dr Follett se leva et me tendit la main.

— Tout le monde, ici, aime Jennie. Je vous parle autant de ses profs que de ses camarades de classe. Si vous découvrez quoi que ce soit, soyez gentille de m'appeler. Il ne s'agit pas de trahir ses secrets. Ce ne sera pas la première fois que ce genre de chose arrive à une élève, et tout se réglera en douceur, faites-nous confiance.

Je lui serrai la main et sortis chercher Jennie. Ce jour-là comme tant d'autres, elle n'était pas venue en cours.

Je commençai par m'asseoir dans le parking réservé aux visiteurs, en essayant de ne plus trembler. C'était comme si le monde s'écroulait autour de moi.

81

Jennie rentra à la maison vers 15 h 30 avec son sac à dos bourré de livres, l'air parfaitement innocent. Je lui proposai de venir faire un tour avec moi.

Je l'emmenai à la réserve naturelle de Pound Ridge, qui se trouvait en plein comté de Westchester. La promenade que j'avais prévue devait nous conduire au sommet d'une butte surmontée d'un vieux mirador utilisé jadis pour repérer les départs d'incendies. Juché sur la tour, on pouvait apercevoir le sud de Long Island et même deviner les gratte-ciel de Manhattan.

Bien entendu, Jennie voulut savoir ce qui se passait. Je lui demandai de patienter. Chaque chose en son temps, ma chérie...

Nous marchions en silence — je ne savais par où commencer — et, arrivées sur la crête, nous nous arrêtâmes pour souffler. Mes sentiments à l'égard de Jennie étaient partagés — j'hésitais entre l'engueuler et la materner, j'étais effondrée et pourtant je restais optimiste. Comme dans les paroles de mes chansons. Ne les disait-on pas inspirées de la vie de tous les jours ?

— Je suis allée voir le doyen Follett, ai-je enfin lâché.

Première salve.

Jennie, qui me regardait, détourna la tête sans prononcer un mot.

— D'après lui, ta moyenne a dégringolé. Il m'a dit également que tu as séché les cours.

Deuxième salve.

— Je m'emmerde dans cette école, et je la déteste, répliqua-t-elle d'un ton hargneux et insolent.

Cela ne lui ressemblait pas. C'était Jennie dans ses pires moments, et Dieu sait qu'ils étaient rares.

— C'est nouveau, ça.

— Peut-être, mais maintenant, c'est comme ça. On n'y apprend rien de bien et les profs sont pas hyperdoués, tu sais.

— Donc tu n'y vas plus. Très intéressant, Jen. Quelle révélation... Et que fais-tu de tes journées ?

— Oh, pas grand-chose, mais c'est toujours mieux qu'en cours.

— Et tu n'es pas à la maison...

— Qu'est-ce que t'en sais ? Tu passes presque tout ton temps cloîtrée dans ton bureau.

Là, elle devenait carrément malhonnête, mais je réussis à conserver mon calme.

— Je le sais, et tu sais très bien que je le sais. Je t'aime, Jennie, et si tu as des ennuis...

— Arrête, tout le monde se fout pas mal de tout le monde. Ne me la joue pas, s'il te plaît. Tes airs condescendants, garde-les pour quelqu'un d'autre.

Sans même l'effleurer, je la sentais horriblement tendue. Elle faisait des efforts surhumains pour me parler. Que s'était-il passé ? Et quand ?

— Je t'aime, lui ai-je répété d'un voix mal assurée. Tu es ce que j'ai de plus précieux dans ma vie, et depuis toujours.

À cet instant, sa carapace se fissura. La mienne ne valait guère mieux.

— Ne dis pas ça, s'étrangla-t-elle. Ne dis pas que tu m'aimes, maman, je ne le mérite pas.

La gorge nouée, j'essayai de retenir les sanglots qui montaient en moi.

— Pourquoi ? C'est vrai que je t'aime. Pourquoi voudrais-tu que je dise autre chose ?

— Parce que tu n'es pas capable de m'aimer. Tu ne sais pas qui je suis et voilà ce qu'il faut pour que tu t'intéresses à moi. Des notes en baisse ! Je veux dire, on s'en fout, de mes notes !

Je finis par craquer. Je fondis en larmes. Je croyais pouvoir tout encaisser, mais là, c'était trop.

Brusquement, Jennie se jeta dans mes bras et enfouit son visage au creux de ma nuque. Je sentais ses larmes brûlantes contre ma peau, la chaleur de son corps.

— Je ne peux pas te raconter, sanglota-t-elle. Je ne suis même pas sûre. Tu sais, j'ai quinze ans et c'est un peu embrouillé dans ma tête. Le tableau classique, quoi.

Elle réussit à émettre un semblant de rire, puis me regarda et me dit :

— Oh, maman, mais tu trembles de partout !

On s'assit dans l'herbe et on resta de longues minutes accrochées l'une à l'autre. Un petit vent se leva. Je posai mon pull sur les épaules de Jennie en me répétant : « Mon amour, ma copine de toujours, ma douce petite Jenny. » Mais je ne voyais pas comment la réconforter et nous sortir de là. Je m'en voulais, forcément. J'avais tout fait pour être une mère irréprochable, mais je n'en avais pas fait assez. On n'en fait jamais assez.

82

Le lendemain matin, je passai une heure délicieuse à travailler au jardin, derrière la piscine. L'air était exceptionnellement doux. Je me changeais les idées en faisant un peu d'exercice et le soleil me chauffait la nuque. C'était très exactement ce que le toubib m'avait conseillé. Je commençais enfin à me ressaisir.

Il me fallait un peu de temps pour mettre de l'ordre dans ma tête. Il y avait mes rapports avec Will qui, visiblement, ne s'amélioraient pas. Les problèmes de Jennie à l'école. Mon désastreux concert de San Francisco. Tout cela faisait beaucoup à la fois et je craignais de ne pas vraiment être à la hauteur.

Soudain, une détonation retentit vers le bois, au-delà de la piscine.

Je cessai de bêcher, cessai de réfléchir, cessai de respirer et je tendis l'oreille, terrifiée.

Une seconde détonation, derrière l'épais bosquet de sapins. Impossible de distinguer quoi que ce soit.

« Des coups de feu ? Oh, mon Dieu... »

Je me relevai et je courus aussi vite que je pus en direction des arbres, un cri bloqué dans la gorge.

« Mon Dieu... qu'est-il arrivé ? »

Le cœur battant à tout rompre, la poitrine en feu, je plongeai dans le bois vers l'endroit d'où me semblaient venir les coups de feu.

Je fonçai aveuglément, sans même appeler à l'aide. Qui aurais-je appelé, d'ailleurs ?

Des coups de feu à proximité de la maison ? Comment était-ce possible ?

Les pierres et les ronces me déchiraient les chevilles. Un silence désolant, terrible, avait succédé aux coups de feu. Je débouchai dans une petite clairière et je m'arrêtai.

Will était là, une carabine au creux du bras.

En m'entendant, il se retourna et me regarda comme si je le dérangeais.

Je lui fis :

— Qu'est-ce que tu fabriques ?

— Je m'entraîne sur des cibles, me répondit-il en désignant une rangée de boîtes de bière et de soda posées sur un rondin. Tu veux essayer, Maggie ? (Il me balança son grand sourire à la North Downing.) Je commence à être assez bon. Je crois que j'ai des dons pour le tir instinctif.

Phillip avait des armes, lui aussi, et je m'étais servie de l'une d'elles pour le tuer. Je revoyais la rigole de sang noir au coin de sa bouche et l'expression d'horreur sur son visage, j'entendais son hoquet de surprise au moment où la balle mortelle l'avait frappé.

Je me mis à hurler :

— Vire-moi ce fusil ! Je ne veux pas de ça chez moi. Vire-moi ce fusil tout de suite !

Il me regarda froidement, puis esquissa un sourire.

— Chez nous, tu veux dire. Mais c'est toi qui décides, Maggie. Si ça te pose un problème, il disparaîtra. Si tu te méfies des armes, je comprends très bien.

83

Venons-en à ce fameux jour. Le jour de toutes les surprises.

N'ayant pas fermé l'œil de la nuit, j'allai faire un petit tour dehors à l'aube. Avec mon peignoir en éponge, mes tennis pourries et mes cheveux pleins de nœuds, je devais offrir un triste spectacle.

« Un peu d'air frais me fera du bien, me disais-je. Commençons la journée sur un bon pied. »

J'espérais que personne ne me verrait dans cette tenue. Et surtout pas des *paparazzi* en embuscade.

Je me promenai jusqu'au muret de pierre à demi écroulé qui séparait ma propriété du Lake Club, piétinant joyeusement ronces et feuilles mouillées. Des geais et des merles volaient de cime en cime en piaillant à qui mieux mieux.

— Oh, vos gueules !

Presque aussitôt, à mon grand étonnement, je crus entendre une voix d'homme.

— Qui est là ? lançai-je. Y'a quelqu'un ?

Apparut alors J.C. Frazier, qui sortait d'un pré appartenant au Lake Club dont il était le responsable des espaces verts. Comme J.C. travaillait toujours à l'extérieur, nous nous croisions de temps en temps. Je savais qu'il voyait Mme Leigh et que, selon elle, c'était quelqu'un de bien. J'avais envie de lui dire : « Oui, et ce n'est pas facile à trouver, croyez-moi. »

— Bonjour, m'dame Bradford, me dit-il. C'est vous qui nous avez commandé ce beau temps ?

Je l'enviais. Pas l'ombre d'un souci. Il faut dire que le domaine dont il avait la charge était parfaitement entretenu.

— Je croyais que c'était vous le maître du temps, J.C.

— Pour ça, non, m'dame. Moi, je m'occupe que des terres. Dans la haute atmosphère, je suis sûr que c'est vous la patronne. Et je vais vous dire, aujourd'hui, vous avez fait du sacré bon boulot. J'ai rarement vu un ciel aussi bleu.

On s'est arrêtés pour bavarder un peu au-dessus des pierres moussues. J.C. devait connaître mieux que quiconque les petits secrets des habitants de Bedford, mais son ancienneté au club s'expliquait autant par sa discrétion que par ses aptitudes professionnelles, et notre conversation se limita à des sujets triviaux, comme les fleurs ou le prochain été. Des banalités qui avaient au moins le mérite de me changer les idées, ne fût-ce que quelques minutes.

Puis je me souvins d'une question que je voulais poser à quelqu'un du club, ou que je n'avais peut-être pas osé poser jusque-là.

— Il m'est arrivé, la nuit, de voir de la lumière au club. Vers 1 ou 2 heures du matin.

J.C. considéra ma remarque, puis secoua la tête.

— Impossible. Non, j'crois pas, m'dame Bradford.

— J'ai vraiment vu de la lumière. J'en suis certaine.

— Ah, non, m'dame, j'pense pas. C'est pas possible. Le club ferme à 11 heures du soir, tous les jours. Le règlement est très strict là-dessus.

D'abord tentée de poursuivre sur ma lancée, je renonçai. Ce n'était pas moi qui allais faire parler J.C. s'il n'en avait pas envie.

Il rabaissa sa casquette bleue aux armes des New York Giants.

— Bon, faut que je rentre, c'est pas le travail qui manque. Passez une bonne journée, m'dame Bradford.

Je le regardai s'éloigner en direction du club-house.

Bizarre. Comment pouvait-il ne pas avoir vu ces lumières ? Et s'il mentait, pourquoi ?

Je rebroussai chemin en me promettant de parler à Will dans la matinée. Il fallait en finir, même si nous devions l'un et l'autre y laisser quelques plumes. Aujourd'hui ou demain, quelle différence ?

Jennie et Allie se faisaient griller des tartelettes. Tous

deux étaient déjà habillés, et Jennie semblait prête à partir pour l'école, ce qui me réjouissait vraiment.

— Will est levé ?

Une question posée le plus naturellement du monde, comme si de rien n'était.

— Tu viens de le louper, me répondit Jennie. Il fallait qu'il aille en ville pour une histoire de boulot. Il a dit qu'il rentrerait vers 16 heures.

Il y avait de quoi râler. Will ne partait quasiment jamais de bonne heure.

La journée commençait bien. Et ce n'était pas fini...

84

Will ne rentra pas à 16 heures.

À 19 h30, quand nous commençâmes à dîner, il n'était toujours pas là.

Pas plus qu'à 22 heures, quand tout le monde monta se coucher. Will n'appelait jamais pour prévenir qu'il serait en retard ou ne rentrerait pas.

Couchée dans le noir, les yeux grands ouverts, j'étais en train de culpabiliser tout en sachant très bien qu'il n'y avait pas de quoi. Will, si sensible, si romantique au début de nos relations, s'était subitement métamorphosé.

Je me demandais s'il entretenait une liaison secrète, voire plusieurs. Ce qui, normalement, n'aurait pas dû me perturber outre mesure. Normalement...

Au bout d'un certain temps, je ne sais pas comment, j'avais réussi à trouver le sommeil. Mais des jurons me réveillèrent.

— Merde ! Putain de merde !

C'était Will. Il était dans la chambre. Il était rentré.

Je l'apercevais près de la porte, examinant son gros orteil. Il s'était cogné dans l'obscurité. Bien fait pour lui.

La lumière du couloir découpait la silhouette de son corps, mais je ne distinguais pas son visage.

Quand il se tourna dans ma direction, je fis semblant de dormir, en retenant ma respiration. Il ressortit de la pièce sur la pointe des pieds.

Il referma la porte derrière lui d'un geste maladroit, peu discret. Que manigançait-il encore ?

Je regardai le radioréveil : minuit 45.

Où avait-il passé la soirée ? Peut-être valait-il mieux que je me lève pour lui parler tout de suite, pendant que les enfants dormaient.

Je m'extirpai du lit, allai jusqu'à la fenêtre, et regardai dehors où j'aperçus Will. Que fabriquait-il ? Où se rendait-il ?

J'enfilai ma robe de chambre, et quittai la chambre. Le couloir était plongé dans l'obscurité. En sortant, Will avait éteint la veilleuse que j'avais fait installer pour Allie.

Je descendis à toute vitesse.

Pas de lumière dans le salon, ni dans le bureau. Aucun bruit, aucun mouvement.

Il y avait quelque chose d'anormal ! Pourquoi avoir tout éteint ?

Qu'avait-il en tête ?

Il n'y avait personne dans la cuisine ni dans la chambre de Mme Leigh, qui était de congé le vendredi.

Je retournai au pied de l'escalier, levai les yeux. Rien. Will était-il de nouveau rentré ?

En remontant, au milieu de l'escalier, je vis quelque chose contre le mur. Mon cœur s'arrêta, je sentis mes jambes se dérober sous moi.

J'avais enfin mis la main sur le fusil ! Will l'avait laissé dans l'escalier !

Dans ma tête régnait un épouvantable vacarme. C'était la confusion la plus totale. Je n'y comprenais plus rien.

Que se passait-il ?

Will était-il remonté ? Que comptait-il faire avec son fusil ? D'où le sortait-il ?

Je gravis les dernières marches et, juste avant le palier, m'arrêtai. Au fond du couloir, j'apercevais un rai de lumière sous une porte.

C'était la porte de la chambre de Jennie, qui se trouvait dans l'obscurité quelques minutes plus tôt.

L'idée d'y découvrir Will me glaça l'esprit. « Il enlève les enfants », me dis-je.

Je courus chercher le fusil et je revins. Au moins, maintenant, c'était moi et non Will qui le détenais.

Avait-il projeté de tous nous assassiner ? Un crime de déséquilibré, comme il en arrivait régulièrement ?

Une image me revint. Phillip !

Je fonçai au bout du couloir, j'ouvris la porte d'un grand coup. Mon fusil était prêt, ou du moins le pensais-je. À vrai dire, je ne connaissais quasiment rien aux armes à feu.

Le spectacle qui m'attendait dans la chambre me rendit folle.

85

C'était le jour de tous les dangers. Non, Will, pas ça !

« Ne tire pas, Maggie ! Non, ne fais pas ça ! » hurla une voix dans ma tête.

Jennie était allongée sur son lit, vêtue d'un pyjama court qui laissait ses longues jambes découvertes. Elle avait les yeux fermés et semblait respirer normalement. Il y avait un verre de lait à moitié plein sur sa table de chevet.

J'enregistrai la scène dans ses moindres détails, sans encore comprendre.

C'était un vrai cauchemar.

Will était debout devant le lit, en chemisette et pantalon kaki. Une tenue très décontractée pour quelqu'un censé revenir d'un rendez-vous professionnel à New York. Pourquoi était-il dans la chambre de Jennie ?

— Maggie ? fit-il le plus posément du monde, comme si les caméras tournaient. Je croyais que tu dormais. Tu faisais semblant ?

Mon cœur battait si fort que j'avais du mal à respirer. Je hoquetai :

— Que fais-tu ici ? Que se passe-t-il ?

Jennie se réveilla brusquement en se frottant les yeux, apeurée.

— Maman ? Will ? Qu'est-ce qu'il y a ? T'as un fusil, là, m'man ?

Et Will qui observait la scène en souriant. Jamais je n'avais lu sur un visage une expression aussi démoniaque, aussi inquiétante. J'étais face à quelqu'un que je ne connaissais pas. Que faisait-il dans la chambre de Jennie ? Je commençais à en avoir une petite idée.

Et là, il me dit :

— Jennie et moi, on allait s'amuser un petit peu. Tu viens au lit avec nous ? On se fait une triplette ?

Une triplette ? Muette de peur et de stupéfaction, j'étais comme paralysée. Mon pouls s'affolait. Je sentais ma tête imploser. Will et Jennie ? Oh, mon Dieu, non !

Je levai le fusil et le braquai sur Will. Tant pis pour les conséquences.

Mais je ne pus presser la détente. Non, je ne pouvais pas.

— Sors de cette maison et ne t'avise pas d'y remettre les pieds ! lui ordonnai-je.

Il quitta la pièce en me bousculant au passage et se précipita vers l'escalier. Je l'entendis descendre les marches quatre à quatre en hurlant de rire, un rire guttural digne d'un film d'horreur.

Je tentai de le suivre, gênée par mon arme lourde et encombrante. Je n'avais pas l'intention de tirer sur lui. Je voulais simplement m'assurer qu'il partait, et définitivement. Qu'il allait enfin disparaître de notre vie.

Il sortit par la porte d'entrée principale. Je courais derrière lui sans voir grand-chose d'autre que la silhouette des arbres, mais je l'entendais contourner la maison.

Je me fis mal au genou en trébuchant, mais je réussis à me rattraper d'une main.

Soudain, le bruit de pas s'évanouit.

Je me relevai pour tendre l'oreille, en me concentrant de toutes mes forces.

J'avais peur et j'étais littéralement frigorifiée. Un début d'état de choc, peut-être. La scène à laquelle je venais d'assister, le regard de Jennie demeuraient gravés dans mon esprit.

Ce calme ne me rassurait pas. Je n'entendais plus Will, pas plus que je ne le voyais. À quoi jouait-il ?

La lune ayant disparu derrière les nuages, il régnait une obscurité presque totale. Je ne pouvais pas rester dehors, il fallait que je rentre.

Will m'avait peut-être semée pour retourner auprès de Jennie. Je ne savais plus quoi faire.

Hésitant sur la conduite à adopter, j'essayais désespérément de scruter la nuit, en me remémorant ce jour, à West

Point, où je m'étais réfugiée sous la terrasse en rampant. La boucle du cauchemar était bouclée.

Le silence.

La nuit.

Le froid. Mon corps tout entier frissonnait.

— Salope ! Connasse ! T'as voulu me baiser la gueule !

Will me sauta dessus par-derrière en vociférant et en tentant de me saisir à la gorge. Je parvins à me dégager mais, presque aussitôt, je pris un coup de poing au visage. De côté, mais assez violent. Je me retrouvai à genoux. J'essayai de me relever, en vain. Impossible.

Alors Will m'expédia un coup de pied terrible. Je sentis mes côtes craquer comme du bois sec. Une douleur inimaginable me cisaillait la poitrine. Jamais je n'avais été terrorisée à ce point.

Je m'écroulai sur le sol glacé, dur comme du béton.

La détonation retentit plus fort qu'un coup de tonnerre, plus fort que tous mes hurlements. Je roulai sur le ventre, puis tout devint noir et je perdis connaissance, le nez dans les feuilles mortes.

86

Je ne sais pas.

Honnêtement, je ne sais pas ce qui s'est passé au cours de cette terrible nuit du 17 décembre. Ai-je tiré sur Will ? L'ai-je attiré hors de la maison pour l'abattre, comme on m'accuse de l'avoir fait ? Ai-je commis un meurtre ? Deux meurtres ? Et si deux, pourquoi pas trois ?

A-t-on raison de me traiter de tueuse ? De m'appeler « la diabolique », « la veuve noire de Bedford » ?

Peut-être ai-je finalement sombré dans la folie. Je trouve cela si horrible, si injuste. Mais la vie n'est pas toujours juste, me direz-vous.

Je me réveillai dans mon lit, le visage écrasé contre l'oreiller, souffrant de terribles élancements dans le côté gauche, comme si on m'avait tapé dessus à coups de pelle. Mon crâne s'était transformé en laminoir.

Je me voyais trébucher, trébucher encore, sans pouvoir arrêter les images de violence et d'horreur qui déferlaient sur moi.

Qui avait tiré ?

« Jennie, me dis-je. Il faut que je voie Jennie, et Allie. »

Je pris conscience d'une sorte d'énorme bourdonnement. Je crus d'abord que c'était dans ma tête, puis je compris que ça venait de dehors.

Pourquoi ces voix près de la maison ? Que se passait-il ?

J'avais les paupières lourdes, si lourdes. Derrière, c'était comme si on me tailladait avec un rasoir. Et une autre forme de douleur me sciait les côtes.

J'ouvris les yeux avec difficulté, pour les refermer aussitôt. La lumière était bien trop vive. Qui avait allumé ?

J'entendis des pas dans l'escalier. Will !

Je voulus m'asseoir. Peine perdue. Un rayon lumineux traversa mon champ de vision comme un éclair. On aurait dit un titre sur MTV.

Je rouvris les yeux.

Je distinguais très vaguement un homme de forte corpulence, un Noir immense, en complet sombre, chemise blanche et cravate. Je lui aurais donné plus de deux mètres. Ses lunettes à monture de corne paraissaient trop étroites pour son énorme tête.

Il me dévisageait d'un air bizarre. Que faisait-il dans ma chambre ? Ou bien me trouvais-je à l'hôpital ? Cette dernière hypothèse me semblait plus crédible.

— Vous êtes Maggie Bradford ?

Je m'efforçai de hocher la tête en essayant de comprendre ce qui arrivait, hôpital ou pas. J'étais peut-être en train de revivre un événement passé.

— On vous a découverte dehors, et on vous a montée ici, me déclara l'inconnu en agitant devant mon visage un insigne or et bleu. Je suis Emmett Harmon, chef de la police de Bedford.

« Le chef de la police de Bedford ? Mon Dieu, qu'est-il arrivé ? Jennie ? Allie ? »

— Que faites-vous ici ? Où sont mes enfants ?

J'avais la gorge à vif.

— Maggie Bradford, vous êtes en état d'arrestation pour le meurtre de votre époux, Will Shepherd. Vous avez le droit de garder le silence.

Livre V

PROCÈS ET MÉPRISE

87

— Madame Norma Breen ?
— Oui. À qui ai-je l'honneur ?
— Je m'appelle Barry Kahn.
— Pincez-moi, je rêve. Barry Kahn, le chanteur ?
— Lui-même.
— Je vous trouve génial. Enfin, vos chansons. Que puis-je pour votre service ?
— Je n'appelle pas pour moi. Nous aurions besoin de vos talents.
— Nous ?
— Nathan Bailford et moi-même.
— Nathan ! Comment va-t-il ?
— Bien. Il n'a pas le temps de s'ennuyer ; c'est lui qui assure la défense de Maggie Bradford.
— Oui, j'ai appris qu'il se chargeait de l'affaire. Je lui souhaite bien du courage.
— Nous aimerions vous engager dans notre équipe. Selon Nathan, il n'y a pas meilleur limier que vous.
— Je suis une excellente enquêtrice, mais en quoi cela peut-il vous servir ? D'après ce que je sais, le dossier est béton.
— Nous ne sommes pas de cet avis. Nathan pense que c'est tout le contraire.
— Ah, bon. Vous m'étonnez. Si j'en crois la presse, c'est bien elle qui a fait sauter la tête de ce type.
— Ce n'est pas aussi simple que cela, croyez-moi. Il y a autre chose et il faut trouver quoi. Cela vous intéresserait ?
— Il sortait avec quelqu'un d'autre ?

— On ne le saura jamais. Sans doute, mais Maggie ne l'aurait pas tué pour ça.

— Il la maltraitait ?

— À ma connaissance, il l'a frappée une fois. Euh, non, désolé, deux fois. Mais elle ne l'aurait pas tué pour ça non plus. C'est quelqu'un de très pacifique, de très bienveillant, comme dans ses chansons.

— Dans ce cas, pourquoi l'a-t-elle tué ?

— C'est la raison pour laquelle nous souhaiterions vous engager, madame Breen. Nous ne sommes pas certains qu'elle soit coupable.

— Vous cherchez des éléments à décharge ou vous cherchez des faits ?

— Des éléments à décharge.

— Vous, au moins, vous êtes honnête. De la part d'un artiste célèbre, j'apprécie.

— Mais nous sommes sûrs que les faits la disculperont. Maggie n'a rien d'une criminelle.

— Disons qu'elle ne tue que ses maris. C'est bien elle qui a abattu son premier cher et tendre, si je ne m'abuse. Il me semble avoir vu un dessin humoristique là-dessus.

— On ne l'a jamais prouvé et il n'y a pas eu procès. Elle avait initialement été inculpée de coups et blessures ayant entraîné la mort, mais le dossier ne tenait pas.

— Et le petit ami qui vivait avec elle ? Patrick O'Malley ?

— C'était un accident. O'Malley a eu une crise cardiaque.

— Je croyais qu'elle avait avoué l'avoir tué.

— La police prétend que cela figure dans sa déposition, mais elle était complètement déboussolée. Ce qui se comprend.

— Dans la presse, son procès a déjà commencé et elle est sûre de perdre. Le premier avec une arme de poing, le deuxième sur un bateau, le dernier avec un fusil...

— Écoutez, si vous ne voulez pas prendre cette affaire...

— Oh, je n'ai jamais dit ça.

— Vous êtes d'accord, alors ?

— Parce que c'est vous, Barry Kahn...

Silence.

— Dieu vous bénisse, madame Breen, répondit Barry.

— Appelez-moi Norma.

En l'entendant soupirer de soulagement, elle imagina sa nervosité. Et elle admirait la loyauté qu'il témoignait à l'égard de son amie, même si elle était la « veuve noire » de Bedford et vraisemblablement aussi coupable qu'on pouvait l'être.

88

Alors que la plupart des habitants de la planète ignoraient toujours la nature précise du conflit opposant Serbes et Croates, le procès de Maggie Bradford battait déjà des records d'audience. On voyait débarquer des journalistes venus de l'autre bout des États-Unis, mais aussi d'Europe, d'Amérique latine et d'Asie. Norma Breen avait le sentiment que cette affaire suscitait un intérêt médiatique comparable à celui d'une investiture présidentielle, à la différence que, cette fois, journaux et télévisions semblaient prêts à tout pour révéler, à leur manière, les dessous de l'histoire.

Mais bon sang, se disait-elle, il s'agit d'un procès d'assises ! Le verdict ne changera pas la face du monde. Elle a peut-être assassiné un ou deux de ses maris, et alors ? La plupart du temps, ils le méritent bien !

Arrivée au centre de Bedford, elle engagea sa Chevrolet jaune remarquablement sale dans Clarke Street et, pour la seconde fois de la matinée, passa lentement devant le palais de justice en pleine effervescence.

Une véritable procession de parapluies noirs, d'imperméables en vinyle et de sacs isothermes Boston Chicken ou Dunkin' Donuts s'étirait au-delà de la pharmacie Hamilton et du marchand de journaux jusqu'à la nouvelle bibliothèque municipale, puis se prolongeait sur plus de cinq cents mètres dans Charles Street.

Quel cirque ! On se serait cru pendant le débarquement de Normandie. Des cars affrétés par des touristes encombraient les rues. Les bus scolaires jaune vif côtoyaient les

Greyhounds venus du fin fond du pays. On était début décembre, et il y avait déjà de la neige dans l'air.

« La fin tragique d'une idylle orageuse », clamait la presse du jour. L'autoradio débitait des formules jouant dans le même registre, parmi lesquelles Norma retint « chanteuse : un métier tuant ». Enfin un peu d'humour dans la désastreuse affaire qu'elle avait la charge d'éclaircir.

L'enquêtrice de la défense aimait la discrétion ; la notoriété et l'argent ne l'intéressaient guère. Tous ces journalistes qui la harcelaient de questions, ça nuisait à l'efficacité de son travail. Mais elle savait très bien à quoi s'en tenir. Maggie Bradford était une star. Une partie du public l'avait décrétée coupable, l'autre innocente comme l'agneau. Et elle, Norma, qu'en pensait-elle ?

« À vrai dire, je ne sais toujours pas. Maggie elle-même émet des doutes. Sa déposition ressemble à des aveux, et les éléments à charge sont importants. »

Un laissez-passer jaune collé bien en évidence sur le pare-brise de sa Chevrolet l'autorisait à se garer sur le parking bitumé du palais de justice, déjà presque plein. Outre les véhicules de la police locale et régionale, il y avait là toutes les voitures appartenant aux avocats des deux parties et à leurs équipes respectives.

Norma aperçut la Mercedes bleue du juge Andrew Sussman dans son box réservé, près de l'entrée de derrière. Juste à côté, la Porsche métallisée de Nathan Bailford faisait un peu frime. On la voyait très bien entre les mains d'un étudiant draguant les minettes le week-end.

Comme Norma extrayait son corps un peu fort de la voiture, Bailford vint à sa rencontre et désigna la foule qui piétinait devant le parking.

— Et, aujourd'hui, on ne fait que choisir les jurés. Imaginez ce que ce sera quand le procès commencera.

— Comment va votre cliente ? l'interrogea-t-elle.

Elle avait déjà rendu plusieurs fois visite à l'accusée au cours des dernières semaines et l'avait trouvée étonnamment pragmatique, presque détachée, ne l'aidant guère sans pourtant entraver ses efforts. « Elle est un peu perturbée », lui avait-on expliqué. Pour Norma, il s'agissait plutôt d'une solide dépression.

— Toujours égale à elle-même. Elle n'a quasiment pas

changé depuis le soir du meurtre. Elle ne sort pas de sa déprime. (Il la regarda, anxieux.) Et de votre côté, du nouveau ?

— Rien pour l'instant. Mais qu'est-ce que je peux entendre comme conneries ! Ça fait peur.

Norma se garda d'ajouter que certains aspects de cette affaire la troublaient énormément. Rien de précis, mais des détails qui ne concordaient pas ou résistaient mal à un examen attentif.

Elle avait en revanche quelques certitudes. Si Maggie avait abattu son premier mari, c'était parce qu'elle ne pouvait pas faire autrement. Et si elle avait tiré sur Will Shepherd, c'était également parce qu'elle y avait été contrainte. Restait à découvrir par quoi... ou par qui.

Il y avait deux décès par balles, et tout le problème était là. Le premier pouvait s'expliquer. Folie passagère, légitime défense, maltraitance. Mais le deuxième ?

L'après-midi, Norma retournerait sur les lieux du crime dans l'espoir d'obtenir des renseignements supplémentaires, de trouver une piste quelconque.

Il y avait forcément un élément qui lui avait échappé, un élément crucial.

Oui, décidément, quelque chose ne collait pas.

Un soleil très californien, voilé et rose comme un pamplemousse, effleura les hauteurs rocailleuses de Palm Springs. Ses premiers rayons se brisèrent en mille éclats sur les eaux bleues de la piscine et le carrelage cuivré de la terrasse.

Peter O'Malley posa son *New York Times* daté de la veille, enleva les Ray-Ban polarisées qu'il venait d'acheter, les posa sur la desserte en fer forgé et contempla le bassin miroitant.

Dans sa tête, les idées frémissaient tout autant. À la surface, il voyait presque le visage de Maggie Bradford se superposer au reflet du pool-house en stuc. Comme il l'avait vu à la télévision la veille, pâle et les yeux cernés. On aurait dit un zombie, et sa détresse l'avait réjoui au plus haut point.

Elle ne l'avait pas volé !

Le même soir, il l'avait écoutée dans la voiture. On ne pouvait pas y échapper, car toutes les radios la passaient.

L'animateur l'appelait « l'oiseau en cage ». Et chaque fois qu'il l'entendait, Peter O'Malley devenait fou.

Heureusement pour lui, cette voix allait bientôt disparaître. On ne l'entendrait plus, ni à la radio (qui se risquerait à programmer les disques d'une criminelle condamnée par la justice ?) ni dans la salle de conférences du directoire de la société de son père.

Peter O'Malley remit ses lunettes de soleil, prit le stylo et le bloc de correspondance dont il s'était muni et s'attaqua à la lettre qui, il n'en doutait pas, achèverait de ruiner les maigres espoirs que pouvait encore entretenir Maggie Bradford.

« Eh oui, la roue tourne, ma chère. À ton tour de souffrir. Tu peux me faire confiance. Les O'Malley ne sont pas encore totalement sortis de ta vie... »

89

Tous ceux qui avaient eu l'occasion de côtoyer Dan Nizhinski, le substitut du comté de Westchester, s'accordaient à le trouver parfait dans ce rôle.

Il y avait déjà son apparence. Un bon mètre quatre-vingts, cheveux couleur maïs, dégarni au sommet du crâne mais les tempes bien fournies, un visage légèrement buriné qui le vieillissait alors qu'il n'avait que trente-six ans, mais des yeux d'un bleu très clair, pétillants de malice, qui faisaient craquer les jurés de sexe féminin et incitaient les autres à voir en lui un ami.

Ensuite, son style à la barre. Droit comme un piquet, il donnait le sentiment de faire entrer les jurés dans la confidence tout en gardant suffisamment de distance pour les impressionner. « Je vous expose la vérité, semblait-il leur dire. Accordez-moi votre confiance. Si stupéfiantes que puissent vous paraître ces révélations, elles s'appuient sur des faits réels. »

Mais pour l'instant, les pieds sur le bureau, chaussures en toile offertes aux regards de ses assistants, il avait adopté une attitude plus décontractée.

— Les faits sont incontestables, répéta-t-il pour la dixième fois au moins. Elle a quasiment admis que c'est elle qui a tiré, elle a donné l'arme du crime à la police et je crois savoir que, d'une manière générale, elle s'est montrée plus coopérative avec la police qu'avec ses propres avocats. Une attitude qui, dans les affaires de meurtre, est moins rare qu'on pourrait l'imaginer. Mais (il marqua un temps d'arrêt pour ménager son effet) cette femme, ne l'oublions pas, a les moyens de s'offrir les meilleurs avocats et les meilleurs détectives. Nathan Bailford conduira personnellement les contre-interrogatoires, or c'est au pénal qu'il s'est fait sa réputation avant de devenir avocat d'affaires. En outre, ils ont demandé à Norma Breen d'enquêter. S'il existe le moindre élément susceptible de la disculper, elle le trouvera. Leur problème, c'est qu'il n'y a rien. Que dalle !

Il s'interrompit de nouveau, cette fois-ci pour maîtriser son élan.

— Leur ligne de conduite, et ils n'auront pas le choix, consistera à plaider la légitime défense. Maggie Bradford a essayé de se protéger de Will Shepherd et, si elle ne l'avait pas tué, c'est lui qui l'aurait tuée. Moi, j'affirme que c'est totalement faux et, lorsque nous en aurons terminé avec elle, le jury sera du même avis. Je trouve scandaleux qu'on ose plaider la légitime défense. Il s'agit tout de même de Maggie Bradford ! Elle ne pouvait pas appeler les flics ? Il lui faisait peur ? Quand son premier mari s'est fait descendre, ça a peut-être pris, mais ce coup-ci, impossible. Elle est célébrissime et n'importe quel tribunal de la planète lui aurait accordé une protection policière si elle l'avait demandée. Elle, une femme battue ? À d'autres, oui.

Troisième pause, le temps d'avaler une gorgée de café. Les trois collaborateurs présents dans le bureau n'ignoraient rien des convictions de leur patron, dont le sens du mélodrame avait depuis longtemps cessé de les impressionner, mais ils connaissaient ses compétences et savaient que ce procès marquerait une étape dans sa carrière.

— Deux maris, deux morts. Comme le disait S.J. Perelman, le hasard a le bras long et de plus, il a une crampe. Mais ce n'est pas tout, puisqu'il y a eu une troisième mort d'homme. Un homme que Maggie Bradford dit avoir aimé plus que quiconque. Patrick O'Malley, son compagnon, a succombé à une crise cardiaque sur son voilier. Enfin, s'agissait-il bien d'une crise cardiaque ? Selon l'autopsie, oui. La cause, en revanche, reste inconnue.

Et, d'une voix parfaitement posée, le substitut conclut :

— Maggie Bradford est une criminelle. Elle a tué froidement, sans scrupules excessifs, en faisant preuve d'une intelligence diabolique. Mais elle a tué une fois de trop et, cette fois-ci, nous la tenons. Sa culpabilité est entière et je peux vous dire que jamais je n'ai été aussi certain de mon fait !

Sa harangue terminée, il regarda ses assistants.

— Des questions, les enfants, ou êtes-vous trop abasourdis pour parler ? Est-ce que quelqu'un voit comment on pourrait perdre cette affaire ? Moi, pas.

90

Je ne suis pas une spécialiste du milieu carcéral et ne tiens pas à le devenir, mais si le centre de détention de Bedford Hills est « l'une des prisons les plus luxueuses du pays », je plains sincèrement toutes les femmes incarcérées dans d'autres établissements. C'est l'horreur totale, surtout lorsqu'on est innocente. Et si on ne l'est pas, je vois mal comment un tel système pourrait permettre la moindre réinsertion.

Mon statut de « star » me vaut d'occuper une cellule individuelle. Je fais de l'exercice et je mange leur bouffe dégueulasse toute seule. J'ai une amie, une autre femme elle aussi accusée d'avoir tué son mari. L'ironie de la chose ne nous a pas échappé.

Il n'y a autour de moi que des toxicomanes, des filles qui ont commis des petits vols, appartiennent à des gangs ou ont allumé des incendies, et d'autres qui ont tué quelqu'un. Jennie vient me rendre visite deux ou trois fois par semaine, un moment que j'attends toujours avec impatience. On a dit à Allie que j'étais en voyage et qu'il fallait qu'il soit très gentil avec Mme Leigh. Ils me manquent tellement que je ne peux pas en parler.

Quand je pense à ma fille et à mon petit bout de chou, si adorables, j'ai le cœur qui se déchire et j'en crève. Je ne suis pas en train de m'apitoyer sur mon sort. Si je pleure, c'est parce que je ne peux pas vivre sans eux et pour eux, quoi qu'il arrive, il faut que je tienne le coup.

J'ai terminé la page qui précède juste avant l'extinction des feux. On a l'impression que je passe mon temps à gémir, mais je ne suis pas comme ça. Même entre mes quatre murs, à six heures du procès.

Que va-t-il arriver ? Quel sera le verdict ? Aucune idée, vraiment aucune. Serai-je plus proche de la vérité lorsque j'entendrai le réquisitoire ? Saurai-je enfin ce qui s'est réellement produit ? Qui dévoilera les secrets et mensonges que je recèle en moi ?

Et vous, serez-vous plus proches de la vérité ? À ce jour, je vous ai tout dit. Que ressentez-vous ? Votre conviction est-elle acquise ? Vous ai-je exposé la vérité, ou bien ne suis-je qu'une de ces célébrités comme tant d'autres, passées maîtres dans l'art du mensonge ?

Êtes-vous vraiment sûrs de ce que je suis ?

Suis-je celle qui tire sans réfléchir pour se sortir des situations difficiles ? Ai-je une propension à fréquenter des psychopathes ?

Suis-je moi-même une psychopathe ?

91

C'est parti !

— Prête, madame Bradford ? Tout se passera très bien. Allons-y. On va vous faire entrer dans la salle d'audience du tribunal aussi vite et aussi délicatement que possible. Il faudra que vous nous aidiez. Baissez la tête et ne vous arrêtez pas en route.

— Comptez sur moi, Bill.

— Je sais.

Encore un petit privilège. On m'avait affecté un gardien new-yorkais rôdé à ce genre de mission, un vrai pro. Sa tâche consistait à superviser les autres gardiens chargés de tenir la presse à l'écart.

Il me conduirait dans la salle, resterait à mes côtés durant l'audience, puis me ramènerait à la prison aussi prestement que possible. Il s'appelait Bill Seibert. Un type bien, courtois et d'humeur toujours égale.

Il m'a gentiment poussée dans le dos et j'ai légèrement trébuché en sortant du fourgon. Ça commençait bien... Je voyais déjà les gros titres : LE PREMIER FAUX PAS DE MAGGIE BRADFORD !

Aveuglée par les projecteurs, j'ai fendu un agglomérat de corps humains d'où fusaient les questions les plus ridicules : Avais-je commis ce meurtre ? Dans quel état d'esprit étais-je ? Avais-je réussi à écrire des textes dans ma cellule ? Quelles étaient mes relations avec mes codétenues ? Avais-je chanté pour elles ? Lâchez-moi, merde !

Un feu roulant d'une bêtise et d'une putasserie qui allait bien au-delà de ce que j'aurais pu imaginer. Au bord de la nausée, je flageolais sur mes jambes. Les menottes qui me coupaient les poignets me donnaient le sentiment d'être coupable.

— Contentez-vous de me suivre, me dit Seibert. Surtout ne vous arrêtez pas, madame Bradford, quel que soit le prétexte, et n'adressez la parole à personne.

Je suivis ses instructions à la lettre.

C'était lui le spécialiste.

Les *state troopers*, repérables à leurs Stetson, avaient toutes les peines du monde à contenir la foule. J'entendais quelques huées, mais aussi des encouragements. Tout cela me donnait le vertige. La dernière fois que j'avais eu à affronter une telle cohue, c'était à San Francisco, un souvenir parfaitement inopportun en ces instants pénibles.

Malgré les barrières de police, des mains tentaient de m'attraper au passage. « Ne me touchez pas ! Laissez-moi tranquille ! Vous n'avez aucun droit sur moi. » La simple idée d'être effleurée par une main inconnue me donnait envie de hurler, mais je retins mes cris.

À mon grand soulagement, une lourde porte de chêne se referma derrière moi, oblitérant la majeure partie de cette foule déchaînée.

Je me retrouvai soudain dans l'immense salle des pas perdus. Greffiers, policiers appelés en renfort (pour la plupart des préretraités) et petits notables, tout le monde me dévisageait comme si je débarquais de la planète Mars. Les traditionnels avis de recherche en noir et blanc tapissaient la cage de l'imposant escalier de marbre. Des drapeaux du pays, de l'État et du comté pendaient mollement sur leur hampe dorée.

J'étais vraiment malade et j'avais envie de vomir. L'excitation terrifiante que je suscitais semblait s'être infiltrée dans la salle à la manière d'un gaz mortel. Tous les visages se tournèrent vers moi, comme en réponse à un signal. Des gens ordinaires et, dans la galerie, des plumes célèbres.

C'était un vrai supplice.

En m'efforçant désespérément de garder la tête haute, *d'avoir l'air innocente*, je m'assis à côté de Nathan, à la table de la défense. Barry, lui, rejoignit une place réservée au premier rang du public.

Je m'accrochai à la table des deux mains, tremblante. J'avais froid et je me sentais si seule...

Quand je tournai légèrement la tête pour voir Jennie et Allie, je ne trouvai que Jennie, bien entendu. Je le savais. On se fit un petit signe, elle se mit à pleurer.

Tout cela était si bizarre, si anormal.

— Oyez ! Oyez ! Le rôle quarante-quatre est soumis à la cour. Que tout citoyen concerné par cette affaire se manifeste, et il sera entendu. La cour est présidée par l'honorable juge Andrew Sussman.

Le greffier jouait sa grande scène et, dans la salle comble, tous les regards s'étaient braqués sur lui. Tant mieux pour moi.

Le procès pouvait commencer.

On allait me juger pour meurtre.

92

« Il y a un os ! songea Norma Breen. Tout cela ne tient pas. Il manque un élément. »

Pourquoi un seul coup de feu, tiré au moment même où Maggie Bradford tombait, avait-il suffi à tuer son salaud de mari ? Et pourtant, les faits étaient incontestables.

Elle contemplait pour la centième, voire la millième fois, les photos prises par la police sur les lieux du drame, juste après la découverte du corps de Will.

La victime gisait face contre terre.

« *Pas de bol, Will...*

À moins que tu n'aies tout prémédité. Te serais-tu suicidé, pauvre con ? Est-ce un petit jeu que tu nous aurais manigancé ? »

Il s'enfuyait, comme le prouvaient les empreintes de pas. Maggie l'avait rattrapé ; au cours de la lutte qui avait suivi, elle lui avait tiré une balle en pleine tête et il s'était effondré.

Fin de l'histoire, fin de Will Shepherd.

Et début du mystère.

Norma sentit un picotement lui remonter l'échine. Quelque chose ne collait pas. Il y avait un hic quelque part, mais où ? Où se cachait la pièce manquante de ce maudit puzzle ?

Elle allait devoir se livrer à d'autres expériences. Solliciter quelques services. Continuer à jongler. Elle trouverait bien quelque chose pour faire libérer Maggie Bradford.

Et lui permettre de recommencer à tuer ?

93

Comble de l'ironie, le substitut aimait mes disques. Du moins, avant.

J'avais déjà rencontré Dan Nizhinski lors d'une soirée chez Nathan Bailford, en compagnie de son épouse, une femme d'allure très ordinaire, pas maquillée et portant d'énormes lunettes ovales. Je me souviens de m'être demandé pourquoi un homme aussi séduisant avait épousé une femme aussi quelconque, mais dès que j'avais eu l'occasion de bavarder avec elle, je l'avais trouvée très sympathique. Les Nizhinski m'avaient déclaré qu'ils adoraient mes chansons. Merci du compliment !

J'appréciais beaucoup moins Dan Nizhinski maintenant. Il était grand, très intimidant, et parlait aux jurés comme un aimable prof devant ses meilleurs élèves.

— Il est fort, chuchotai-je à Nathan.

— Nous aussi, me répondit-il sans parvenir à me communiquer son assurance.

Le jury comprenait une secrétaire de direction d'une vingtaine d'années, un principal de collège, deux femmes au foyer, trois retraités dont un ex-colonel de l'armée de terre, un écrivain indépendant, deux directeurs de société, un employé d'un concessionnaire Ford et un comédien « en recherche d'emploi ».

Six femmes et six hommes venus d'horizons différents. J'espérais qu'avec l'aide de Dieu ils réussiraient à me rendre la liberté.

Mon grand fan, Dan Nizhinski, était de nouveau en train de parler de moi, en termes cette fois nettement moins élogieux.

— Nous allons démontrer que l'inculpée, Maggie Bradford, a prémédité, plusieurs semaines avant les faits, le meurtre de son mari Will Shepherd.

« Vous apprendrez que cet assassinat a été commis avec le plus grand sang-froid alors que Will Shepherd, craignant pour sa vie, s'enfuyait en courant.

« Vous découvrirez que Will Shepherd était loin d'être un mari idéal, mais que ses défauts ne pouvaient en rien justifier le meurtre dont il a été victime.

« Enfin, vous aurez accès à un ensemble de pièces à conviction tel qu'aucun ni aucune d'entre vous ne pourront douter, pas plus que je ne doute moi, que Maggie Bradford est coupable de meurtre avec préméditation et doit être, à ce titre, punie avec toute la sévérité prévue par la loi.

Dan Nizhinski fit mine de rejoindre la table de l'accusation, s'arrêta et revint vers les jurés comme s'il venait de penser à quelque chose. Un truc qu'il avait dû longuement répéter, tout comme son exposé des charges.

— Ah, encore un détail. J'avais oublié une chose : la criminelle que nous jugeons n'est pas une femme comme les autres...

— Objection, Votre Honneur ! intervint énergiquement Nathan Bailford en se levant. L'accusation a collé une étiquette sur ma cliente. Elle n'est pas une « criminelle ».

— Objection retenue.

—... Elle s'appelle Maggie Bradford, un nom que tout le monde connaît. Elle n'est pas la femme que vous voyez régulièrement à la télévision. La télévision propose des images, et non la vérité. Maggie Bradford n'est pas aussi douce que sa voix, aussi séduisante que ses mélodies, aussi généreuse que ses textes.

« Vous devez dissocier Maggie Bradford, auteur-interprète célèbre, de la vraie Maggie Bradford, cette femme assise devant vous et accusée d'un crime odieux.

« Ne vous laissez pas abuser par les images, duper par la notoriété, attendrir par des textes qui parlent du bien avec une si grande conviction. La vraie Maggie Bradford disposait d'une arme. La vraie Maggie Bradford n'a eu aucune difficulté à presser la détente. La vraie Maggie Bradford n'a pas hésité à supprimer une vie. Pourquoi ? Parce qu'elle pouvait tout faire, parce qu'elle était une star, un météore.

« Eh bien, comme les météores, elle s'embrasera une fois dans l'atmosphère, puis s'éteindra. Vous, mesdames et messieurs les jurés, êtes son atmosphère, et parce que vous désirez la justice, parce que vous personnifiez la justice, vous ferez en sorte qu'elle ne brille plus au firmament... qu'elle disparaisse à jamais à nos yeux.

94

Nathan Bailford se leva et esquissa les thèses de la défense avec autant de passion que le substitut. Cette fois encore, j'avais l'impression qu'on évoquait quelqu'un d'autre. Le sentiment étrange qui me poursuivait depuis qu'on m'avait accusée du meurtre de Will, ce sentiment d'être totalement coupée de la réalité, avait repris le dessus.

— Le substitut, commença Nathan d'un souffle ample et rauque, vient de dresser le portrait d'une criminelle capable de tuer de sang-froid. Cette description inquiétante conviendrait peut-être pour un assassin, mais ne correspond nullement à ce qu'est réellement Maggie Bradford. Les témoignages de ses amis, de celles et ceux qui ont travaillé avec elle, et le sien propre, vous le prouveront.

Je me suis redressée sur ma chaise et, en toute hâte, j'ai griffonné un message à l'intention de Barry :

Il était entendu que je ne devais pas témoigner. Je ne le ferai pas !

Il me répondit par un autre mot :

Parfait. Dis-nous alors pourquoi tu as tiré sur Will !

Et moi :

Non, ça non plus, je ne peux pas.

Je leur avais bien dit et redit que je refusais de témoigner. Cela m'était impossible. J'avais des raisons de garder le silence, même si je devais passer le restant de mes jours derrière les barreaux.

95

— Monsieur Shepherd ?

— Lui-même.

— Monsieur Shepherd, Norma Breen. Je vous appelle de New York. Vous ignorez probablement qui je suis...

— Oh, non, vous enquêtez sur le meurtre de mon frère. Ici aussi, la presse ne parle que de cette histoire sordide. Que puis-je pour vous ?

— J'ai eu connaissance d'un message qui se trouvait en sa possession et vous est attribué. Un simple mot qu'il avait, curieusement, conservé. On y lit : *Va te faire foutre, Will.* Pourriez-vous me dire à quoi il fait référence et pourquoi votre frère aurait choisi de le garder ?

Il y eut un silence bref.

— Oui, je crois pouvoir vous éclairer. Will voulait que je m'associe à lui dans une affaire. Je me trouvais aux États-Unis à l'époque, et il m'a demandé de venir le voir chez lui. Je lui ai répondu non.

— Est-ce le type de langage que vous utilisiez ? Avec votre frère ?

— C'était le seul qu'il comprenait. Nous n'étions pas très proches. Mon frère était un sale con, vous savez. Il ne faisait pas partie de mes fréquentations préférées.

Norma savait déjà que les deux frères ne s'entendaient guère. Mais...

— Si vous voulez bien, expliquez-moi pourquoi. J'imagine que ça ne doit pas être facile pour vous.

Palmer Shepherd éclata de rire.

— De combien de temps disposez-vous ? C'est une très longue histoire.

— J'ai tout mon temps, si vous estimez que cela peut faire avancer les choses.

— Je vois mal comment ça pourrait modifier le cours du procès. Vous devez savoir maintenant quel genre de type c'était. Mais je peux sauter dans un avion et venir vous voir, si vous voulez. En fait, j'éprouve la plus grande sympathie pour Maggie Bradford. Vous ne pouvez pas savoir à quel point.

— C'est très aimable de votre part. Je n'hésiterai pas à vous prendre au mot si je pense que c'est nécessaire.

— Très bien. Je ne dis pas ça en l'air. Il est possible que ce soit Maggie qui l'ait tué, mais ce qui m'étonne, c'est que personne d'autre ne l'ait fait avant.

— Avez-vous une idée de ce qui l'aurait poussée à commettre un tel acte ?

— Étant donné que je me tenais volontairement à l'écart, j'ignore tout ce qui se passait dans leur couple. Mais Will était le diable en personne, mademoiselle Breen. C'était vraiment un sale type. Je pense du fond du cœur que celui ou celle qui a fait ça a rendu service à l'humanité.

96

Le procès se déroulait très, très lentement. Les jours, les semaines se succédaient et j'étais déjà épuisée.

Après la fin des témoignages, le vingtième jour, Barry et Nathan me rendirent visite à la prison. Je faillis refuser de les voir.

Je savais qu'ils voulaient m'extorquer une explication, un alibi, mais je ne pouvais les satisfaire. Je savais qu'ils s'inquiétaient de ne pas voir les débats évoluer dans le sens souhaité.

— Dis-nous ce que tu sais sur Palmer, me demanda Barry quand nous nous retrouvâmes dans la petite salle de réunion réservée à ce genre d'entretiens.

Son entrée en matière me prit au dépourvu. Pourquoi Palmer Shepherd ?

— Palmer ? C'est le frère de Will, évidemment. Ils ne s'entendaient pas très bien. Je ne l'ai vu que deux fois et j'ai eu droit à ses condoléances — le jour de mon mariage.

— Et sais-tu s'il était proche de ses tantes ?

— Pas autant que Will.

J'avais répondu sans réfléchir et mes mots ont dû faire mouche, car Barry me lança un regard sévère, puis son expression se fit triste et distante.

— Tu savais pour Vannie et Will ? Alors pourquoi ne pas nous l'avoir dit ? Pourquoi avoir attendu qu'on te parle du frère de Will ?

La colère monta en moi. Il y avait trop longtemps que je me retenais. Il fallait que ça sorte.

— Je ne sais rien du tout. J'ai peut-être eu quelques soupçons, c'est tout. À quoi joues-tu, Barry ?

Il me regarda sans sourciller.

— Dis-moi la vérité, Maggie. Est-elle déjà venue chez toi ? Est-ce que Vannie est venue ?

— Elle est venue pour le mariage, lui répondis-je, en revoyant parfaitement la scène. Elle était très belle. C'est la sœur cadette de sa mère. Tu y étais, Barry, tu l'as vue aussi bien que moi. Will n'a jamais réussi à oublier sa mère.

— C'est le moins qu'on puisse dire ! fit Nathan. Lui est-il déjà arrivé de ramener d'autres femmes à la maison ?

— Jamais. En quel honneur ? À quoi rime toute cette histoire, Nathan ?

— Je vais vous reposer la question différemment. Êtes-vous sûre que Will n'a jamais tenté quelque chose de bizarre à la maison ? Il faut nous faire confiance, Maggie, il ne faut pas nous cacher des choses, surtout à ce stade du procès. Il est indispensable que nous en sachions autant que l'accusation.

J'eus un très bref instant d'hésitation. J'étais tendue à mort et la tournure de cet entretien ne me plaisait pas du tout.

— Non, je n'ai rien à vous dire. Pourquoi vous dissimulerais-je quelque chose ?

Barry sortit de ses gonds.

— Tu es en train de mentir. Merde ! Tu me désoles, Maggie.

— Je jure que...

Bien évidemment, je mentais. Je ne mens jamais, mais là, je n'avais pas le choix.

— Qui était-ce, Maggie ? insista Barry.

Il hurlait presque, au bord de l'apoplexie. Jamais je ne l'avais vu en proie à une telle fureur.

— Barry, je t'en supplie... non !

Soudain, son visage devint crayeux. Il ferma les yeux, les rouvrit lentement.

— Bien sûr, laissa-t-il échapper, et je vis des larmes poindre au coin de ses yeux.

Il y avait dans son regard une telle tendresse, une telle pitié que je sus immédiatement que nos cœurs allaient se briser.

— Oh, mon Dieu, bien sûr, soupira-t-il. Will s'est attaqué à Jennie, n'est-ce pas ?

Je me levai et j'appelai le gardien.

— Ramenez-moi à ma cellule, tout de suite !

Et je partis sans ajouter un mot. Je ne pouvais pas, je ne voulais pas mêler Jennie à ce cauchemar.

97

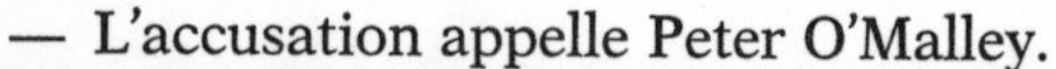

— L'accusation appelle Peter O'Malley.

En entendant prononcer ces mots en audience publique, je blêmis. La peur et l'anxiété me tenaient fidèlement compagnie et je finissais presque par m'y habituer. Les témoins se succédaient à la barre depuis vingt-neuf jours déjà, et pour l'instant les débats ne penchaient pas en ma faveur.

Malgré les énergiques objections de la défense, le juge Sussman avait autorisé Nizhinski à présenter des pièces relatives à la mort de Phillip Bradford et, à présent, le substitut comptait aborder le dossier du décès de Patrick, en chargeant la barque autant que possible.

Une tâche difficile, car il pouvait tout au plus laisser entendre que j'avais provoqué ce drame, mais je savais que c'était exactement ce que recherchait Peter : des sous-entendus et des insinuations. Tous les moyens étaient bons pour m'atteindre.

Fait inhabituel, on avait vidé la salle juste avant l'audition de Peter. Celui-ci acceptait en effet de parler, mais son avocat avait persuadé le juge de lui accorder le bénéfice du huis clos.

Je ne comprenais pas. Pourquoi ce traitement de faveur ? Et puis, très vite, tout devint parfaitement clair. La déposition de Peter prit une éternité (mes avocats durent soulever une centaine d'objections) mais se résumait en quelque sorte à ceci :

— Monsieur O'Malley, êtes-vous membre d'un établissement appelé le Lake Club ?

— Oui.

— Un club situé à Bedford Hills ? Sur Greenbriar Road ?

— C'est exact.

— Combien de membres ce club compte-t-il ?

— Environ cinq cents.

— Et on pratique dans ce club les mêmes activités que dans la plupart des country-clubs — golf, tennis, piscine, dîners et soirées dansantes, c'est bien cela ?

— Tout à fait.

— Mais si je ne me trompe, le Lake Club propose également d'autres services, n'est-ce pas ?

— Oui, à l'intention de certains membres.

— Des services offerts non pas à tous les membres, mais uniquement à certains privilégiés.

— C'est cela.

— Faites-vous partie de ces privilégiés ?

— J'en faisais partie.

— Quelles sont les autres personnes qui composent ce groupe ?

— D'une manière générale, des gens importants.

— Et que leur fournit le club ?

— Essentiellement un lieu de réunion où l'on discute finance ou politique.

— Et une fois les réunions terminées ?

— Après, il y a... euh, des distractions. Pas toujours, mais de temps à autre.

— Je vois. Et pourriez-vous nous décrire ces distractions ?

— Il s'agit surtout de distractions sexuelles.

— Voudriez-vous être plus précis ?

— Le club met des jeunes filles, et parfois des jeunes gens, à la disposition des participants.

— Des prostituées ?

— Je ne dirais pas vraiment qu'il s'agit de prostituées.

— Ces personnes sont là pour « divertir » les membres du club, comme vous dites si bien, et sont rétribuées pour leurs services ?

— Oui.

— Inutile, donc, de jouer sur les mots. Dites-moi, monsieur O'Malley, résidez-vous à Bedford Hills ?

— Non, j'habite à Manhattan et sur la Côte Ouest.

— Vous êtes pourtant membre du Lake Club ?

— Oui.

— Vous avez également pris part à ces soirées tardives ?

— Oui.

— Pourquoi cela, monsieur O'Malley ?

— Mon père, Patrick O'Malley, était l'une des grandes figures du club. À sa mort, on m'y a admis automatiquement.

— Participait-il aux distractions nocturnes ?

— Oui.

— Autrement dit, il couchait avec des jeunes filles.

— Oui.

— Patrick O'Malley entretenait-il des rapports avec Maggie Bradford ?

— Durant plusieurs mois. Peut-être un ou deux ans.

— Et vous avez un demi-frère ?

— Oui, ils vivaient tous ensemble.

— Diriez-vous que Patrick O'Malley et Maggie Bradford étaient amoureux ?

— C'est ce que mon père m'a dit.

— Et cependant, il n'a pas renoncé à faire partie du club.

— Non.

— Ni à coucher avec ces jeunes filles quand l'occasion s'en présentait.

— Je ne peux rien vous dire à ce sujet.

— Mme Bradford était-elle au courant de ces réjouissances et savait-elle que votre père y participait ?

— Oui.

— Qu'est-ce qui vous permet de l'affirmer ?

— Elle avait des photos sur lesquelles on voyait mon père et au moins deux autres filles.

— Elle avait des photos ?

— Je les ai trouvées dans sa chambre. Enfin, ce qui était leur chambre à coucher. Après la mort de mon père, quand j'ai aidé à rassembler ses papiers.

— S'agissait-il de photos suggestives ?

— Absolument. Mon père en compagnie de deux filles.

— Pour l'instant, épargnez-nous les détails. Mme Bradford était donc en possession de ces photos ?

— Oui.

— Qu'en pensait-elle ?

— Je l'ignore. Elle ne m'en a jamais parlé.

— Et vous, qu'en pensiez-vous ?

— Voir son père en pleine action, ça fait toujours un choc.

— Bien sûr, mais cela ne vous surprenait pas.

— Non.

— À présent dites-moi, monsieur O'Malley, comment est mort votre père ?

— Je ne sais pas.

— Vous ne savez pas ? Comment est-ce possible ?

— Il est mort sur son voilier. Une crise cardiaque, à ce qu'il paraît.

— « À ce qu'il paraît » ? Il se trouvait seul sur ce bateau ?

— Non, Mme Bradford était avec lui.

— Et il n'y avait personne d'autre.

— Non. Quand les gardes-côtes ont découvert le voilier, c'est Mme Bradford qui leur a dit comment il était mort.

— L'ont-ils crue ?

— Manifestement, oui.

— Monsieur O'Malley, connaissiez-vous Will Shepherd ?

— Oui.

— Diriez-vous que vous étiez amis ?

— Nous prenions parfois un verre ensemble.

— Aviez-vous également des relations d'affaires avec lui ?

— Oui. Des relations d'affaires, et amicales.

— Ah, amicales. Will Shepherd était-il membre du Lake Club ?

— Oui.

— Faisait-il partie du cercle des privilégiés, si je puis m'exprimer ainsi ?

— Oui.

— Donc il participait aux « réjouissances » ?

— Tout à fait.

— Maggie Bradford le savait-elle ?

Peter O'Malley marqua un temps d'arrêt, se tortilla sur son siège et me fixa du regard.

— Oui, elle le savait. C'est sans doute pour cela qu'elle l'a tué.

Comme je l'ai déjà dit, une centaine d'objections furent soulevées durant ce témoignage, mais voici le souvenir que j'en ai conservé, et je suis sûre que le jury a réagi comme moi. J'étais en train de perdre tout ce que j'avais jamais aimé, tout ce qui avait jamais compté pour moi.

98

Norma Breen me rendit visite ce soir-là juste après l'heure du dîner. Elle faisait maintenant partie des personnes que j'avais le plus de plaisir à voir. Nous avions à peu près le même âge, étions toutes deux issues de milieux modestes, et nous nous comprenions.

— Maggie, je suis navrée d'avoir à vous le dire, mais je n'aime pas vos chansons.

C'était sa façon à elle de me dire bonsoir. Elle était capable de me faire rire en toutes circonstances et nous nous entendions comme larronnes en foire.

— Sale bête ! lui balançai-je en souriant.

— Non, c'est vous la sale bête. Vous refusez de m'aider à faire mon boulot alors qu'il consiste, justement, à vous aider à sortir de ce zoo.

Nous plaisantions alors que le sujet était des plus graves, mais comment rester graves des heures, des jours, des mois d'affilée ?

— Je suis navrée d'avoir à vous le dire, contrai-je, mais moi, je n'aime pas la manière dont vous faites votre boulot.

— Vous me trouvez trop brutale, hein ? Trop sèche ?

J'avançai le bras pour poser ma main sur la sienne. Elle était célibataire et disponible, mais il y avait fort à parier que, à cause de ses dix kilos de trop, bien des hommes ne s'intéressaient pas à elle. Énorme erreur.

— Alors, ma chérie, qu'avez-vous en tête aujourd'hui ? lui demandai-je, sachant qu'elle ne venait jamais pour rien.

— Je voudrais réussir à vous persuader de cesser de

jouer les martyres. D'ailleurs, j'ai horreur de mère Teresa. Arrêtez, Maggie.

— Mais je suis une martyre. Dans ma famille, quand j'étais petite, il fallait que je le sois si je voulais qu'on m'aime. Je ne peux rien y faire, c'est comme ça.

Norma retourna ma main et la saisit avec force.

— Je vous aime bien, Maggie, et il est très rare que je parvienne à apprécier quelqu'un en si peu de temps. Beaucoup de gens vous aiment et vous avez tout ce qu'il faut pour.

Mon humour noir reprit le dessus.

— Oui, tout le monde m'aime, sauf mes maris, fis-je en ricanant.

— Vous avez peut-être choisi des nuls pour pouvoir jouer les martyres ? Vous dites que vous n'y pouvez rien, Maggie, et moi je prétends le contraire. Vous pouvez faire quelque chose.

Je soupirai lourdement. Je savais bien où elle voulait en venir. Les allusions de Barry et de Nathan étaient devenues insupportables, mais de la part de Norma, de la part d'une autre femme, cela ne me faisait pas le même effet.

— Non, je ne peux pas. Merci d'avoir essayé, mais vraiment je ne peux pas. Je n'ai pas le droit d'infliger ça à Jennie.

— Si, vous pouvez, insista Norma, et brusquement elle fondit en larmes.

C'était la première fois. Jamais je ne l'avais encore vue baisser sa garde. Et on s'est retrouvées comme ça, main dans la main, en train de pleurer toutes les larmes de notre corps comme deux vieilles idiotes.

— J'ai parlé à Jennie, Maggie reprit-elle. Elle pense qu'il faut que vous discutiez. Elle m'a demandé de vous dire que c'était la suite logique de Pound Ridge et que vous le lui deviez.

99

Norma Breen se rendit une dernière fois au domicile de Maggie, à Bedford Hills. Il y avait forcément un élément qu'elle avait négligé, et qui avait échappé à tout le monde. Mais lequel ?

Mildred Leigh l'accueillit à la porte et lui proposa une tasse de café. Allie jouait dans le salon. Norma accepta, ravie de bavarder un peu avec elle. Elle n'avait pas encore eu l'occasion de la questionner ; cette fois-ci, peut-être obtiendrait-elle quelques renseignements intéressants.

— Je sais qu'on vous a déjà demandé vingt fois la même chose, lui dit Norma, mais parlez-moi du jour du meurtre. Étiez-vous à la maison ?

— Jusqu'à 6 heures et demie du soir, et après, je suis partie. C'était ma nuit de congé. (Elle rougit.) Et j'avais rendez-vous avec M. Frazier. Je suis revenue seulement le lendemain matin et il y avait la police et tous les journalistes et on accusait Maggie d'une chose qu'elle n'aurait jamais pu faire.

« Elle a l'air contente d'elle, songea Norma. Logique, c'est son quart d'heure de gloire. »

— Avez-vous remarqué quoi que ce soit d'inhabituel avant votre départ ? l'interrogea-t-elle. Le moindre détail pourrait être utile à Maggie. Dites-moi tout ce qui vous vient à l'esprit.

— C'était un jour comme les autres. Non, rien de particulier. Pas que je me rappelle, en tout cas, comme j'ai dit à la police.

— Ils ne se sont pas battus ? Quelque chose de ce genre ?

— Oh, ils se sont à peine vus. M. Shepherd était allé à

New York presque toute la journée. J'ai pas entendu de bagarre, moi.

— Décrivez-moi ce qu'ils ont fait, comme ça vous vient, madame Leigh.

— Ben, Maggie, elle était dans son bureau. Elle écrivait ses chansons, je crois. Quand elle faisait une pause, elle venait jouer avec les petits. Elle et Allie, ils adorent s'amuser.

— Et M. Shepherd ?

— Il est rentré de New York, mais je sais pas à quelle heure. Et plus tard, le soir, au club, je l'ai vu passer. Il rentrait à la maison.

La réponse dérouta Norma.

— Vous étiez au club, madame Leigh ? Pourquoi ?

— J.C., il a une maison là-bas, dans le parc. En face du pavillon principal, près du parking.

— Savez-vous ce que M. Shepherd faisait au club ce soir-là ?

— Non, m'dame. Je l'ai juste vu passer près de chez J.C.

— Quelle heure était-il ?

— Dix heures, dix heures et demie, quelque chose comme ça.

— Vous l'avez simplement aperçu ?

— Oui, m'dame. J.C. et moi, on avait mieux à faire que regarder m'sieur Will Shepherd.

— Je n'en doute pas.

Que faisait Will au club ce soir-là ? Cela ne correspondait pas à ce que Maggie lui avait dit.

— Mais n'était-il pas là pour l'une de ces fameuses soirées qui se terminaient si tard ? demanda Norma.

Mme Leigh lui lança un regard conspirateur.

— J.C. vous en a parlé ? Vous êtes au courant de ce qui se tramait ?

— Et comment. Auriez-vous remarqué, par hasard, de quelle manière M. Shepherd était vêtu ?

— Y faisait noir, m'dame. Tout ce que je sais, c'est qu'il ramenait son fusil du club.

Norma sentit le duvet de ses bras se hérisser.

— Son fusil ? Vous en êtes sûre ?

— Ils font du tir au pigeon, là-bas. Y'a un stand derrière le parcours de golf. M. Shepherd y allait souvent.

— Mais pas le jour où il s'est fait tuer.

— Je vous l'ai dit, soupira Mme Leigh. Il a passé presque toute la journée à New York. Même qu'il est parti drôlement de bonne heure.

— Avez-vous raconté tout cela à la police ?

Mme Leigh opina.

— Tout ce que je viens de vous dire.

— À propos de M. Shepherd et du fusil ?

— Bien sûr.

Elles vidèrent leurs tasses.

— Je vous remercie, madame Leigh. Vous m'avez beaucoup aidée.

— Ça m'a fait plaisir. Vous voyez ce petit bonhomme, là ? C'est un amour et il adore sa maman. On veut tous qu'elle rentre à la maison. Elle nous manque énormément, vous savez.

— Je vous comprends. Est-ce que je peux passer un coup de fil ?

— Il y a un téléphone dans le bureau, je vais vous montrer.

— Oh, je trouverai, fit Norma.

Elle s'efforça de ne pas courir.

100

— Barry, je suis chez Maggie. Je suis sur quelque chose. Enfin, j'espère. Non, je pense qu'il y a vraiment du nouveau.

Norma avait pris la précaution de refermer derrière elle la porte du bureau, et pourtant elle chuchotait.

— J'écoute, lui dit Barry.

— Vous vous souvenez du fusil avec lequel on a tué Will ? Eh bien, Mme Leigh a vu Will le trimbaler le soir du meurtre. Il était au country-club et j'ai de plus en plus l'impression que ce club a joué un rôle dans cette sombre affaire.

— Que fabriquait-il au club avec le fusil ?

— C'est la première question que je me suis posée, lui répondit-elle, dans un tel état d'effervescence que le ton de sa voix grimpait. S'il est allé au club, c'est précisément pour aller le chercher. C'est là qu'il a dû le mettre quand Maggie lui a ordonné de s'en débarrasser. Elle dit qu'elle a fouillé toute la maison sans le trouver. Et pour cause, puisqu'il était au club.

Au bout d'un long silence, Barry s'interrogea :

— D'accord, mais quel intérêt ? Il aurait organisé toute une mise en scène avant de se suicider, c'est ça, Norma ? Un coup monté pour piéger Maggie ?

— Je ne sais pas encore, avoua Norma, perplexe et frustrée. Je n'ai rien de plus. Cette histoire me dépasse. Mais ce dont je suis sûr, c'est que les flics savaient que Will est allé chercher le fusil et qu'ils n'ont rien dit. Il y a quelque chose de pourri au royaume de Bedford et je vais trouver quoi, qui et pourquoi.

— Bouffez-les, Norma.

— *Grrrr.*

101

En voyant Jennie entrer dans le parloir, j'eus envie de pleurer mais je tins bon. Il fallait que j'aie assez de force pour nous deux. Il fallait que j'écoute Jennie.

Je ne parvenais pas à la quitter des yeux. Je l'aimais bien plus que je n'étais capable de m'aimer moi-même. On nous disait toujours que nous avions énormément de points communs, mais je ne trouvais chez elle quasiment aucun de mes défauts, aucune de mes faiblesses. Oui, nous nous ressemblions. Jennie mesurait maintenant un peu plus d'un mètre soixante-dix et ses cheveux blonds étaient aussi longs que les miens. Nous avions les mêmes yeux.

Au moment où elle s'assit face à moi, je pensai : « Je t'aime. » J'en voulais à cette table d'être là, entre nous, j'avais besoin de serrer Jennie dans mes bras, j'avais besoin d'être dans ses bras, et en cet instant plus que jamais.

Un sourire éclaira soudain son visage. Du pur Jennie.

— J'ai un message de la part de Norma. Elle dit qu'elle a la preuve que mère Teresa est complètement bidon. Qu'avant, elle jouait dans un casino et qu'elle fait ça pour le fric.

J'éclatai de rire.

Jennie se pencha vers moi et, de sa voix la plus adulte, ajouta :

— Tu sais, m'man, Norma essaie de t'aider.

— Oui, je m'en doute, Jen. Toi, comment tu vas ?

Elle roula des yeux.

— Crois-moi si tu veux, mais pas trop mal, en fait. C'est pas génial, mais ça va. (Elle souffla deux baisers sur la paume de sa main.) Ça, c'est de la part d'Allie. En réalité, il t'en envoie une centaine.

— Il sait encore qui je suis ?

Les yeux repartirent au plafond.

— On lui passe les cassettes de tes concerts pour qu'il n'oublie pas, on lui lit tes lettres, on lui montre des photos de toi. Mais je suis venue pour parler d'autre chose. Il faut qu'on cause, maman chérie.

— Je comprends. Je respecte tes désirs.

— C'est un bon début. Maintenant, je crois que tu as des questions à me poser, vu que tu as certaines idées en tête, mais je ne sais pas lesquelles au juste. Alors on va employer la méthode socratique.

Je souris.

— Je ne te demanderai même pas tes notes.

— Je suis la meilleure de la classe, mais ne change pas de sujet, s'il te plaît. Reste avec moi.

J'étais en train de vivre le moment le plus pénible de tous. Oui, j'avais certaines idées en tête. Non, je n'étais pas disposée à en parler maintenant. Peut-être ni maintenant, ni plus tard.

— Je pense qu'on pourrait commencer par le soir... le soir où Will est mort, suggérai-je.

— On commence par la fin. Super.

— J'ai vu Will dans ta chambre. Que faisait-il là, Jennie ?

— Il était venu me dire bonsoir.

La réponse était d'une telle candeur que j'écarquillai les yeux.

— C'est tout ? Jennie, tu n'as pas le droit de mentir, que ce soit pour couvrir Will ou éviter de me faire de la peine. Nous sommes bien d'accord ?

— OK, on est d'accord sur les règles du jeu. À présent, on joue.

— Tu me dis la vérité et j'en ferai autant. Je te dirai tout ce que tu veux savoir. Sur la mort de Will...

Jennie me fixa dans les yeux.

— Oui, j'ai des questions.

— Moi d'abord, si tu veux bien.

— Ça roule, approuva-t-elle.

Ne sachant trop dans quelle direction poursuivre, j'allai au plus évident.

— Will venait souvent te dire bonsoir dans ta chambre ?

— Quelquefois. Il m'apportait un lait chaud. Il me racontait que, lorsqu'il était petit, en Angleterre, sa tante venait lui apporter du thé.

L'évocation de la tante de Will me fit sursauter, mais Jennie ne pouvait deviner pourquoi. Je pris une longue inspiration, en me demandant si j'allais pouvoir continuer. Quel supplice que cette conversation avec Jennie, entre les murs indiscrets d'une prison !

Elle me saisit la main.

— Tu permets que je t'explique, maman ? Ce sera peut-être plus facile pour nous deux.

— Si tu t'en sens capable.

Je ne parlais plus, je murmurais. Il ne me restait qu'un filet de voix. Je me sentais vidée de ma substance. Comme dans un autre monde. Je n'existais plus.

— Will était quelqu'un de très compliqué, mais ça, tu le savais déjà. Je crois que, quelque part, il avait envie d'être un bon père. Des fois, il montait me voir pour parler, juste pour parler. Je pense qu'il voulait prouver qu'il était capable d'être là sans faire autre chose que parler. Il me racontait plein de choses sur sa jeunesse et, bon, quand il voulait, il savait aussi écouter.

— Oui, quand il voulait.

— J'étais folle de lui, maman. Je le trouvais beau comme un dieu, comme Ralph Fiennes ou Mel Gibson, en plus musclé. Je n'arrêtais pas de penser à lui.

— Mais il ne s'est jamais rien passé ?

— Je sais bien qu'il t'a dit qu'il l'avait fait, qu'on l'avait fait — j'étais là, j'ai entendu —, mais il ne s'est jamais rien passé, maman. Tu n'as pas besoin de me protéger. S'il te plaît, maman, il faut que tu me croies, il ne s'est rien passé.

Je levai les deux mains vers le visage de Jennie. J'aurais tellement voulu être plus près d'elle mais, dans cet endroit sinistre, nous ne pouvions pas faire mieux.

— Maman, laisse-moi témoigner en ta faveur. Je t'en prie, laisse-moi faire ça pour toi. Il faut que je t'aide, rien qu'une fois, et je crois que je peux. Il ne s'est rien passé entre Will et moi, tu n'as pas besoin de me couvrir.

102

Comme d'habitude, Norma Breen était d'une humeur massacrante. Elle débarqua au Lake Club en se répétant : « Les pièces manquantes du puzzle sont forcément là, quelque part. » Avec l'espoir secret que ses incantations muettes finiraient par brusquer le destin.

Elle s'était déplacée pour rencontrer J.C. Frazier. C'était un homme svelte et bien musclé, au visage buriné, qui ne donnait pas l'impression d'être au seuil de la cinquantaine.

« Belle gueule, songea Norma. Voyons s'il sait aussi parler. »

Ils s'étaient installés sur la terrasse du pavillon principal. Norma entreprit J.C. en douceur, l'amena à confirmer ce qu'elle savait déjà : le club accueillait de temps en temps des soirées très spéciales auxquelles Will avait participé, en plusieurs occasions, en qualité d'invité.

— Existe-t-il une liste ? l'interrogea-t-elle. Avec les noms des heureux fêtards ?

L'homme haussa ses larges épaules.

— S'il y en a une, je ne l'ai jamais vue. Ce serait surprenant.

— Dans ce cas, citez-moi certains noms. Dites-moi qui vous avez vu, tard le soir. Allons, J.C.

J.C. secoua la tête.

— Je ne peux pas faire ça. Si on apprend que je vous ai parlé, je suis viré. Je ne suis même pas censé être au courant.

— Mais vous m'avez bien parlé de Shepherd.

— C'était pour vous aider, mais je ne peux pas vous aider autant que je le voudrais.

— Mais j'enquête sur un meurtre, merde ! Ce que vous savez pourrait sauver la vie de Mme Bradford !

Gêné, J.C. se tortilla sur sa chaise.

— Je m'en rends bien compte, et c'est pour ça que je vous parle, mais ne me demandez pas de vous donner des noms. Ça, je ne peux pas.

Norma le foudroya du regard, sans grand résultat.

— Montrez-moi au moins où ça se passait, que je puisse jeter un œil.

— Oh, madame Breen, si je le faisais...

— Si vous ne le faites pas, je vous oblige à comparaître et vous aurez l'honneur de témoigner devant une salle pleine.

« *Tiens, prends ça !* »

— Je montre simplement l'entrée, alors, céda-t-il en grimaçant. Mais si on me pose la question, je dirai que vous l'avez découverte toute seule.

— Vendu, sourit Norma. Maintenant, montrez-moi.

103

Ils suivirent une allée contournant le club-house et tombèrent sur ce qui ressemblait à une entrée de service. J.C. Frazier possédait la clé de la lourde porte de bois.

— C'est donc là ? fit Norma.

De ce côté du pavillon, il faisait froid et sombre. « Comme dans le cœur des salopards qui viennent ici prendre leur pied », songea-t-elle.

À l'intérieur, elle découvrit un décor comparable à celui qu'elle avait déjà vu. Ils traversèrent une salle de billard déserte où l'air paraissait lourd, presque opaque, et pénétrèrent dans un étonnant salon-bar au luxe sobre, lambrissé d'acajou. Norma comprit immédiatement qu'ils venaient d'entrer dans le saint des saints, le club dans le club. *Une salle de jeux pour fils de riches.*

— C'est là qu'ils se retrouvaient, n'est-ce pas ? C'est là qu'ils organisaient leurs parties fines ?

— Oui, m'dame, marmonna J.C., le visage fermé.

Norma essaya d'imaginer à quoi pouvait ressembler ce cercle d'enfants gâtés. Les vêtements griffés, les meilleurs whiskies, le style grand seigneur, les putes. Sans en avoir la certitude, elle subodorait que ce lieu pouvait jouer un rôle crucial dans la défense de Maggie, et n'écartait pas la possibilité qu'un des membres du club eût tué Will Shepherd.

Will avait-il fini par sauter une femme mariée de trop, arnaqué l'une des pointures qui fréquentaient le club ou commis une autre erreur qui lui avait valu d'être assassiné ? Pour Norma, toutes ces hypothèses étaient plausibles.

— Servez-vous un verre, J.C., et posez vos fesses, intimat-elle au gardien. Il faut qu'on discute et je peux vous garantir qu'on va le faire.

— Je ne peux pas, gémit l'autre.

Il était beaucoup plus grand et plus fort qu'elle, mais elle pointa sur lui un doigt menaçant.

— Écoutez-moi bien. Maggie Bradford sera peut-être condamnée pour meurtre, mais ce ne sera pas parce que vous n'aurez pas tout dit. Ou vous me parlez maintenant, ou vous perdez votre place et pas seulement votre place. Et croyez-moi, ce n'est pas une promesse en l'air.

J.C. Frazier alla jusqu'au bar et se servit un verre de Maker's Mark.

— Excellent choix, approuva Norma. Servez-m'en un également et dites-moi très précisément qui faisait partie de ce cercle. Je veux les noms, tous les noms que vous connaissez.

Frazier lui versa un verre. Ils s'installèrent sur des tabourets et J.C., enfin, confia ce qu'il savait. Au beau milieu de ses révélations, il se mit même à sangloter.

Lorsqu'il eut terminé, Norma demeura sans voix. Elle avait du mal à croire ce qu'elle venait d'entendre.

« Tout a changé. La situation a basculé. L'ennemi vient de mettre un genou à terre. Je vous ai coincés, bande de pourris. Je vous tiens. »

104

« Comme elle a grandi, me dis-je. Elle a pris de l'assurance, c'est déjà presque une femme. »

Jennie venait de s'avancer à la barre des témoins, le visage rayonnant, les cheveux brillant de reflets d'or. Je la sentais confiante et sereine. J'aurais aimé pouvoir en dire autant de moi-même.

Nathan la guida dans son récit avec un soin extrême. Elle raconta comment Will était venu la voir le soir du drame, l'endroit où il se tenait, son regard lourd de sous-entendus au moment où j'étais entrée dans la chambre.

— « Jennie et moi, on allait s'amuser un petit peu. Tu viens au lit avec nous ? On se fait une triplette ? » Voilà ce qu'il a dit à ma mère. Je ne sais pas pourquoi il a dit ça, mais c'est ce qu'il a dit.

En entendant sa déclaration, que les jurés ne pouvaient pas mettre en doute, en l'entendant répéter les paroles de Will, je me suis retrouvée paralysée de colère, comme la première fois, et je me suis dit : « Heureusement qu'il est mort. C'est horrible à dire, mais je suis heureuse qu'il soit mort. »

Nathan ne l'accapara pas plus de vingt minutes. Nous nous étions mis d'accord et il avait presque signé le pacte dans le sang. Quand il eut fini, il revint s'asseoir près de moi et me prit la main.

En lui serrant les doigts, je murmurai :

— Nathan, merci d'être aussi patient avec moi.

— Merci de me faire confiance, me rétorqua-t-il à mi-voix.

Dans le jury, les visages demeuraient impassibles, mais je voyais que Jennie avait fait mouche chez les femmes.

On savait désormais que j'avais tué non pas pour me défendre, mais pour défendre ma fille. Jennie avait tenu parole.

Malheureusement, le plus dur restait à venir. Dan Nizhinski s'approcha lentement de la barre. « On dirait une orque qui s'apprête à dévorer un anchois, me dis-je. Il n'y a que la notoriété qui l'intéresse. Grâce à ce procès, il peut devenir célèbre du jour au lendemain. »

— Mademoiselle Bradford... Jennie, commença-t-il tout doucement, d'une voix presque timide.

— S'il vous plaît, l'interrompit-elle en affrontant son regard, ne m'appelez pas par mon prénom. Vous ne me connaissez pas, monsieur Nizhinski.

Soupir du substitut. Jennie menait un à zéro. Mais il en fallait plus pour déstabiliser Nizhinski. Très vite, il repartit à l'attaque.

— Vous avez une amie très proche du nom de Millie Steele ?

— Oui, répliqua Jennie, apparemment prise au dépourvu.

— Je crois savoir qu'elle est votre meilleure amie, n'est-ce pas ? poursuivit le substitut avec une amabilité suspecte.

Jennie hésita, puis acquiesça d'un signe de tête. Je la voyais gamberger, essayant de deviner où Nizhinski voulait en venir.

— Vous devez fournir une réponse audible, mademoiselle Bradford, intervint le juge Sussman. Millie Steele est-elle votre meilleure amie ?

Nathan Bailford se leva lentement.

— Objection, Votre Honneur. Je ne vois pas ce que les rapports entre Mlle Bradford et Mlle Steele ont à voir avec cette affaire. Dois-je rappeler à chacun que Mlle Bradford n'a que quinze ans ? Ce procès, et tout particulièrement ce témoignage, représentent pour elle une épreuve des plus douloureuses. Je vous demanderai donc de veiller à ce qu'elle demeure aussi brève que possible.

— Votre Honneur, riposta Nizhinski, les jurés vont rapidement comprendre la finalité de mes questions. Il s'agit d'un point extrêmement important, je vous en fais la promesse.

— Poursuivez, fit Sussman. Je prends note de votre

engagement et vous enjoins de montrer la plus grande prudence.

Quand Nizhinski se rapprocha de Jennie, mes doigts se crispèrent. Je n'aimais pas ça et, visiblement, Jennie non plus.

— Bavardez-vous souvent avec Millie ? Au collège ? Parfois après les cours ?

— Oui, monsieur. Même avant les cours, répondit-elle avec un sourire aussitôt repris par les jurés.

Je lisais cependant la perplexité sur son visage et j'avais envie de lui crier : « Où veut-il en venir ? Fais attention ! »

— Mentiriez-vous à votre amie ? Vous souvenez-vous de lui avoir déjà menti ?

— Non. Millie et moi, nous ne nous mentons jamais.

— Alors, écoutez ce qui va suivre, Jennie. Le 13 octobre, votre meilleure amie Millie Steele a fait la déposition suivante au poste de police de Bedford Hills...

Le substitut s'interrompit et ouvrit l'énorme classeur qu'il avait pris avec lui, un classeur impressionnant, gainé de cuir noir :

—... « Jennie était amoureuse de son beau-père. Elle n'arrêtait pas de raconter qu'elle voulait... qu'elle voulait... enfin, qu'elle voulait coucher avec lui et qu'elle ferait n'importe quoi pour le séduire. »

Nizhinstki referma doucement le classeur.

— Avez-vous déclaré à Millie Steele que vous étiez amoureuse de Will Shepherd ?

Je sentis mon estomac se nouer. « Qu'est-il en train de lui faire ? Oui, elle craquait pour Will, et alors ? »

— Oui, mais..., commença-t-elle.

— Répondez simplement par oui ou par non, si vous le voulez bien. Étiez-vous amoureuse de votre beau-père ?

« Il s'acharne sur elle ! Il faut immédiatement l'empêcher de continuer ».

Je chuchotai :

— Nathan ?

— Attendez, Maggie. Écoutez.

— J'étais attirée par Will. Oui, monsieur.

— Avez-vous jamais tenté de le séduire ?

— Pas vraiment.

— Vous ne répondez pas à ma question, mademoiselle Bradford. Oui ou non, avez-vous tenté de le séduire ?

— Oui. Enfin, d'une certaine manière.

— Avez-vous couché avec lui ?

— Non ! s'écria-t-elle. Vous êtes vraiment dégueulasse ! Non, non et non !

« Non ! Dieu merci ! Maintenant, lâchez-la ! »

— Dans ce cas, si ce n'est pas dans un lit, où avez-vous fait l'amour avec lui ? Millie Steele affirme que vous l'avez fait !

— Nous n'avons jamais fait l'amour !

— Pardonnez-moi, mais c'est difficile à croire. Vous êtes une très jolie jeune fille, Jennie, et Will Shepherd, comme nous en avons eu maints témoignages dans cette cour, avait un faible pour les filles jeunes et jolies. Êtes-vous en train de me dire que, bien que vous vous soyez littéralement jetée dans ses bras, il n'a pas voulu de vous ? Sa réputation nous incite à penser le contraire !

Jennie fondit en larmes et, dans la salle, on n'entendit plus que ses sanglots. Elle était redevenue une adolescente.

— Nathan, je vous en supplie, chuchotai-je une nouvelle fois.

Nizhinski, impitoyable, se rapprocha encore de Jennie.

— En fait, n'est-il pas exact que vous étiez amants depuis plusieurs mois ? Que l'argument de la défense, selon lequel votre mère l'aurait tué pour vous protéger, se trouve désormais sans fondement ? Que votre mère, en fait, l'a tué *par vengeance* ?

— Je ne me suis pas jetée dans ses bras ! Il ne m'a jamais touchée ! Il n'a jamais rien fait d'indécent, comme vous, en ce moment !

Nizhinski recula d'un pas et la cloua du regard.

— Savez-vous ce qu'est un faux témoignage ?

Elle acquiesça d'un signe de tête.

— Répondez par oui ou par non, s'il vous plaît. La sténographe ne peut consigner les gestes.

— Oui, fit-elle d'une voix frêle.

— Connaissez-vous les peines prévues en cas de faux témoignage ?

— Pas exactement. Allez-vous me jeter injustement en prison, comme vous l'avez fait avec ma mère ?

— Un faux témoignage peut mener en prison, mais il n'y a là aucune injustice, mademoiselle Bradford. Votre mère a assassiné Will Shepherd parce qu'elle pensait que lui et vous étiez amants.

Nathan bondit de son siège.

— Objection ! Objection !

— Je n'ai plus de questions, acheva Dan Nizhinski, et il s'éloigna.

Un gigantesque brouhaha noya la salle et plusieurs minutes s'écoulèrent avant que les coups de marteau frénétiques du juge Sussman réussissent à ramener l'ordre.

On raccompagna Jennie en pleurs. Je tendis le bras, sans pouvoir la toucher.

— Ça va aller, maman, me glissa-t-elle au passage. Personne ne peut plus nous faire de mal.

Je ne demandais qu'à la croire.

105

Assise au fond de la salle, Norma Breen écoutait les conclusions de la défense en mâchonnant un Rolaid à l'orange. Elle détenait un secret, une vraie bombe, et se mordait la langue pour ne pas le dévoiler.

« De quoi faire annuler le procès. À moins qu'en dépit de tous les éléments à charge Maggie ne soit acquittée. Les jurés comprendront peut-être qu'elle a tué parce qu'elle n'avait pas le choix et profiteront d'un détail de procédure pour lui rendre la liberté. Ou alors, ils la condamneront à la plus légère des peines prévues par la loi. Et, pendant que j'y suis, Mel Gibson va peut-être me demander de sortir avec lui parce que mon gros cul l'excite. On peut toujours rêver, non ? »

Norma avait décidé qu'il valait mieux attendre le verdict. Et tandis que Nathan Bailford réfutait les thèses de l'accusation, une étincelle d'espoir jaillit dans son cœur. « Cette femme est une femme bien, se dit-elle, et elle mérite qu'on la ménage. Agis en fonction de ta conscience. »

Au début de sa dernière intervention, Nathan s'était attaché à réorienter le procès en interprétant les faits de manière succincte, laissant à Norma l'impression que Maggie était la victime et Will le meurtrier.

Mais l'avocat de la défense ne pouvait changer la réalité : Will était mort et Maggie vivante. Pas plus qu'il ne pouvait répondre à une autre question d'importance : qui avait tué Will, si ce n'était pas Maggie ?

Le substitut se leva et balaya immédiatement les arguments de Nathan, qu'il assimilait à un écran de fumée. Un meurtre restait un meurtre, et jouer sur les mots ne servirait à rien. Un meurtre avait été commis, avec la vengeance pour mobile. Et puisque Maggie avait pris l'arme et l'avait emportée en toute connaissance de cause dans la chambre de Jennie, il s'agissait d'un meurtre avec préméditation qu'il fallait sanctionner en condamnant l'inculpée à la peine maximale prévue par la loi : la réclusion criminelle à perpétuité.

« Et pourtant, songea Norma, malgré les apparences, nous n'avons cessé de faire fausse route. »

Elle ne parvenait pas à échapper au sentiment de malaise qui la rongeait depuis le début. Maggie n'avait pas tué Will Shepherd, elle en était convaincue. Will s'était vraisemblablement suicidé. Selon Maggie, et même Palmer, il avait plusieurs fois menacé de mettre fin à ses jours au cours des dernières années. Et Maggie était la victime de son ultime et terrible vengeance.

Si Maggie avait accepté de témoigner, peut-être un mobile aurait-il été mis au jour, mais Norma avait dû se ranger à l'avis de Nathan et de Barry, qui tous deux estimaient ce système de défense dangereux. Maggie n'aurait pu, en effet, que confirmer les déclarations qu'elle avait faites à la police, à savoir qu'elle ne savait pas vraiment ce qui s'était passé et qu'elle avait peut-être tué Will. Il ne s'en était cependant pas fallu de beaucoup et Norma reconsidérait à présent tous les arguments présentés par la défense. Tous, sans exception.

Louable intention, mais un peu tardive. Nathan Bailford acheva son intervention et retourna s'asseoir, le geste lourd de lassitude.

Au bout de quarante-six jours, le rideau tombait enfin.

Il était quasiment impossible de déchiffrer le regard des jurés, mais Norma devina qu'ils allaient déclarer Maggie Bradford coupable de meurtre.

« Le feu d'artifice va pouvoir commencer », se dit-elle.

106

— Pas l'ombre d'un doute. C'est gagné haut la main, jeunes gens ! À la victoire ! À nous !

Dan Nizhinski se renfonça dans son fauteuil, fit rouler dans sa gorge une longue gorgée de bière tchèque et regarda ses trois adjoints avec un sourire satisfait.

— À la victoire ! psalmodia l'équipe.

— J'ai rêvé, fanfaronna le substitut, ou nous venons de battre le record du verdict le plus rapide dans une grande affaire criminelle ?

Moira Lowenstein, la cadette, ne tarissait pas d'éloges.

— Sans vouloir vous passer la brosse à reluire, vous avez fait un boulot d'enfer, Dan. Les jurés vous ont écouté, ils n'ont pas réagi de façon épidermique, ils n'ont tenu compte que de ce qui s'est réellement passé. Sacrée prouesse. Vous avez réussi à leur faire comprendre qu'en lui rendant la liberté ils prenaient le risque de dévoyer toute l'institution judiciaire.

— Jamais je n'y serais parvenu sans vous, mentit Nizhinski.

Un compliment que chacun traduisit aussitôt par : « J'y serais parvenu avec n'importe qui. »

Bob Stevens, le plus proche de ses collaborateurs, se servit une bière. La quatrième en moins d'une heure.

— Et que prévoyez-vous ensuite, patron ?

Un sourire carnassier fendit le visage de Nizhinski, qui ne pouvait se résoudre à quitter sa défroque d'acteur.

— À vrai dire, je ne sais pas encore. Je pense que je vais commencer par profiter des retombées du procès.

— Et cet État aurait grand besoin d'un coup de balai, ajouta Moira sous le regard furibond de Peter Eisenstadt, le troisième larron, celui qui parlait peu.

« Ben tiens, et devinez qui est prêt à vous servir d'oreiller pour faire carrière à Albany, patron ? »

— Je verrai en temps utile, fit laconiquement Nizhinski, dont personne n'ignorait les ambitions politiques. Pour l'instant, savourons notre triomphe. (Il leva sa boîte de bière.) À une belle victoire !

— À la victoire ! répétèrent ses assistants, et chacun de boire, de rire, de congratuler ses collègues.

Le téléphone sonna.

Dan Nizhinski décrocha lui-même.

— Nizhinski.

— Kahn, Barry Kahn, fit la voix au bout du fil, et il y avait dans cette voix quelque chose qui pétrifia le substitut. Je passe vous voir tout de suite avec Norma Breen. Elle a fait une découverte qui pourrait vous intéresser.

107

Coupable.

Coupable.

Ce mot résonnait dans ma tête comme un chant funèbre. Coupable. La prison finira par me rendre folle. D'ailleurs, je le suis déjà à moitié.

Norma et Barry sont venus me voir aujourd'hui à la maison d'arrêt, juste après mon transfert du palais de justice. Sourires et messes basses. « Ne t'inquiète pas », m'ont-ils dit. Ils vont immédiatement interjeter appel. « Tout se passera bien ».

Je vais vivre le restant de mon existence en prison et ils ont le culot de m'affirmer que tout se passera bien !

Je sais qu'il existe des procédures d'appel et que mon destin ne sera pas définitivement scellé avant des mois, voire des années, mais quoi qu'on dise, les chances de voir mon jugement infirmé sont extrêmement minces.

Alors pourquoi Norma m'a-t-elle paru si gaie et si confiante ? Pourquoi Barry insistait-il tant pour que je me remémore dans le moindre détail ce qui est arrivé le soir où j'ai tiré sur Will, alors que j'ai déjà répété cent fois la même histoire ? La réponse est simple : au sortir du verdict, ils essayaient de me faire penser à autre chose.

Coupable.

Le grand C écarlate brille toujours sur ma poitrine.

Je ne m'attendais pas vraiment à cela. J'espérais secrètement qu'on finirait par me rendre la liberté. Je me suis trompée.

Coupable.

108

Cette nuit-là, je restai éveillée jusqu'à 2 ou 3 heures du matin. Allongée sur ma couchette, les yeux fermés, je m'épuisais futilement à faire revivre des images de ma vie de femme libre. Jennie, Allie, les concerts que j'avais donnés. Et quand la fatigue finit par l'emporter sur le désespoir, je sombrai lentement dans le sommeil.

Je ne fis aucun rêve. Ce fut comme si le néant m'avait engloutie, comme si je tombais dans un puits sans fond. Ma longue, longue chute en disgrâce se poursuivait.

À mon réveil, le choc.

Il y avait un défilé de costumes gris devant ma cellule. Des responsables de la police et, en tête du cortège, Maureen Serra, la directrice de la prison.

Je regardai ma montre.

Six heures un quart du matin.

Je n'y comprenais rien.

J'ai cligné trente-six fois les yeux.

Mme Serra et les autres étaient toujours là.

Que faisaient-ils là ? Que s'était-il passé ?

Allait-on me transférer dans un autre établissement ?

Étais-je bien réveillée ?

J'avais des raisons d'en douter. Entre mes quatre murs, il m'était déjà arrivé de confondre le rêve et la réalité.

— Il n'est pas un peu tôt ? leur demandai-je finalement, les yeux agressés par la lumière crue du couloir.

— Veuillez vous habiller, madame Bradford, me dit Maureen Serra. Le palais de justice vient de nous appeler. Il y a du nouveau. Le juge Sussman désire vous voir immédiatement dans son cabinet.

109

Trois gardiens m'accompagnèrent dans le palais de justice désert. Je grelottais de froid. Je ne comprenais pas ce qui se passait et tout le monde, à la maison d'arrêt, semblait aussi perplexe que moi.

Que me réservait-on ?

Dans le cabinet du juge, quatre personnes m'attendaient. Sussman trônait derrière son grand bureau d'acajou. À sa droite, Nathan Bailford, l'air toujours inquiet et conquérant à la fois.

À gauche dans la pièce, assis au bord d'un canapé de cuir, Barry me lança un clin d'œil sérieux.

Seule Norma Breen, à ses côtés, vêtue d'une jupe de tweed verte et d'un pull marron qui ne la mincissait guère, affichait une certaine décontraction. Elle m'accueillit par un « Bonjour, Maggie » et fut en fait la seule à m'adresser la parole.

— Bonjour, Norma. Bonjour, tout le monde.

Je n'osais pas parler trop fort. La scène était surréaliste. Tout cela n'avait aucun sens.

Le juge me fit signe de prendre place dans le fauteuil à son côté. Je m'exécutai aussitôt.

Une fois assise, je pouvais voir les visages tels que Sussman les voyait, un peu comme si, d'accusée, j'étais passée du côté des juges. Ce qui n'était pas pour me déplaire.

J'entendais des bruits de dossiers qu'on feuilletait, de mallettes qu'on ouvrait, de gobelets de café dont on enlevait le couvercle, et tout cela me rappelait que ces gens-là n'étaient pas comme moi et vivaient une autre vie, hors des murs de ma prison.

Personne, pourtant, ne me parlait. Pas même Nathan Bailford.

Ils attendaient quelqu'un. Dan Nizhinski ? Quelqu'un d'autre ? Qui ?

Si on m'avait expliqué les raisons de ma présence, peut-être aurais-je cessé de trembler. Je gambergeais comme une folle. Et, finalement, le juge Sussman daigna s'adresser à moi :

— Madame Bradford, Mme Breen a fait une remarquable découverte et nous n'attendons plus que le substitut... Ah, le voici. Merci d'être venu, Dan.

Nizhinski entra dans la pièce tel un matador dans une arène, fier, le corps bien droit, ne craignant personne. Je pensai à Norma, qui le qualifiait de « connard prétentieux ».

Il darda son regard sur Nathan Bailford.

— C'est quoi, cette réunion ? Si vous espérez obtenir l'annulation du verdict pour vice de procédure...

— Il s'agit bien plus que d'un simple vice de procédure, coupa le juge Sussman. Racontez-lui votre histoire, madame Breen. Je vous en prie, Dan, prenez une chaise. Je pense que d'ici une minute vous en aurez bien besoin.

Norma se leva lentement, me regarda une seconde puis se tourna vers Dan Nizhinski qui avait cessé d'arpenter le bureau et la dévisageait maintenant d'un air vaguement inquiet. Le tribun triomphant n'était déjà plus qu'un souvenir.

Norma prit la parole d'un ton assuré et impérieux. C'était elle qui, à présent, occupait le devant de la scène.

— Peut-être vous rappellerez-vous, Maggie, que durant votre procès M. Nizhinski a recueilli le témoignage de Peter O'Malley. Lequel a fait état de « soirées privées » organisées assez tard au Lake Club. Un club où, si mes informations sont exactes, il vous est déjà arrivé de dîner. En tout bien, tout honneur, cela va de soi.

Je hochai la tête, sans deviner où Norma voulait en venir.

— C'est pour ainsi dire comme cela que j'ai rencontré Will. Même si je l'avais voulu, je n'aurais pas pu m'y inscrire, puisque le club n'est ouvert qu'aux hommes.

— Excusez-moi, s'impatienta Nizhinski, mais quel rapport avec le procès de Mme Bradford ? Elle a tué son mari et les jurés l'ont reconnu. C'est terminé, madame Breen.

— Détrompez-vous, rétorqua Norma, tout cela concerne bel et bien le procès. De nouveaux éléments — les noms des personnes qui participaient aux soirées très spéciales du club, les noms de leurs invités — permettent de penser que nombreux sont ceux qui avaient des raisons de vouloir du mal à Will Shepherd. Selon nombre de témoignages, M. Shepherd faisait preuve d'une grande indiscrétion à l'égard de ces soirées, tout comme à l'égard de sa vie en général. Il est même possible qu'on ait volontairement étouffé certains aspects de cette affaire afin de protéger des membres du club et d'occulter les mobiles qui auraient pu les conduire à tuer Will Shepherd.

— Si c'est le cas, déclara Nizhinski avec une assurance inébranlable, ces éléments auraient dû être présentés à la cour. À présent, il est trop tard, le jugement a été prononcé.

Je sentais une grande tension chez chacun. J'avais la gorge sèche, et un poing serré à la place de l'estomac. Seule Norma semblait avoir conservé son calme. Désormais passée du côté de l'accusation, elle attaquait sans relâche.

— Je crois — et il me faut ajouter que l'*attorney general* de l'État de New York partage cette opinion — que Maggie Bradford a été victime d'une odieuse et savante machination. Une machination dont le chef de la police de Bedford avait connaissance et dont il est peut-être lui-même l'instigateur.

— Je proteste ! s'insurgea Dan Nizhinski.

— Laissez-la achever, fit le juge Sussman, que ce coup de théâtre semblait réjouir autant que Norma.

— Des personnalités de premier plan, industriels, banquiers ou journalistes, se sont ainsi soustraites à l'enquête et à d'éventuelles poursuites pénales, ici, à Bedford, poursuivit Norma.

Elle échangea un regard avec le substitut. « Il est trop tôt pour faire cette tête d'enterrement, monsieur Nizhinski. Le pire est encore à venir. »

Norma brûlait les planches, en vraie star. Jamais public ne s'était montré aussi captivé.

— Vous avez raison, monsieur Nizhinski. Tout cela n'aurait rien à voir avec le procès de Maggie Bradford, sans un détail d'importance : le conseil de Maggie Bradford, qui savait tout ce que je viens de vous exposer et aurait normalement dû en faire état afin de défendre au mieux les intérêts de sa cliente, n'a pas pu jouer son rôle... parce que cet homme fait lui-même partie du cercle : Nathan Bailford est l'un des membres de ce club très privé !

110

En voyant le visage décomposé de Nathan, je compris immédiatement que Norma avait visé juste. Sa culpabilité se lisait dans son regard. Mon avocat (et « ami ») s'était levé d'un bond et postillonnait d'indignation, mais l'écho du mensonge résonnait dans ses mots et ses yeux luisants d'humiliation trahissaient la duperie, la mesquinerie, l'horreur de son geste.

— Juge Sussman, vociféra-t-il, il ne peut s'agir là que de mensonges salaces ou d'hallucinations dues à l'absorption de substances douteuses. J'ai peine à croire que nous puissions écouter de telles divagations.

— Non, il ne s'agit pas de mensonges, corrigea Norma. J'ai des témoins. Le responsable des espaces verts du Lake Club, et deux gardiens. L'un des membres du cercle, l'un de vos camarades, m'a également remis une déclaration sur l'honneur.

Lorsqu'elle pointa l'index sur lui, il tituba en arrière, comme frappé de plusieurs balles.

— Que Dieu, ou plutôt que Maggie Bradford et ses pauvres enfants vous pardonnent. Moi, j'en serais bien incapable. Vous vous êtes déshonorés, vous et votre profession déjà largement décriée. À cause de vous, une innocente a failli être condamnée. J'espère, Nathan, qu'on va vous boucler pour les cent prochaines années. Qu'en pensez-vous, juge Sussman ?

Moi, je n'avais pas bougé d'un millimètre. Agrippée aux accoudoirs de mon fauteuil, les joues en feu, je sentais des étourdissements me gagner, par vagues.

Je me répétais : « Tiens bon, garde ton sang-froid. Tu ne rêves pas, tout cela est bien réel. Tu n'es pas en train de délirer dans ta cellule de prison. »

Et, tout à coup, je me retrouvai dans les bras de Norma et de Barry, tremblante comme une feuille. Nous étions tous les trois en pleurs. Norma avait dû lire dans mes pensées.

— Tu ne rêves pas, Maggie. Nous étions encore en discussion avec l'*attorney general* tard dans la soirée, sinon nous t'aurions mise dans la confidence.

Nos étreintes se prolongèrent une éternité. Il me serait difficile de décrire ce que je vivais, mais jamais je n'ai éprouvé un tel sentiment de soulagement. Je nageais en pleine euphorie, tout en ayant parfaitement conscience de ce qui venait de se produire.

À Nizhinski, d'une voix qui transperça les brumes de mon cerveau, Sussman annonça :

— Manifestement, je vais me voir dans l'obligation d'annuler ce jugement, mais nul ne vous empêche de retenter votre chance. Ce que nous venons d'apprendre ne modifie en rien le fait que Will Shepherd a été tué et que, selon la police, Mme Bradford a avoué avoir tiré sur lui. Nous devons en revanche laisser à l'inculpée le temps de choisir un autre défenseur et de préparer son dossier. Et libre à elle d'adopter une nouvelle stratégie. Pouvez-vous me dire ce que vous comptez faire ?

Nizhinski mit plusieurs secondes à trouver ses mots.

— Tout cela est... comment dire... inattendu. Je... je ne sais pas encore quelle sera ma décision. Laissez-moi le temps de faire le point, Votre Honneur.

— Dès que vous saurez, passez-moi un coup de fil, lui répondit le juge.

À cet instant, Barry prit la parole :

— N'étant pas avocat, j'ignore quelle formule employer, mais pensez-vous que Mme Bradford pourrait être autorisée à rentrer chez elle ?

Sussman se tourna vers moi, me regarda et déclara simplement :

— Qu'elle soit remise en liberté sans caution.

111

La scène avait un goût de déjà vu, mais il ne pouvait en être autrement. Ainsi fonctionne, dans toute sa gloire, la justice de notre pays.

Des mois s'étaient écoulés. Le second procès allait avoir lieu, sans doute plus sinistre encore que le premier. Le ministère public demeurait persuadé que j'étais coupable de meurtre et, puisqu'il insistait pour me faire comparaître une nouvelle fois, une bonne partie de la population s'était rangée à son sentiment.

Je continuais à porter mon C écarlate et j'avais l'impression qu'on m'arrachait, à grands coups de burin et de ciseau, des parcelles de vie. Je n'en finissais plus de souffrir.

J'arrivai au palais de justice escortée par Jennie, Barry et Norma. Barry et Norma formaient désormais un couple assez improbable, mais je les trouvais charmants et, curieusement, ils s'engueulaient assez rarement.

Une fois dans la salle d'audience, je me dirigeai d'un pas décidé vers la place que je connaissais si bien, à la table de la défense. Mon nouvel avocat était Jason Wade, de Boston. Spécialiste des cas d'homicide et d'un pragmatisme à toute épreuve, il m'était sympathique. Il avait surtout l'avantage de ne pas être Nathan Bailford, désormais présent dans chacun de mes cauchemars.

Dieu que la vie est étrange !

Dans le public, j'entendis quelqu'un crier : « Maggie est en pleine forme ! » Maggie ! Comme si nous étions de vieux amis.

— C'est vrai, tu as une mine d'enfer, me chuchota Jennie.

Nous nous entendions encore mieux qu'avant. Jennie était l'une des rares personnes avec lesquelles on pouvait passer une nuit entière à discuter et uniquement discuter. C'était d'ailleurs ce que nous avions fait la veille, et Allie lui-même ne s'était pas couché avant 22 heures. JAM s'était reformé.

Le procès s'étira sur onze semaines. Voilà où passait l'argent du contribuable ! Les mêmes témoins firent les mêmes déclarations et seul le contre-interrogatoire, orienté différemment, apporta un peu de nouveauté au procès.

À mesure que l'été progressait, la salle se transformait en étuve, mais la chaleur ne me gênait pas, pas plus que la litanie des questions, toujours identiques, ni même la curiosité que suscitaient ma notoriété ou les ragots sordides de la presse.

Je voulais qu'on reconnaisse mon innocence et, plus encore, je voulais sortir du purgatoire dans lequel je vivais la torture depuis si longtemps.

Je savais bien que je n'étais pas coupable.

J'étais innocente.

Et j'aurais tout donné pour entendre prononcer ces mots une fois, rien qu'une fois.

112

La salle du tribunal était archicomble. Penchée en avant, je tendais l'oreille en essayant de saisir chaque mot quand, soudain, je me rendis compte que je ne parvenais plus à inspirer suffisamment d'air, comme si un chiffon sec m'obstruait la gorge. La claustrophobie me jouait un nouveau tour.

Autour de moi, les visages se brouillaient. Le sang me martelait les tempes et j'avais la nuque en nage.

Les douze jurés étaient en train de réintégrer leur box.

Pour la seconde fois.

Et, pour la seconde fois, ils venaient de délibérer.

Le souffle me manquait toujours lorsque le bout de papier parvint enfin entre les mains du juge Sussman qui le déplia, le lut, puis le redonna au président du jury. Une procédure nécessaire, j'imagine, mais si cruelle...

— Veuillez communiquer le verdict, ordonna le juge.

Jennie, assise derrière moi, me glissa à l'oreille :

— On t'aime, maman.

Norma me prit par l'épaule et Barry, dans la rangée de derrière, se pencha pour me passer la main dans les cheveux. Ma famille, mes amis. Je refusais de les perdre une nouvelle fois, et c'était pourtant une éventualité que je ne pouvais écarter. Dans l'édition du jour de *USA Today*, on estimait mes chances d'acquittement à cinquante-cinquante et, à Las Vegas comme à Londres, on pariait de l'argent sur l'issue de mon procès.

J'avais la bouche en coton et une sorte de torpeur m'avait envahie. J'étais assise dans cette salle d'audience et, en même temps, j'étais ailleurs.

Dans un silence de mort, le président du jury prit la parole, d'une voix suraiguë et cependant étonnamment lointaine, comme si un écran le séparait du reste de la salle.

— Nous déclarons l'accusée, Maggie Bradford, non coupable.

Non coupable.

Non coupable.

Je fermai les yeux. Je me sentais tellement fatiguée, tellement faible et, curieusement, pas totalement soulagée. J'entendais vaguement des cris de joie dans le public. On me félicitait — Jason Wade, Norma, Jennie et Barry. Des visages surgissaient devant moi comme d'énormes ballons. Les sons que je percevais étaient aussi déformés que les images. Tout me paraissait incroyablement bizarre.

— Oh, Maggie, tu as réussi ! Tu as gagné !

Comment ces quelques instants purent-ils me dérouter à ce point ? On m'arracha au tumulte de la salle d'audience et, deux secondes plus tard, j'étais dans un sécurisant cocon d'avocats, d'amis et de proches. Tout autour se pressaient journalistes et fans. Des visages me jetaient des micros sous le nez, me hurlaient des questions, osaient même me réclamer des autographes.

Jason Wade s'en chargerait. Mon avocat pouvait parfaitement leur répondre et, tant qu'à faire, leur signer ce qu'ils voulaient.

Comme si j'étais montée sur roulettes, on me poussa littéralement dans la salle des pas perdus assourdissante d'échos puis, beaucoup trop vite à mon goût, dans l'escalier et jusqu'à la voiture qui m'attendait. Pas une limousine, mais une berline tout à fait ordinaire. J'avais insisté.

Un bruit semblable à une détonation me fit sursauter. Ce fut comme si on m'avait enfoncé une aiguille dans le cœur. La portière de la voiture venait de se refermer !

Puis le véhicule démarra lentement au milieu de la foule venue dans l'espoir de m'apercevoir, libre ou condamnée. Devant nous, les gyrophares rouges des voitures de patrouille qui nous escortaient badigeonnaient les visages d'ombres indéchiffrables.

Je crus revoir la voiture de la police militaire, à West Point. Elle avait également un gyrophare, mais personne ne nous observait, et il faisait si froid. Tant de scènes étaient restées gravées dans ma mémoire...

Je mis le nez à la vitre. Apparemment, la foule gigantesque qui s'était massée à l'intersection de Broadway et de Clarke Street applaudissait, m'acclamait, scandait mon nom, mais je ne ressentais strictement rien.

Je serrais Jennie et Allie contre moi, bien décidée à ne pas les lâcher. Et eux aussi me retenaient. Le groupe JAM s'était reformé. Jennie, Allie, Maggie.

— Je t'aime si fort, maman, me chuchota Jennie, avant de m'embrasser sur la joue. Tu es mon héroïne en armure d'argent.

— Et toi, tu es la mienne, lui dis-je.

— Maman ! fit Allie en se pelotonnant contre moi. Ma maman chérie.

Je déposai un baiser sur son petit crâne.

— Allie. Mon Allie, ma Jennie...

113

— Maggie ! Maggie Bradford ! hurlaient ces demeurés, comme si la voiture pouvait les entendre.

L'assassin s'était joint au concert d'acclamations et d'applaudissements, jouant les badauds ravis.

Parfaitement dissimulé dans la foule qui avait envahi le carrefour de Bedford Village, il regarda la voiture de Maggie passer devant lui et disparaître à l'angle d'une rue.

Puis il disparut à son tour.

Livre VI

CACHE-CACHE. BIS

114

New York, Cinquième Avenue. Quel bonheur ! N'était-ce pas l'endroit idéal pour un week-end de Pâques ?

Les plus belles femmes du monde paradaient de boutique en boutique, pimpantes et ondulantes, sans laisser à leurs cartes de crédit le temps de refroidir.

« Et elles sont toutes éminemment baisables, songea Will. Je pourrais toutes les faire craquer. Eh oui, il y a des choses qui ne changent pas. C'est même de mieux en mieux. »

Il était largement en avance, ce qui lui laissait le temps de flâner au milieu de toutes ces jolies jambes. Il portait un pantalon kaki sans pli et un veston bleu marine. Il avait méticuleusement coiffé ses cheveux courts teints en noir.

« *Je suis la Flèche noire*. » Un petit sourire se dessina au coin de ses lèvres.

Certaines des jeunes femmes qu'il croisait le regardaient. Rien de plus naturel, songea-t-il. Physiquement, il n'avait pour ainsi dire pas changé, et s'était trouvé un nouveau style redoutable. Le genre beau ténébreux, l'hidalgo mystérieux sur lequel tant de femmes fantasmaient.

Arrivé à la Cinquante-neuvième Rue, il prit à droite en direction de Park Avenue, puis à gauche jusqu'à l'angle de la Soixante-deuxième Rue, où il s'engouffra dans un immeuble Art déco couleur ambre. Chez le marchand de journaux du hall, il acheta des bonbons à la menthe et profita du miroir pour vérifier son aspect.

Une petite barbe teinte en noir et soigneusement taillée, des yeux bleus (excellente idée, les lentilles), la cravate idéale de chez Liberty, un blazer discret et élégant. Le look parfait pour un rendez-vous d'une telle importance.

Puis Will emprunta l'ascenseur jusqu'au douzième étage et trouva les bureaux qu'il cherchait : *Marshall & Marshall, notaires*.

Quand il eut poussé la porte de chêne foncé, il découvrit une immense pièce de réception dont les innombrables fenêtres offraient une vue plongeante sur l'avenue grouillante de monde. Impressionnant et presque caricatural, bref, très américain...

À l'accueil rayonnait une splendide jeune femme à la peau d'albâtre et aux cheveux auburn, sans doute d'origine irlandaise, qui devait avoir dans les vingt-cinq ans. Très chic et inabordable, comme la firme qui l'employait. « Très esthétique », songea Will.

Il posa négligemment son maroquin Mark Cross sur le bureau.

— Bonjour, monsieur. Puis-je vous aider ?

L'hôtesse lui sembla plus que charmante. Son geste cavalier ne semblait pas l'avoir offusquée. Ou alors elle préférait, comme tout Irlandais, toute Irlandaise qui se respecte, ne rien laisser paraître.

Will lui décocha un petit sourire mortel. Son charme demeurait intact.

— J'ai rendez-vous avec M. Arthur Marshall, au sujet d'un héritage.

— Bien sûr, monsieur, fit la jeune femme en s'efforçant de ne pas trop regarder le bel Anglais. Et qui dois-je annoncer ?

— Palmer Shepherd, lui répondit Will.

115

Béate, je contemplais le salon, ce salon si douillet que je connaissais par cœur, et j'avais envie de rire toute seule. Quel bonheur !

Je vivais un grand moment, l'événement de l'année. Le goûter d'anniversaire d'Allie !

J'avais invité une douzaine de ses copains et copines de maternelle à l'occasion de ses cinq ans. Tout le monde avait accepté, ce qui m'avait fait très plaisir, bien sûr, mais moins qu'à Allie.

Jennie et moi avions soigneusement préparé ce goûter fort traditionnel. Des jeux, des chapeaux rigolos, un gâteau d'anniversaire pour l'heureux élu, un petit cadeau pour chaque enfant et plein de cadeaux pour Allie le petit génie.

Tout se déroulait à merveille. Barry et Norman étaient passés me donner un coup de main et, pour le moment, nous n'avions à déplorer qu'une collision sans gravité. Tout le monde s'amusait bien, et pas une larme n'avait encore été versée.

Allie vint me voir, en me faisant signe de me baisser. Il voulait m'affronter sur *son* territoire.

Je m'agenouillai pour me placer à sa hauteur et, comme d'habitude, je sentis tout de suite ses doigts faire des nœuds dans mes cheveux. Il y avait dans son regard de merveilleuses étincelles.

— Tu sais quoi ?

— Euh, non, mais tu vas me le dire. Le gâteau est trop gros et tu n'arrives pas à le manger tout seul ? Ce n'est pas grave, tu n'as qu'à le partager avec tous tes amis.

Ça le fit rire. Il faut dire que mon humour lui échappait rarement.

— Non, je voulais juste te dire que ce qu'il y a de plus mieux, c'est que t'es là, m'man. C'est vraiment ce qu'il y a de plus mieux.

Cette petite fête était un moment de pur bonheur. J'en avais les larmes aux yeux. J'étais si heureuse d'être présente à l'anniversaire de mon fils...

— Je savais bien que quelqu'un finirait par pleurer, lui dis-je.

Alors, avec ses petits bras, il s'est blotti contre moi et m'a couverte de baisers pour me réconforter. Mais j'allais déjà beaucoup mieux.

116

M'ayant vue de fort bonne humeur à la fête d'Allie, Barry le manipulateur profita de l'occasion pour m'inviter à faire un tour à New York en passant, éventuellement, par son studio. À sa grande surprise, je lui répondis oui. J'étais mûre pour une petite séance de manipulation.

À mon arrivée, je trouvai Barry dans un état de grande excitation, comme s'il venait de mettre le point final à un texte particulièrement réussi ou de signer un contrat exceptionnel.

— Tu m'as l'air si épanoui que ça fait peur, lui dis-je en riant.

Maintenant, je voyais la vie du bon côté, j'avais de l'énergie à revendre, je me sentais libre. Ah, le doux parfum de la liberté !

— J'ai mijoté un petit truc, m'annonça-t-il pendant que nous nous installions près du piano. Un petit truc qui te concerne.

Mais j'étais aussi en forme que lui, si ce n'était davantage.

— Non, merci, Barry.

Il fit comme s'il n'avait rien entendu.

— Il va y avoir un concert génial à Rhinebeck, dans l'État de New York, au mois de juillet.

— Barry, je lis les journaux, je ne suis pas totalement coupée du monde et j'habite à moins de cinquante bornes de Manhattan. Malheureusement, la réponse est non. Désolée, mais merci quand même.

— Attends, ce sera deux jours de fête sous le soleil. Je connais bien les organisateurs, ils sont vraiment super. Pour l'instant, il y a dix-sept noms au programme et ils rêvent d'en avoir dix-huit.

— J'aimerais beaucoup, mais je ne peux pas. Est-ce que tu te souviens de ce qui m'est arrivé à San Francisco ?

Barry continua sur sa lancée.

— Je vais te dire qui a déjà accepté. Il y aura entre autres Bonnie Raitt, K.D. lang, Liz Phair, Emmylou Harris...

Je hochai la tête en riant, je me mordis la lèvre.

— Rien que des femmes ! Dis donc, c'est un hasard si tu commences par les femmes ?

— Ah non, je ne m'en suis même pas aperçu, mais tu as raison, c'est vrai.

— Je ne crois pas que je puisse, Barry. Mais c'est sympa d'avoir pensé à moi.

Barry ne semblait pas disposé à me faire des cadeaux, ce qui, d'une certaine manière, me rassurait. Je ne devais pas donner l'impression d'être trop malheureuse.

— Si tu ne te sers pas de ta voix, tu vas la perdre. À moins que tu ne l'aies déjà perdue.

— Non, j'ai chanté sous la douche ce matin et je m'en suis plutôt bien sortie. Non seulement je n'ai pas perdu ma voix, mais je trouve qu'elle s'est améliorée. Passion, relief, maturité, énergie, tout y est.

Barry joua l'intro de *Loss of Grace* au piano et un frisson me parcourut le dos.

— Je vais y réfléchir, lui dis-je. Mais honnêtement, je ne me sens pas en état de ch-ch-ch-an-t-t-ter en public.

Et je conclus d'un clin d'œil, contente de voir que j'étais capable de me moquer de mon bégaiement et de mon fiasco à San Francisco. Barry acquiesça puis, avec un sourire, tenta une nouvelle fois sa chance.

— J'en déduis que tu es d'accord ?

Il jouait toujours *Loss of Grace*. Alors, pour la première fois, je me remis réellement à chanter. Et comme tout ce que je redécouvrais dans ma seconde vie, ce fut délicieux.

Je chantai sans bégayer, sans buter sur les mots et, si je peux me permettre ce manque de modestie, avec une certaine grâce, justement. Ardeur et émotion étaient au rendez-vous.

— Tu es décalée, et ton phrasé, c'est un peu n'importe quoi, commenta Barry en secouant la tête. C'est toi toute crachée, Maggie.

117

Maggie n'avait pas changé. Elle aimait toujours arpenter les rues de New York au milieu de la foule anonyme. C'était son côté femme du peuple. Ce qui expliquait pourquoi des millions de personnes s'identifiaient à elle, collectionnaient ses disques et la vénéraient.

Malgré son foulard et ses lunettes noires, on la reconnaissait régulièrement et, chaque fois, elle réagissait avec la même élégance insupportable. Elle y allait de son autographe et de son petit sourire effarouché. « Espèce de pute. »

Will la suivait de loin. Lui n'avait plus rien à craindre des chasseurs d'autographe, puisqu'il n'existait plus. Il était l'homme invisible. Mort et enterré...

Il ne la lâcha pas. Et lorsqu'en début de soirée elle quitta Manhattan et prit la route de l'ancienne scierie en direction de Bedford, il retrouva le paysage familier de sa descente aux enfers.

En revanche, le cours étrange qu'avait adopté sa vie ne cessait de le déconcerter. Comment couronner une existence si riche, quand tout semblait s'effondrer ? Que faire une fois qu'on a atteint le sommet ?

« Jusqu'à maintenant, songea Will, j'ai savamment manœuvré. »

Il avait tué Palmer sans l'ombre d'un remords. C'était pour lui le seul moyen de faire cesser le chantage auquel son insatiable frère le soumettait depuis l'incident de Rio.

Il l'avait déshabillé, lui avait passé ses vêtements, puis avait déposé le corps sur la pelouse, non loin de la maison. Il était entré, s'était arrangé pour déclencher une crise monumentale, avait attiré Maggie à l'extérieur puis lui avait sauté dessus et l'avait quasiment assommée avant de tirer le coup de feu qui devait emporter les trois quarts du visage de Palmer. Après quoi il s'était éclipsé pour assister discrètement à la suite du spectacle.

Malheureusement, sa nouvelle vie s'était rapidement transformée en un nouveau cauchemar. Il lui arrivait de se demander s'il n'était pas un démon, s'il ne vivait pas en enfer.

Tout avait commencé à Rio, il le savait, le jour où il avait massacré cette fille. Et depuis, son lot n'était que crime et châtiment.

Loin devant, il vit Maggie s'engager dans l'allée de sa propriété. Qu'elle pût être heureuse sans lui le mettait hors de lui. Et pourtant, il avait essayé de l'aimer. Elle seule aurait pu le protéger de lui-même.

Il savait également quand tout avait basculé avec Maggie. Aucun doute possible : cela remontait à sa première défaillance sexuelle. À l'époque où il était M. Maggie Bradford. Depuis, il ne s'était quasiment pas passé un jour sans qu'il rêve de la tuer.

Elle l'avait déçu. Sa petite famille et elle devaient maintenant en payer le prix. *Crime et châtiment*.

Will alla dîner en ville dans un modeste bar-restaurant où aimaient se retrouver les gens du coin.

Il n'en revenait pas. Il était là, devant son hamburger-frites suintant, et plus personne ne le reconnaissait. Mais était-ce bien étonnant ? Sa gloire, si gloire il y avait eu, appartenait au passé.

Désormais, il était la Flèche noire.

Casquette bleu marine sans écusson, pull gris, treillis : rien ne le différenciait des autres paumés en train de regarder les Knicks se faire rétamer en Indiana.

Non, il n'avait rien de particulier. D'accord, il avait pété les plombs, mais il devait y avoir d'autres allumés autour du comptoir en U. D'autres types qui caressaient l'envie de tuer leur femme.

— Putain, ils sont nuls, les Knicks, analysa finement son jeune voisin de gauche.

— Et mon hamburger vaut pas mieux, renchérit Will.

L'autre avait l'air de trouver ça drôle. « Toi et moi, on est du même monde, pas vrai ? faillit ajouter Will. Tu serais partant pour m'accompagner chez mon ex ? Je vais la tuer, cette salope, et ses deux moutards avec. Ça te branche ? »

— Ils ont dû venir manger ici la veille, ricana le voisin.

Will approuva pour lui faire plaisir et se fit la réflexion qu'il était temps de partir. À dire vrai, il n'était pas fichu de différencier les Knicks, les Yankees et les Jets.

Dehors, il faisait déjà nuit.

— Bon, ben, c'est pas tout, hein, y'a ma femme qui m'attend, lança-t-il à son nouvel ami, et il se leva de son tabouret.

« T'es sûr de pas vouloir venir, camarade ? Il va y avoir une nuit d'enfer à Bedford, je te le garantis. »

118

Pénétrer dans la propriété en toute discrétion était pour Will un jeu d'enfant. Il se gara sur le parking du Lake Club, puis traversa la petite forêt de sapins et le pré attenant.

Les doigts dans le nez, comme prévu.

Alors qu'il marchait dans les hautes herbes, sa promenade à cheval avec Allie lui revint en mémoire. Il l'avait fait pour impressionner Maggie, sachant qu'il allait la toucher au plus profond d'elle-même. Il connaissait bien les femmes et leurs points faibles, savait sur quelles touches appuyer. Et il avait enfoncé toutes celles de Maggie, l'une après l'autre, de manière très calculée.

Ayant déjà fait une incursion dans la maison la semaine précédente, une sorte de galop d'essai, il avait une idée assez précise de la manière dont les choses allaient se dérouler.

La porte de la cave était ouverte, comme d'habitude. Il attendit d'être à l'intérieur pour allumer sa lampe électrique. L'endroit, lugubre au possible, où l'on voyait encore affleurer la roche, lui donnait presque la chair de poule. Un escalier de bois permettait d'accéder à la cuisine, au rez-de-chaussée.

Il était 11 h 40 lorsque Will pénétra dans la maison proprement dite. Le lendemain matin, il y avait école et tout le monde s'était couché de bonne heure. « JAM ! Jennie, Allie et Maggie... Pas de Will, comme par hasard. »

Eh oui, Maggie avait gardé son côté province — on se couche tôt, on se lève tôt. Il régnait dans la maison un silence de mort. « Voilà qui me semble parfaitement approprié », songea Will.

D'une certaine manière, c'était Maggie qui lui avait

donné cette idée. Chaque fois que les infos parlaient d'un forcené ayant tué sa femme ou d'autres membres de sa famille, elle manifestait un intérêt particulier. À juste titre, apparemment...

C'était en gros ce que Will prévoyait de faire ce soir. Il les tuerait tous, à l'intérieur même de la maison, puis disparaîtrait pour de bon. Ainsi, le carnage demeurerait une énigme pour la police. Le fin du fin.

Il était armé d'un Smith & Wesson avec seize cartouches dans le chargeur, ainsi que d'un méchant couteau de chasse, pour ne pas lésiner. Une puissance de feu plus que suffisante. Et si besoin était, il pouvait exécuter le boulot à mains nues. Une méthode plus personnelle, mais qui ne manquait pas de charme.

— La famille, c'est nul, marmonna Will.

L'épais tapis de l'escalier amortissait le bruit de ses pas. Au premier, le silence. Lui tendait-on un piège ?

Trop tard, maintenant, pour reculer. Rien ne pourrait l'empêcher de mener son projet à terme.

Sa respiration était calme et régulière. Il se sentait en confiance, bien dans sa peau. Sans états d'âme.

Après tout, son geste était parfaitement justifié.

Très doucement, il ouvrit la porte de la chambre.

La pièce baignait dans la douce clarté de la lune.

Pas de surprise au programme ce soir. Tout se passait comme prévu.

— Bonsoir, petit bonhomme, dit-il à Allie.

119

J'avais cru entendre un bruit.

Nous nous étions couchés tôt, et je m'étais endormie presque immédiatement.

Je rêvais. J'étais sur scène, devant une foule immense, en plein air, et, au moment de chanter, je me liquéfiais. Inutile d'appeler le Dr Freud pour interpréter l'image...

Et, brusquement, je me réveillai en ayant l'impression d'avoir entendu un bruit à l'étage.

Était-ce Jennie qui allait se coucher ?

Je me redressai dans le lit, regardai l'heure sur le radio-réveil : 23 h 45. Jennie se couchait bien tard.

Puis je perçus un autre bruit. Bizarre. Plus de doute, l'un des enfants s'était levé.

Enfin, je captai comme un cri étouffé. Mes tympans me jouaient-ils des tours ?

Je bondis hors du lit, je courus à la porte et là, je tendis l'oreille une demi-seconde.

Rien.

J'entendis ensuite un autre son étouffé, semblant venir de plus loin. Impossible d'en localiser la provenance. Allie s'était-il levé ?

Je sortis dans le couloir. La lumière était éteinte. Je rallumai.

Personne. Ni Jennie, ni Allie.

Fausse alerte, sans doute. À la campagne, la nuit, le moindre bruit prend des proportions inquiétantes. Les planchers qui craquent, les volets qui claquent, les branches qui griffent les vitres...

Je décidai tout de même d'aller m'assurer que les petits allaient bien. Peut-être une poussée de fièvre, ou un cauchemar. Dieu sait, pourtant, que de ce côté-là, ils avaient déjà eu leur compte.

J'ouvris tout doucement la porte de la chambre de Jennie, qui jouxtait la mienne.

Jennie avait disparu !

Je me précipitai vers l'autre chambre, côté gauche, qui donnait sur les pâturages à chevaux. J'ouvris d'un grand geste.

Allie avait lui aussi disparu !

120

Je me disais : « Il y a forcément une explication. »
Mais j'étais terrorisée.

Je dévalai l'escalier en criant :

— Jennie ! Allie ! Où êtes-vous ? Je vous cherche !

Il y a une explication très simple.

Personne dans l'entrée, ni dans le séjour, mais j'apercevais de la lumière dans le bureau. Bon, les enfants étaient là.

— Jennie ?... Allie ? Il y a un problème ?

Je me ruai vers le bureau, bousculant au passage une pile de livres posés sur une vieille console. Et, arrivée à l'entrée de la pièce, je me figeai de stupeur.

Le temps s'arrêta. La notion même de justice et de bien disparut instantanément de mon univers.

Will était là, debout à côté des enfants.

Malgré ses cheveux et sa barbe noirs, je savais que c'était bien lui.

Il tenait à la main un pistolet braqué dans la direction de Jennie et d'Allie.

— Salut, Maggie. Ça fait un bail, hein ? me déclara-t-il le plus calmement du monde, en bon psychopathe. Content de te revoir.

— Ça va, les enfants ? m'inquiétai-je.

C'est Jennie qui me répondit :

— Oui, m'man, tout va bien.

— Tu entends, Maggie ? me dit Will. Tout va bien. Où est le problème ? Tu sais que le droit de visite, ça existe.

Je fis quelques pas de plus dans la pièce. Mon cœur battait beaucoup trop vite.

Will était là, vivant, et je ne pus m'empêcher de répéter, pour la énième fois :

— Je te hais !

— Moi aussi, je te hais, ma poule, rétorqua-t-il en ricanant. Je te hais encore plus. C'est pour ça que je suis là. Je t'en veux à mort depuis déjà un bout de temps.

Je m'arrêtai et le fixai dans les yeux en m'efforçant de rester calme.

— Comment oses-tu venir ici, Will ? Pourquoi ? Après tout ce qui s'est passé...

— Oh, pour des tas de raisons tout à fait valables. Premièrement, pour le plaisir de te voir si étonnée, si paniquée. J'adore ce regard, il me fait un bien fou.

— Tu dis ça parce que tu es un lâche.

Je venais de lui dire le fond de ma pensée.

— Sans aucun doute. Je crois que tu as mis le doigt dessus. Si je suis là, c'est effectivement parce que j'ai peur de continuer à vivre comme je vis en ce moment. Et voilà !

— Tu ne leur ferais pas de mal. Pourquoi leur faire du mal ?

Il haussa les épaules.

— Parce que ce sont *tes* enfants. Parce que tu m'as esquinté plus que je ne l'étais déjà. Avant de te connaître, j'étais capable de fonctionner normalement. Maintenant, Maggie, tu la fermes. Je ne veux plus entendre un mot.

Il pointa son arme sur Allie. Le pauvre petit essayait de ne pas pleurer, mais il commençait à trembler et je ne pouvais rien faire.

Le silence revenu, Will hocha la tête en souriant, visiblement satisfait. Ce salaud jouissait de nous plier à ses ordres.

— Bon, reprit-il, voici ce que nous allons faire. Vous allez tous vous allonger, face contre le sol, sans le moindre bruit. Allons, tout le monde par terre. On va jouer à un petit jeu, Allie.

Tout à coup, Jennie se tourna vers lui en hurlant :

— Et puis quoi encore ! Pour que tu puisses nous tuer plus facilement ? C'est pour ça que t'es là, hein ? Espèce de naze ! T'es vraiment à chier.

— Jennie, fis-je pour tenter de la calmer, avant de comprendre ce qu'elle voulait faire.

Du moins, je l'espérais. Alors, comme elle, je me mis à brailler.

— Il est hors de question qu'on fasse quoi que ce soit. Tu peux crever !

— Tu peux crever ! reprit Jennie.

— Tu peux crever ! répéta Allie d'une toute petite voix.

Jennie se jeta sur Will. J'en profitai pour essayer de le désarmer en lui tordant le poignet des deux mains, avec l'énergie du désespoir. Simultanément, de toutes mes forces, je lui expédiai mon genou dans l'entrejambe.

Je l'entendis souffler, puis gémir. Il lâcha l'arme. Je la récupérai.

C'était moi, désormais, qui tenais le pistolet. Que faire à présent ?

Je reculai à pas rapides, imitée par Jennie et Allie.

— Vite, sauvez-vous ! Jennie, appelle la police. Compose le 911. Dépêchez-vous, allez !

Will me dévisageait, ébahi, comme dérouté par ce brusque changement de scénario. Puis un sourire réapparut sur ses lèvres, un sourire que je connaissais bien. Le sourire qui tue.

— Tiens, tiens, tiens..., soupira-t-il. Ce n'est pas exactement ce que je prévoyais, mais un bon buteur, un attaquant digne de ce nom, doit savoir improviser. Je sais bien que tu ne t'es jamais passionnée pour le foot, Maggie, mais pour un bon buteur, l'équipe n'existe pas, gagner ou perdre n'a pas d'importance. Ce qui compte, c'est le but.

— Will, c'est toi qui la fermes, maintenant.

— Et sais-tu quel était mon but, ce soir, Maggie ? As-tu vraiment compris ?

— Oui, je sais, Will. Tu voulais nous tuer, tous les trois. Jennie, Allie, sauvez-vous, vite ! Allez ! Appelle la police, Jennie !

Mais, très calmement, elle me répondit :

— Maman, tu viens avec nous. Tu recules jusqu'à la porte et tu pars avec nous.

— Connais-tu le reste de mon programme, Maggie ? poursuivit Will. Je crois avoir une petite idée.

Moi aussi. J'avais l'impression de lire en lui.

— Tu comptais nous tuer, et te tuer après.

Il applaudit, comme au ralenti. Le grand homme daignait me féliciter.

— Maman, viens avec nous, m'implorait Jennie. S'il te plaît, maman, dépêche-toi.

C'est alors que Will avança en me fixant du regard.

— En es-tu capable, Maggie ?

— Quand je dois, je peux.

— Maman, s'il te plaît, insistait Jennie.

— En es-tu réellement capable, Maggie ? Tu veux voir ton cauchemar recommencer, ou tu préfères mourir ? Tu pourrais appuyer sur la détente ?

Will avançait toujours.

L'attaquant se rapprochait des buts, comme il l'avait annoncé. Au diable la notion d'équipe — Will ne pratiquait que le jeu individuel. Quitte à perdre, mais en beauté.

Je ne savais que lui répondre. Comment me sortir de ce guêpier ?

Mais à bien y réfléchir, il y avait peut-être une solution.

Il avança encore, sans me quitter des yeux, la bouche déformée par un rictus moqueur.

Je tirai !

— Maman, maman !

Il plaqua la main sur sa jambe, faillit tomber. Faillit seulement.

La douleur lui arracha un gémissement.

— Oooooh, nom de Dieu, Maggie. Une vraie panthère. Belle défense !

Et, comme s'il était quasiment indemne, il fit un nouveau pas en avant.

Le buteur à l'œuvre.

Le meilleur attaquant du monde avait décidé de frapper, et rien ne pouvait l'arrêter.

Son but : nous assassiner mes enfants et moi, sous mon propre toit.

De sa chemise, il sortit un gigantesque coutelas, le brandit dans ma direction, plongea sur moi.

Alors je fis feu une seconde fois.

Épilogue

CHANTS DU SOIR

121

Le sud du Connecticut, début novembre. Quatre mois et demi après le drame, Will et moi avions enfin cessé de faire la une des journaux et magazines.

Mais il restait encore un article à écrire.

C'était un bel après-midi d'automne, vif et lumineux, un temps à lâcher les lycéens sur les terrains de foot, mais moi, derrière mon pare-brise teinté, je ne voyais qu'un jour maussade, un jour au goût d'inachevé.

Norma m'accompagnait, mais j'avais préféré prendre le volant. J'avais besoin de me sentir maître de la situation et nous n'allions pas tarder à vérifier si je l'étais vraiment.

Je m'armais de courage avant la dernière épreuve.

Je n'avais rien fait de mal, je n'avais jamais rien fait de mal. Je n'avais fait que protéger l'essentiel, c'est-à-dire ma famille. Bien sûr, j'avais commis des erreurs, comme tout le monde. Victime de ma naïveté, je m'étais offerte aux obsessions de Will qui, dès le début de notre relation, m'avait menti avec un art consommé.

Depuis Bedford, nous parlions de tout et de rien. Et enfin, nous arrivâmes à l'Institut pour la vie, dans la proche banlieue de New Haven, une sorte de bâtiment administratif, à mi-chemin entre la prison et le rectorat d'université. Ce n'était ni l'un, ni l'autre, mais un hôpital psychiatrique. L'un des meilleurs, m'avait-on dit.

Nous traversâmes d'un pas rapide le parking planté de peupliers et d'érables. Une hôtesse en tenue d'infirmière nous accueillit à la réception. Si elle me reconnut, elle ne le montra pas, et je lui en fus reconnaissante.

— Nous voudrions voir M. Shepherd.

— Quelqu'un va vous conduire à sa chambre.

Un aide-soignant surgi de nulle part nous escorta dans les couloirs. Arrivée à la porte, je m'arrêtai et demandai à Norma :

— Pourrais-tu m'attendre ici ? Je crois que je préfère le voir seule.

— Tu es sûre, Maggie ? Rien ne t'oblige à te faire du mal, tu sais.

— Non, non, j'ai bien réfléchi. Je n'ai plus peur de lui. *Enfin, presque plus.*

— Tant mieux pour toi. Moi, je reste dehors et je joue les boudins. Qui sait, je vais peut-être tomber sur un mec assez givré pour tomber amoureux de moi ?

L'employé déverrouilla la porte. J'entrai. Le décor de la pièce était des plus sobres : un lit, un bureau, une chaise, un fauteuil et un lampadaire. Le ménage venait d'être fait. Sur le mur du fond, une étagère avec quelques livres de poche manifestement neufs, et un petit lavabo. Cela me rappelait la prison, en un peu plus confortable.

Will se tenait près de la fenêtre et, en le voyant, j'eus la curieuse impression qu'il ne s'était pas assis depuis son arrivée à l'hôpital.

« Je n'ai plus peur, me répétai-je. Je vais assurer. »

Il était encore plus beau que la première fois que je l'avais vu, si tant était que cela fût possible. Le soleil qui s'infiltrait entre les stores embrasait sa chevelure longue et fournie, qui avait repris son blond d'origine.

— Bonjour, Will.

Pas de réaction.

Ses joues rose pâle étaient rasées de près et, malgré sa pose figée, il semblait avoir conservé toute sa grâce féline.

— C'est Maggie, Will.

On aurait dit un grand bambin. Je pensai au Will que j'avais rencontré à la soirée du Lake Club, au Will du jour de notre mariage, au Will qui m'avait confié ses soucis et ses peines, au Will qui m'avait soûlée de mensonges.

Je l'avais aimé — parce qu'il avait tout fait pour. Quoi que puissent en penser les critiques de cinéma, il possédait d'immenses dons d'acteur. Il avait réussi à abuser la moitié de la planète et s'était donné énormément de mal pour me mener en bateau.

Il émit un son curieux, une plainte suraiguë dont l'écho se répercuta dans la chambre. Ma deuxième balle l'avait touché à la tête. Elle avait glissé sur l'os crânien, mais l'impact avait irrémédiablement endommagé le cerveau.

— Chhhuiii... chhhuiii, me faisait-il avec insistance, mais je ne le comprenais pas.

Qu'essayait-il de me dire ?

Je pris place dans l'inconfortable fauteuil de bois, face à lui, et je me forçai à le regarder droit dans les yeux.

« Désolé de t'avoir fait ça, Will, mais je n'éprouve aucun remords. Je dors très bien, la nuit. Tu es seul responsable de ce qui t'est arrivé. »

Je songeais au meurtre qu'il avait commis à Bedford Hills, au piège abominable qu'il m'avait tendu, à ce qu'il avait fait à Jennie et à Allie, au sort qu'il nous avait réservé.

Mais je ne pouvais plus le haïr. Pas dans l'état où il était.

— Will, tu m'entends ? Comprends-tu ce que je te dis ?

Dans son regard, toujours le même vide. Non, visiblement, il ne comprenait pas ce que je lui disais. Il était parti dans son monde et n'en reviendrait jamais.

Cet après-midi-là, je me dis en le contemplant : « Quelle tristesse ! Tu es encore jeune, tu as l'air d'avoir tout l'avenir devant toi. Mais jamais plus tu ne me feras de mal, jamais plus tu ne toucheras à mes enfants. Tu ne me fais pas peur, Will. »

Peu après 17 heures, l'aide-soignant revint en agitant ses clés pour s'annoncer.

— Les heures de visite sont terminées.

— Je vous remercie. Je n'en ai plus que pour une minute. Vous voulez bien ?

Je me levai, allai jusqu'à la fenêtre. Un voile grisâtre masquait déjà le soleil. Je me tournai vers Will.

— J'ai pitié de toi, mais je ne peux pas te pardonner.

J'aurais tant voulu qu'il me dise quelque chose, quelques derniers mots, qu'il m'explique pourquoi il avait cherché à me tuer, pourquoi il s'était attaqué à nous. Qu'il me dise qui était réellement Will Shepherd. Mais existait-il une seule personne qui le sût ?

— Bon, adieu, Will. Désolée...

Je me ressaisis. Il était temps de partir. Je lui tournai le dos. Je n'avais plus peur de lui.

122

Et, soudain, Will poussa un hurlement terrible dont l'écho roula dans tout l'hôpital. Je fis volte-face.

Il lança un nouveau cri, le corps agité de tremblements.

Des employés accoururent. Un infirmier taillé comme un catcheur surgit à la porte, une seringue sous étui au poing.

— Chhhuiii ! glapit Will.

On aurait pu le croire victime d'un malaise cardiaque.

— Chhhuiii. Chhhuiii.

Il avait le visage et la nuque écarlates, les veines saillantes. Je le regardai, horrifiée. Que voulait-il me dire ?

Ses yeux m'indiquaient clairement qu'il ne me reconnaissait pas, qu'il ne me comprenait pas. Lorsqu'on le coucha de force, je sentis ses jambes fléchir.

La Flèche d'or se recroquevillait.

Il fallait que je sorte. J'ai quasiment pris la fuite. Je ne pouvais plus rien pour lui. Norma m'attendait au bout du couloir.

— Maggie ! Mais que s'est-il passé ? Tu vas bien ?

Je la pris dans mes bras et la serrai contre moi comme pour étouffer tous ces cris. À notre sortie, les arbres montaient la garde sur le parking tels des spectres dans la pénombre.

À mi-chemin de la voiture, je me retournai, comme si, derrière moi, un corps venait de s'extraire de sa tombe. J'avais la sensation d'être traquée par ces *chhhuiii... chhhuiii*.

Le regard désespérément vide de Will me poursuivait.

Mais à la fenêtre, il n'y avait personne.

123

Dans sa spartiate chambre d'isolement, Will hurlait sans discontinuer. Et quand sa gorge à vif, comme criblée d'échardes, devint un puits de douleur, il ne s'arrêta pas.

Il continua de hurler quand le personnel de nuit essaya de lui faire avaler son dîner, le changea puis le coucha. Sa force et son énergie stupéfiaient tout le monde. Il était encore jeune, en pleine forme physique et extraordinairement résistant.

— Chhhuiii ! Chhhuiii ! Chhhuiii ! CHHHHUIII !

Cet après-midi, il avait bien vu Maggie. Rien ne lui avait échappé. Il avait voulu lui parler, mais n'avait pas réussi à articuler un mot. Il était incapable de produire autre chose que *chhhuiii*.

Pourquoi ne l'avait-elle pas compris ? Pourquoi personne ne le comprenait ?

— Chhhuiii !

Je suis vivant !

Je suis vivant !

Je vous en supplie, ne me laissez pas comme ça !

Je suis enfermé dans ce corps. Ne le voyez-vous pas ? Aidez-moi !

— Chhhuiii ! Chhhuiii !

Je suis vivant !

Sur la route de Bedford, à mi-parcours, la lumière s'est faite. J'ai soudain compris ce que Will avait tenté de me dire à l'hôpital.

J'en ai eu le souffle coupé.

Mais je ne suis jamais retournée le voir.

Et je n'y retournerai jamais.

Imprimé en France
Dépôt légal : mai 1998
N° d'édition : 98095 – N° d'impression : 1341U-5